la planète vivante

« de l'insolite...
au merveilleux »

Collection ''Les Beautés de la Nature''

Page de couverture : *Fennec du Sahara*

DAVID ATTENBOROUGH - JEAN DORST

la planète vivante

« de l'insolite… au merveilleux »

DELACHAUX & NIESTLÉ

NEUCHÂTEL - PARIS

L'édition originale de cet ouvrage a été publiée en anglais par William Collins Sons & Co Ltd, sous le titre :
The Living Planet

© David Attenborough Productions Ltd, 1984

Photo de 4ᵉ de couverture : José-Luis Gonzales, Santa-Cruz de Tenerife, Iles Canaries (Espagne)

Si vous désirez être tenu au courant des publications de l'éditeur de cet ouvrage, il vous suffit d'envoyer votre adresse, en mentionnant le pays, aux éditions :

DELACHAUX & NIESTLÉ
Service de promotion
79, route d'Oron
CH - 1000 LAUSANNE 21

Vous recevrez régulièrement, sans engagement de votre part, nos catalogues et une information sur toutes les nouveautés que vous trouverez chez votre libraire.

ISBN 2-603-00563-4

L'AVENTURE DE LA VIE

Il n'est pas nécessaire d'être très savant en biologie pour être frappé par l'infinie diversité du monde naturel. Les végétaux ont pris toutes les formes possibles, de la plante-caillou qui se fond parmi les pierres du désert, à l'arbre majestueux de la forêt des tropiques. Les animaux ont des tailles qui vont de celle de l'infusoire microscopique à celle de la baleine, le plus grand mammifère jamais issu de l'évolution. Leurs formes et leurs couleurs, leurs structures et l'agencement des parties de leur corps diffèrent à l'infini. Les régions chaudes du globe, certes, comptent le plus d'êtres bizarres ; mais un simple coup d'œil sur la flore et la faune des régions tempérées montre qu'elles sont peuplées d'animaux tout aussi étranges. Le microscope et une simple loupe nous révèlent des monstres que les peintres les plus délirants n'ont pas imaginés.

Animaux et plantes ne sont jamais semés au hasard à la surface de la terre ou dans les océans. Bien au contraire, ils forment des communautés harmonieuses dont les éléments sont liés par des relations d'une rare précision. Chaque espèce animale est tributaire d'une association de végétaux, elle-même déterminée par la nature du sol et par les paramètres du climat. Chacun de ces ensembles, que les biologistes qualifient d'écosystèmes, diffère de ceux avec lesquels il voisine.

La vie s'est ainsi diversifiée à l'extrême, comme si elle avait voulu occuper tout l'espace disponible, bien que n'étant jamais destinée qu'à former une mince pellicule à la surface des terres émergées. Elle n'a guère pénétré au sein des océans ; et pourtant des formes maintenant adaptées vivent au fond des grandes fosses marines. La biosphère, car c'est ainsi que l'on désigne l'ensemble des êtres vivant sur notre planète, par opposition à la lithosphère constituée par les roches et les matières inorganiques, forme ainsi un ensemble unique et cohérent tout en étant composé d'éléments innombrables et d'une infinie diversité.

L'origine de la vie demeure encore bien mystérieuse. En analysant les manifestations vitales au niveau des constituants élémentaires des cellules, la biologie moléculaire a toutefois jeté quelque lumière sur les processus qui ont permis le passage de la matière inerte à la matière organisée.

Apparemment, la vie n'est apparue que sur la seule planète Terre. Et pourtant, depuis toujours, les hommes ont imaginé des êtres extra-terrestres. Leurs recherches se sont révélées jusqu'à présent infructueuses, bien que les satellites de quelques planètes du système solaire présentent des conditions a priori compatibles avec des formes de vie élémentaires.

Et pourtant l'univers contient des milliards de "Terres", car il existe dans notre galaxie des millions d'étoiles semblables au soleil, autour desquelles gravitent des millions de planètes. Et il existe des milliards de galaxies, ce qui donne peut-être quelque chance à ce que l'un de ces lieux soit habitable et qu'il ait été le thèâtre d'une aventure semblable à celle de la vie terrestre. La matière inerte s'y est-elle organisée en matière vivante de la même manière que sur Terre ou d'une manière très différente ? La question reste entière. La probabilité n'est pas à écarter, mais revenons sur notre sol terrien, car nous avons largement de quoi nous y émerveiller.

L'univers a été créé, disent les astronomes, lors du "big bang" initial qui lui a fait quitter son état condensé, il y a de quinze à vingt milliards d'années. Une lente évolution inorganique mena à la formation des éléments chimiques tels que nous les connaissons, ceux qui constituent les étoiles et les planètes qui gravitent autour d'elles. Ce fut le cas de notre soleil et d'une de ses planètes, la Terre, dont l'âge est estimé à quelque 4,7 milliards d'années. Les fossiles, témoins de la vie, ne datent que de 3,4 milliards d'années, mais la vie est sans doute plus ancienne, ses premières manifestations n'ayant pas laissé de traces ou celles-ci ayant jusqu'ici échappé à nos investigations.

A cette époque, l'atmosphère gazeuse qui entourait la terre était fort différente de celle d'aujourd'hui. Riche en méthane, en ammoniac, en gaz carbonique et en vapeur d'eau, elle était dépourvue d'oxygène, fait à première vue surprenant tant ce gaz est maintenant synonyme de vie. Celui qui entoure la planète est le produit de la vie elle-même : les végétaux chargés de chlorophylle le libèrent en fixant le carbone contenu dans le gaz carbonique. Mais ceux-ci ne furent de loin pas les premiers dans le cortège de la vie, ce qui fait que les formes dites aérobies ne purent se différencier que plus tard, donnant ainsi naissance au monde vivant actuel. On a tout lieu de croire que les premières manifestations de la vie furent le fait d'organismes puisant l'énergie nécessaire dans des mécanismes anaérobies [2] peu efficaces, cependant viables, comme en témoigne leur persistance jusqu'à l'époque actuelle.

Mais revenons-en au début de la vie. A cette époque, des molécules élémentaires associant le carbone à l'hydrogène et à l'azote, l'hydrogène à l'oxygène, flottaient dans l'atmosphère terrestre. Elles ont d'ailleurs été retrouvées par les astrophysiciens à l'état de poussières ténues jusqu'à des milliers d'années-lumière de la terre. Elles comptaient même des combinaisons plus complexes, témoins d'une sorte de prébiologie. Présentes dans l'atmosphère, les pluies les ont entraînées dans les mers où elles se sont concentrées en transformant celles-ci en "soupe chaude". Peu à peu ces éléments s'unirent par condensation et donnèrent naissance à des polymères [3] complexes, les préludes de la matière vivante. Ces molécules, parmi lesquelles figuraient déjà

[1] Aérobie = être microscopique ayant besoin d'oxygène pour survivre.
[2] Anaérobie = micro-organisme capable de vivre en l'absence d'oxygène.
[3] Corps chimiques formés par l'union de multiples molécules identiques.

sans doute les acides nucléiques, se regroupèrent en associations cohérentes auxquelles on réserve le nom de coacervats, concentrant sous un faible volume des substances jusqu'alors dissoutes dans un milieu dilué.

Le stade essentiel de cette longue séquence d'événements fut sans conteste alors l'apparition d'un système auto-reproducteur, la caractéristique première de la vie. Les problèmes que soulève cette biogénèse restent inexpliqués et l'expérience est muette à leur sujet.

Le trait dominant de cette longue histoire est l'évolution vers une complexité croissante de la matière, inorganique d'abord, organique ensuite, ordonnée en un cortège d'une étonnante continuité. Sans doute d'innombrables échecs ont marqué cette progression, prodigieux enchaînement de dizaines de milliers de réactions s'ordonnant en séquences capables d'assurer l'auto-conservation et l'auto-reproduction du vivant.

L'origine de la vie telle qu'elle se présente actuellement est unique à la surface de la terre. Ses mécanismes s'ordonnèrent en série avec une logique clairement exprimée. Les signes en restent apparents.

Les mêmes éléments chimiques entrent dans la composition de toute la matière vivante. Les "briques" élémentaires que sont les amino-acides sont au nombre de vingt, pas un de plus ; elles se sont assemblées en protéines innombrables, deux mille cinq cents pour une bactérie, plus d'un million pour un mammifère. Les acides nucléiques, cœur même de la matière vivante, sont formés d'un alphabet de quatre lettres seulement, mais à lui seul il permet l'infinie variation des formes de la vie dont ces substances seront dorénavant les invariants biologiques. "Ce qui est vrai pour le bacille l'est aussi pour l'éléphant" a dit Jacques Monod.

L'ensemble du fonctionnement des êtres vivants, les mécanismes physiologiques, le contrôle par voie nerveuse ou humorale présentent des traits communs en dépit des différences qui sont autant d'adaptations aux conditions de milieu. Et même les structures anatomiques se ramènent à un plan unique pour qui sait distinguer ce qu'il y a de commun parmi les manifestations de la matière vivante.

Ainsi, qu'il s'agisse des composants biochimiques élémentaires, des structures anatomiques ou du fonctionnement physiologique, la vie présente sous toutes ses formes une éclatante unité. Même le comportement des êtres vivants procède d'un même fonds commun.

La vie apparut ainsi à la suite d'un singulier enchaînement de phénomènes, qui ne sont sans doute pas le fait du simple hasard. On ne peut s'empêcher de penser que l'apparition de la matière organisée, de la vie en autres termes, était inscrite dans la constitution de la matière inerte dont l'évolution ne peut se continuer que par un stade où elle devient auto-reproductible.

Très vite ces êtres vivants, aussi primitifs qu'ils étaient, commencèrent à se spécialiser. Certains, les premiers dans la séquence, étaient des "producteurs", fixant des éléments minéraux. Cette "biomasse consommable" primitive augmenta considérablement en volume quand apparurent les organismes chlorophylliens, capables de fixer le carbone du gaz carbonique de l'atmosphère. D'autres se mirent à se nourrir à leurs dépens, devenant ainsi ce que les écologistes appellent des "consommateurs", déprédateurs ou prédateurs. Tous laissaient des déchets et tous mourraient. Une place était ainsi créée pour des ''décomposeurs'', vivant aux dépens de l'énergie contenue dans les rebuts de la vie. Il est permis d'imaginer que c'est ainsi que se constitua le premier écosystème : un fixateur d'énergie inorganique, un prédateur, un décomposeur capable de recycler la matière organique et de la ramener au niveau minéral.

L'histoire de la vie aurait pu s'arrêter là. Il n'en fut pourtant rien car, par suite d'un jeu très subtil, elle ne tarda pas à se différencier en d'innombrables manifestations. On ne connaît certes pas encore les stades qui suivirent l'apparition des premiers êtres vivants, ni la manière et les voies qu'ils choisirent pour se diversifier. Les premiers fossiles, aussi primitifs qu'ils soient, sont déjà ''évolués''. Tous attestent la différenciation de formes qui ira en s'amplifiant d'une période géologique à la suivante.

Depuis longtemps, donc, la vie forme un réseau d'une incroyable complexité. Cela s'observe avant tout au niveau des espèces entre lesquelles la vie s'est répartie. A l'époque actuelle, on estime qu'il y aurait au minimum 30 000 protozoaires, 30 000 vers, 35 000 araignées et scorpions, 25 000 crustacés, 80 000 mollusques, 20 000 poissons, 6 000 reptiles et amphibiens, 9 000 oiseaux et 4 000 mammifères. Les insectes comptent près de deux millions d'espèces, parmi lesquelles plus de la moitié sont des coléoptères. Ces évaluations seront réévaluées en hausse dans le futur, car beaucoup d'espèces restent à découvrir. Chacune d'entre elles est définie par ses caractéristiques morphologiques et anatomiques, et bien plus encore par ses particularités biologiques, comportements, adaptations à un mode de vie particulier, modalités de la reproduction, structure de ses populations et manière dont elles occupent l'espace aux différentes phases de leur existence. Chacune occupe ainsi, au sein des systèmes dont elle fait partie, une place particulière, sa ''niche écologique''.

On ne peut manquer d'être frappé par les deux caractéristiques majeures du monde du vivant, en apparence contradictoires. D'une part l'unité de la matière vivante, partie d'un même moule, et des lois qui la gouvernent. Et d'autre part son incroyable diversité. Il n'y a pas deux espèces, deux populations ni deux individus identiques à travers le monde, chacun réagissant d'une manière distincte.

A l'époque actuelle, aucun système biologique ne fonctionne sans cette diversité. Les plus simples d'entre eux comprennent des centaines d'espèces, les plus complexes des milliers comme l'ont prouvé des études menées au milieu des forêts tropicales humides. Cette diversité est la condition même de leur survie et de leur stabilité.

Le maintien de la diversité apparaît ainsi comme la loi fondamentale de la biosphère et des systèmes qui la constituent. L'action de l'homme a mené depuis fort longtemps à diminuer cette diversité. Certes il y fut obligé pour survivre et augmenter la part de productivité directement utilisable à son unique profit. En créant un champ, il a substitué une seule plante cultivée aux multiples végétaux sauvages du milieu originel ; en créant la prairie artificielle, il a remplacé des communautés complexes par des chaînes alimentaires courtes, une seule plante fourragère et un herbivore domestique, consommateur de la production végétale. Les aliments dont l'humanité aura besoin jusqu'à la fin des temps ne pourront être produits que de cette manière.

Mais l'homme a sans aucun doute voulu aller trop loin dans cette voie. Il a tenté de transformer à son profit la surface entière de la planète, alors que les terres émergées ne sont susceptibles d'être mises en culture que sur à peine dix pour cent de leur surface.

La vie s'est donc peu à peu adaptée à tous les milieux qu'elle était susceptible de coloniser à la surface de la planète. Elle les occupe jusqu'à la limite du supportable. La matière vivante apparaît à première vue d'une extrême fragilité. Les substances organiques qui la constituent sont d'une sensibilité extrême à de multiples agents chimiques ou physiques, la chaleur ou le froid, l'oxydation ou l'absence d'oxygène. Chacun des mécanismes biologiques ne peut fonctionner qu'entre des limites précises et se trouve à la merci de la plus petite perturbation du milieu ambiant.

Et pourtant les êtres vivants sont omniprésents ou presque à travers le monde. Des oiseaux ont été rencontrés aux pôles et d'autres franchissent l'Himalaya en volant à plus de 9 000 mètres d'altitude. Dans les océans, la densité des êtres vivants décroît de manière spectaculaire dès que l'on quitte les couches superficielles pénétrées par la lumière. La vie cependant s'est insinuée jusqu'au plus profond des abysses : même s'il n'y a là qu'un demi-gramme de matière vivante par mètre carré, la vie y affirme sa présence sous d'inimaginables conditions de pression et dans une obscurité totale. Certaines bactéries ne peuvent même vivre qu'à de telles profondeurs ; elles éclatent sitôt ramenées à la surface.

Et que dire des températures excessives ! Quelques manchots se reproduisent dans l'Antarctique pendant l'hiver, sans une vraie lumière solaire et par un froid qu'exaspèrent des vents violents. A l'opposé, des animaux vivent dans la chaleur excessive des déserts, en supportant des températures de l'ordre de 50°. Des bactéries se tiennent dans les eaux minérales de 80°. Des vers, des crustacés et des protozoaires prospèrent dans des milieux tant chargés de sels, de soufre et d'acides que même le fer s'y corrompt.

Comme les gaz parfaits des physiciens, la vie semble ainsi occuper tout l'espace disponible, bien qu'avec une densité éminemment variable.

Les adaptations nécessaires à l'expansion des êtres vivants diffèrent largement et sont de plusieurs ordres, bien qu'étroitement complémentaires. Les unes relèvent de la physiologie, comme par exemple la vie dans des milieux liquides. D'autres sont du ressort de l'écologie ou du comportement. Dans un milieu hostile du fait de son climat, le réflexe le plus simple est la recherche des microclimats les plus favorables. C'est ainsi que dans les hautes Andes, au-dessus de 4 000 mètres d'altitude, les colibris, des oiseaux autrement propres aux chaudes forêts tropicales, avant tout amateurs du nectar que leur dispense une végétation luxuriante, se sont convertis en insectivores. Familiers de la végétation dense, ils sont devenus rupicoles et fréquentent les parois des hautes falaises rocheuses qui conservent la chaleur pendant les heures froides de la nuit. Quelques-uns d'entre eux nichent même dans des cavernes pour y trouver une ambiance thermique compatible avec les exigences de leur métabolisme.

Dans l'Antarctique, le Manchot empereur est un des plus éclatants exemples des adaptations de ce type. Nichant en plein cœur de l'hiver antarctique, la seule saison où la glace de mer permet à cet oiseau d'accéder à une surface solide, parfaitement plane, il doit jouir d'une résistance extrême au froid. Sur ses lieux de nidification règnent alors des températures de moins cinquante degrés. De nombreuses et combien précises adaptations physiologiques existent certes chez le Manchot empereur. Mais elles sont accompagnées de comportements bien particuliers. Quand le vent souffle en blizzard, les colonies se rassemblent en groupes compacts, et les adultes se serrent les uns contre les autres, formant un rempart pour leurs jeunes qu'ils regroupent au milieu d'une "tortue", un nom qui rappelle la formation des légionnaires romains montant à l'assaut des phalanges ennemies.

Les adaptations des végétaux et des animaux sont innombrables, chacun d'entre eux ayant fait preuve d'une ingéniosité sans limites pour faire face à l'adversité ou pour coloniser des territoires jusqu'alors demeurés hors de sa portée. Les solutions trouvées pour résoudre un même problème sont souvent très diverses. Les "inventions" de la nature ne se comptent pas, chacune d'entre elles étant le fruit d'une patiente évolution étagée sur des millions d'années.

La mince couche de matière vivante qui s'étend ainsi à la surface de la terre est donc d'une prodigieuse diversité. Partout elle a fait preuve d'une incomparable imagination pour trouver les solutions les plus adéquates à de difficiles problèmes d'adaptation. Tout au long de ce livre, David Attenborough va nous conduire sur les chemins du vaste monde, des chaleurs moites des tropiques aux froidures des glaces polaires. Rien qu'en feuilletant ce livre, chacun se sentira pris d'une frénésie de voyage, à la recherche des merveilles, issues d'une évolution millénaire, que sont les végétaux et les animaux.

Le lecteur aura bien raison, car les mondes exotiques sont une longue suite d'enchantements. Mais peut-être ne se doute-t-il pas qu'un univers tout aussi étonnant se trouve à sa porte, et qu'au hasard d'une "fin de semaine" ou de quelques jours de vacances, il peut, à moindre frais, rencontrer des êtres aussi déconcertants que ceux qui vivent au-delà des mers et y nourrissent nos fantasmes d'exotisme. Une paire d'honnêtes jumelles, une loupe et surtout de bons yeux et une fine oreille, c'est tout ce qu'il faut pour découvrir la nature au milieu de laquelle nous vivons. En rentrant chez lui, l'observateur attentif aura pu réunir autant de souvenirs exaltants que le hardi explorateur de jadis, revenu de ses campagnes lointaines coiffé de son casque "colonial".

Nos bords de mer, tantôt rocheux, tantôt étirés en plages sablonneuses paressant sous le soleil, sont des lieux d'observation privilégiés. Étonnante eau de mer, chargée de sels et de composants biologiques, qui entretiennent une faune riche par sa densité et multiple par les adaptations de chacun de ses éléments. Un "panier de crabes" s'y tient, chacun ayant sa spécialité. Au gré des saisons, ils vont et viennent pour se reproduire avec des comportements précis inscrits dans leur patrimoine génétique. Leur amusant ballet n'est pas fait pour distraire le promeneur, mais pour défendre un territoire et attirer une femelle et ainsi perpétuer leur race. Une coquille de mollusque, un buccin par exemple, munie de pattes de crustacé n'est pas un animal composite, mais un bernard l'hermite qui a trouvé logement convenant à sa taille. Il en devra changer quand il aura grossi, un passage bien périlleux qui le met à la merci de ses prédateurs. L'assemblage marin comprend de vrais bandits, telles ces étoiles-de-mer qui viennent ravager les bancs d'huîtres, dont elles écartent les coquilles pour en dévorer la chair fine. Les oursins, si chargés d'épines qu'ils furent appelés châtaignes de mer, se camouflent si habilement qu'un nageur imprudent peut se blesser cruellement. Il faut les découvrir et observer leurs mœurs, car ils se placent dans un groupe zoologique qui, bien après leur apparition, donna naissance aux vertébrés. Les bords de mer sont aussi peuplés de multiples oiseaux qui se disputent la nourriture disponible. Bornons-nous à évoquer les dizaines, voire les centaines, les milliers de petits échassiers qui fréquentent nos vasières au moment des longs périples qui les mènent de la toundra arctique aux étendues d'eau de l'Afrique tropicale. Chacun d'entre eux, bécasseaux, pluviers, courlis, huîtriers, a sa spécialité. Leur contemplation par bandes innombrables est un enchantement, leur étude une source d'émerveillement.

Les eaux continentales sont un autre terrain de prédilection du naturaliste. Chacun de nos poissons est inféodé à une certaine qualité des eaux, courantes ou stagnantes, riches ou pauvres en oxygène ou en substances organiques. Les étangs sont d'un intérêt tout particulier, car ils constituent une suite de milieux fermés, vivant en quelque sorte en autarcie, parfaites illustrations de ce que les biologistes ont qualifié d'écosystème. Entourés de prés humides où croissent des orchidées, les marais hébergent une faune superbement diversifiée d'insectes. Papillons et libellules y célèbrent leurs noces, mais aussi des hémiptères et des coléoptères aquatiques ; gyrins et dytiques n'en sont que les plus connus. Du printemps à l'hiver, la vie prolifère sous ses multiples facettes et c'est peut-être là que l'on peut le mieux prendre conscience du prodigieux enchaînement des mangeurs et des mangés, tout au long des chaînes alimentaires.

Cet univers est aussi peuplé de nombreux vertébrés aériens. Les grenouilles et quelques autres batraciens sont strictement aquatiques au moment de leur reproduction, car les œufs ne peuvent éclore que dans le milieu liquide où s'ébattront les têtards. La migration des crapauds est un événement qui se répète d'année en année vers les mares où ont lieu leurs noces. Tous font retentir la nuit de coassements plus ou moins harmonieux destinés à attirer les femelles. Dès le milieu d'avril, la cistude d'Europe, appelée aussi tortue boueuse, sort de sa retraite hivernale et va mener une vie aussi riche en péripéties que les tortues d'eau des tropiques.

Il faudrait aussi parler longuement de la musaraigne, propre aux régions humides qui, lestée d'un coussin d'air que retient sa fourrure, va chercher parmi les pierres de la rivière les larves de phryganes et de quelques autres proies dont elle fait son ordinaire. Évoquer les oiseaux aquatiques serait trop long et trop passionnant. Les espèces nicheuses sont rejointes en hiver par des dizaines de milliers de migrants, notamment des canards venus des toundras arctiques et de Sibérie, car l'Europe occidentale jouit d'un climat tempéré qui permet à ces oiseaux d'y hiverner dans de bonnes conditions.

Nos forêts sont tout aussi passionnantes, car elles sont, avec les marais, les derniers milieux proches des habitats primitifs de l'Europe, quand les ingénieurs ne les ont pas trop malmenées. Même les forêts exploitées avec sagesse offrent au naturaliste de nombreux thèmes de réflexion. La régénération des parcelles coupées à blanc et la lente succession des associations végétales permet de voir comment se modifie la faune, celle des insectes comme celle des oiseaux, parmi lesquels chaque espèce choisit l'habitat qui lui convient le mieux.

Même les champs et les prés sont des habitats riches d'émotion pour ceux qui savent y voir autre chose que des plantes cultivées, le théâtre d'évolution de machines agricoles de plus en plus perfectionnées et le pâturage de placides bovins. Il faut chercher les lieux les moins transformés par les hommes, et ils sont encore nombreux dans notre paysage rural traditionnel. Les remblais des voies ferrées et même parfois le talus des autoroutes, quand ils ne sont pas trop arrosés d'herbicides, sont de précieux refuges où prospèrent plantes rares et insectes dépendant de leur sève. On constate d'ailleurs que les plantes sauvages reviennent actuellement en force dans les milieux rendus les plus artificiels. Témoins les coquelicots, qui avaient disparu ou presque de nos champs, et qui animent à nouveau les campagnes d'innombrables points rouges, comme les ont figurés les peintres impressionnistes. La nature semble reprendre ses droits, tout en faisant bon ménage avec les hommes.

Les montagnes sont demeurées plus proches de leur état naturel que tout autre habitat européen. D'autant plus que l'économie montagnarde a regrettablement régressé du fait d'une rentabilité diminuant d'année en année. Cela n'a d'ailleurs pas été sans dommage pour la flore alpestre, car les pâturages désertés se sont dégradés, les vaches n'y remplaçant plus les ongulés sauvages qui tondaient les gazons et, en éclaircissant les herbes, permettaient aux fleurs de s'épanouir.

Les métropoles urbaines elles-mêmes ne sont pas sans intérêt pour le naturaliste, ne serait-ce que parce qu'il pourra y mesurer les prodigieux pouvoirs d'adaptation des êtres vivants. Quelques-uns sont des indésirables. Rats et cafards y prolifèrent en dépit des efforts constants des services municipaux concernés. Les pigeons domestiques pullulent outre mesure. Autant il est bon qu'à Venise la place Saint-Marc soit animée de leurs vols, comme quelques lieux de Paris et de bien d'autres villes, autant leur pullulation est préjudiciable aux monuments qu'ils rongent de leurs fientes, et aux citadins parmi lesquels ils répandent de manière incongrue germes pathogènes et dangereux virus.

D'autres animaux sont plus inattendus et de ce fait même bienvenus. Un aigle fut observé, planant dans le ciel de la place de l'Opéra à Paris ; un faucon atterrit sur le balcon de celui qui était alors titulaire de la chaire d'ornithologie du Museum ; il y a quelques années, des cormorans vinrent se percher sur la croix qui surmonte le Panthéon. Deux éminents naturalistes poursuivent l'inventaire des plantes et des animaux qui ont peuplé l'île Saint-Louis, en plein milieu de Paris. Ce relevé est d'une stupéfiante richesse et comprend même une colonie de méduses d'eau douce qui prolifèrent dans la Seine, charriant ces immondices.

La nature même, dans ce qu'elle a de plus humanisé, garde ainsi partout ses droits et révèle ses secrets à qui sait la surprendre dans ses manifestations les plus insolites. Heureux qui comme Ulysse fera un long voyage pour découvrir les terres exotiques, car il y verra des merveilles. Mais que le simple promeneur à travers nos campagnes et même l'habitant des grandes villes n'oublient pas qu'il existe des sujets d'étonnement à leur portée.

Pendant la Révolution, Latreille, le père de l'entomologie moderne, se trouvait en prison, attendant la mort comme prêtre réfractaire. Il y fit des observations sur quelques insectes fréquentant les cachots, qu'il publia ensuite, ayant échappé aux noyades réservées à ces innocentes victimes.

N'allons pas jusque-là, et retenons simplement que la vie sauvage manifeste sa présence d'une manière persistante presque partout, et qu'en toutes circonstances, elle est source d'étonnements et de joie pour qui sait l'observer.

L'état actuel de la nature sauvage n'est toutefois pas, et de loin, aussi satisfaisant qu'il pourrait ressortir de ces dernières pages. Les hommes se sont rendus coupables d'agressions multiples et injustifiées à l'égard du monde naturel. La disparition de nombreuses espèces végétales et animales s'est accélérée à travers le monde et, dans la quasi totalité des cas, nous en sommes les uniques responsables. Par ailleurs les habitats les plus prestigieux et ceux qui contribuent le plus efficacement à l'équilibre écologique de la planète se sont dégradés d'irrémédiable manière sur des superficies démesurées. Cette déplorable évolution s'est accentuée de siècle en siècle, en dépit d'une prise de conscience des biologistes et de l'opinion publique comme des pouvoirs politiques.

La nature aurait continué d'évoluer dans son harmonie si un bipède, très archaïque par certains de ces caractères, très perfectionné par d'autres, n'avait fait son apparition à l'extrémité d'un rameau issu d'un arbre plongeant ses racines parmi les primates et, même au-delà, parmi les mammifères insectivores dont quelques représentants survivent dans les forêts d'Extrême-Orient. La biosphère a fonctionné pendant quelques milliards d'années sans ''prévoir'' que son sort dépendrait un jour de ce primate unique en son genre. Elle aurait pu se développer sans lui et l'on a déjà imaginé ce que pourrait être son devenir, s'il arrivait que l'homme disparût pour des raisons auxquelles il pourrait d'ailleurs ne pas être étranger. Les créatures dominantes dans cette phase post-humaine de l'histoire de la vie se trouveraient peut-être parmi les insectes, les animaux les plus adaptatifs et les mieux doués grâce à un formidable pouvoir de multiplication. Leur résistance est légendaire et certains d'entre eux, tout comme les scorpions, survivent même aux radiations nucléaires qui tuent tout autre animal.

Mais revenons- en aux faits. Au début de leur histoire, les hommes se comportèrent comme un quelconque primate de grande taille, vivant aux dépens des communautés naturelles dont ils faisaient partie. Ils collectaient fruits et graines et chassaient quelques animaux, modulant leur régime alimentaire en vrais opportunistes. Leurs prodigieuses facultés d'adaptation leur permirent de coloniser les milieux les plus divers en modifiant leur genre de vie selon les circonstances. Dès ces premières époques, les hommes peuplèrent avec une déconcertante vitesse les régions les plus variées et les plus retirées de la planète.

Cet état presque idyllique ne dura guère. Car l'homme disposait, et lui seul, de facultés intellectuelles jamais encore rencontrées dans le monde. Il avait maîtrisé le feu qu'aucune créature n'avait jusqu'alors mis en action. Aux saisons favorables, il alluma de gigantesques incendies qui couraient à travers landes et forêts, dévastant les communautés animales et végétales.

Les choses changèrent avec brutalité au Néolithique, il y a quelque dix mille ans avant notre ère. De chasseurs et de pêcheurs, vivant en prédateurs aux dépens des ressources naturelles, les hommes devinrent pasteurs et cultivateurs. Après avoir domestiqué quelques animaux et quelques plantes, ils transformèrent peu à peu la face entière du monde. Cette nouvelle économie entraîna de profondes modifications du paysage de la terre. La Révolution agricole est le premier grand tournant de l'histoire de l'humanité.

Un peu partout à travers le monde, des "agrosystèmes" vont dorénavant peu à peu se substituer aux systèmes naturels. Dans bien des cas, ce sera bénéfique à l'homme qui plus jamais ne pourra se passer du champ et de la prairie aménagés. Mais dès que, sous la pression démographique croissante, l'exploitation se fit en dehors des zones ayant une nette vocation agricole, l'opération tourna au désastre. Sans aucun profit durable pour les populations humaines, des écosystèmes naturels prospères se convertirent en déserts improductifs à jamais ravagés par l'érosion.

Bien plus tard, au XVIIIe siècle, les hommes se dotèrent de moyens d'intervention incomparablement plus puissants, grâce aux progrès décisifs de la physique et de la chimie. La Révolution industrielle est le deuxième grand tournant de l'histoire de l'humanité. Ses apports ont grandement conforté l'homme dans sa position d'être dominant, de "roi de la nature", en fait de despote cupide et orgueilleux.

Ne refaisons pas l'histoire de la dévastation de notre planète par nos ancêtres et par nous-mêmes, car elle est trop connue. Des efforts louables ont été entrepris pour corriger ses effets nuisibles, endiguer la dégradation irrémédiable de la biosphère et la disparition d'une partie importante des faunes et des flores sauvages, irremplaçable patrimoine naturel, car il est le fruit d'une évolution vieille de centaines de millions d'années.

La nature reste d'une utilité première pour les hommes, surtout au moment où grâce aux progrès rapides de la biologie — la science du troisième millénaire — nous pourrons tirer un parti rationnel de tous ses éléments. Il serait vraiment stupide de nous priver de cette richesse authentique qu'aucun de nos artifices ne pourra jamais remplacer.

Et puis la nature est bien autre chose qu'une source de profits matériels. Elle est source de joies et d'équilibre physique et mental, et chaque homme peut y puiser en fonction de sa culture, de ses croyances et de sa psychologie.

Notre héritage est déjà bien amoindri. Conservons ce qui en subsiste. D'abord, pour notre propre satisfaction et les joies multiples que nous pouvons tirer de l'observation de chacune des manifestations de la vie. Ensuite, pour le transmettre à nos descendants, en leur laissant la possibilité d'un choix pour satisfaire des aspirations qui ne seront sans nul doute pas les nôtres, surtout dans un contexte socio-économique, culturel et scientifique bien différent de celui de l'époque actuelle.

A juste titre on a dit que nous étions moins les héritiers d'un patrimoine naturel légué par nos ancêtres que les simples usufruitiers de celui que nous transmettrons à nos descendants.

Ne l'oublions pas quand nous décidons de nos politiques. Et allons nous réjouir l'âme parmi les choses de la nature, en nous extasiant devant le fruit d'une évolution dont chacune des manifestations est une solution à la persistance de ce phénomène à nul autre pareil.

Jean DORST
de l'Institut
Directeur du Museum national
d'Histoire naturelle

EN REMONTANT LE TEMPS... PAR LA KALI GANDAKI

Les eaux laiteuses et grondantes de la rivière Kali Gandaki traversent la plus profonde vallée du monde. Au Népal, lorsqu'on la regarde en amont, c'est-à-dire vers la principale chaîne des montagnes de l'Himalaya, on a l'impression que la rivière jaillit d'un gigantesque ensemble de pics enneigés. Le plus haut d'entre eux, le Dhaulagiri (8 000 mètres d'altitude), est le cinquième sommet du monde. L'Annapurna, qui se dresse à 35 km de là, n'a que quelques mètres de moins. La rivière devrait logiquement prendre sa source en amont, dans les flancs sud de cette énorme barrière de roche et de glace. Il n'en est rien. La Kali Gandaki coule entre les deux montagnes, et son lit se trouve environ 6 kilomètres à la verticale en-dessous des pics.

Depuis des siècles, les Népalais empruntent la vallée pour traverser la chaîne de l'Himalaya et atteindre le Tibet. C'est ici que nous commençons notre ascension. Chaque jour, pendant l'été, des caravanes de mules grimpent lentement le long des sentiers rocailleux balayés par le vent. Parés comme pour une cérémonie, les animaux transportent jusqu'au Tibet d'énormes charges de blé noir, de thé et de tissus que les Népalais échangeront contre des écheveaux de laine et des pains de sel. Le climat de la partie la plus basse de la vallée est si chaud et si humide que les autochtones réussissent à faire pousser des bananes. La forêt que nous traversons a toute la luxuriance d'une jungle tropicale : des tigres rôdent dans les fourrés de bambous et des rhinocéros mâchonnent impassiblement la végétation riche en sève. Lorsque l'on accède à la vallée proprement dite, la végétation se modifie. Dès 1 000 mètres, on aperçoit des rhododendrons, d'une hauteur d'environ 10 mètres, couverts de larges feuilles vernissées. En avril, ils se parent d'une cascade de fleurs écarlates. Ce sont les souimangas qui se chargent de disperser le pollen d'arbre en arbre, en plongeant leurs becs recourbés dans le cœur des fleurs pour en aspirer le nectar. Le plumage irisé de leur gorge jette des reflets métalliques sous le soleil. Et voici les singes entelles, des pillards qui arrachent les fleurs par poignées et les écrasent dans leurs gueules. Sur le sol poussent des orchidées, des iris, des arums en forme de trompettes et des primevères. Là où le soleil perce la voûte de feuillage et réchauffe les pierres, des petits lézards se chauffent le dos au soleil. C'est dans les profondeurs de cette forêt que vit l'un des plus merveilleux oiseaux du monde : le tragopan. Il s'agit d'un faisan, de la taille d'une dinde, dont les plumes d'un splendide rouge cramoisi sont décorées de fines traînées blanches.

Des pluies abondantes entretiennent la luxuriance de la forêt. Les vents de mousson qui soufflent de l'Inde repoussent, vers le haut, des nuages qui s'amoncellent

▲ *Panda de l'Himalaya*

Ammonite, haute vallée de la Kali Gandaki, Népal ▲

au-dessus de la vallée. En prenant de l'altitude, ils refroidissent et, surchargés d'humidité, ils éclatent en pluies torrentielles qui font de la partie la plus basse de la Kali Gandaki l'un des endroits les plus arrosés de la terre.

Mais cette forêt a ses limites. A partir de 2 500 mètres, les rhododendrons ne poussent plus que par plaques et sur les versants protégés. Ils cèdent progressivement la place aux conifères : sapins de l'Himalaya et pins du Bhoutan. Leur végétation est moins dense que celle des rhododendrons, mais leurs longues aiguilles rigides ne cassent pas sous le poids de la neige et peuvent supporter des températures très basses. Les jours de chance, on entrevoit de temps à autre un petit panda roux qui farfouille parmi les branches, à la recherche d'œufs d'oiseaux, de baies, d'insectes ou de souris. La plante de ses pattes, capitonnée de poils laineux, lui donne une prise ferme sur les branches mouillées et glissantes et lui permet de se déplacer avec assurance sur le sol recouvert de neige.

En sortant de la forêt de pins, nous laissons derrière nous tous les oiseaux et les mammifères qui, directement ou indirectement, y trouvent leur refuge et leur nourriture. Il ne pousse plus sur le versant rocailleux de la montagne que quelques touffes d'herbe et, parfois, un buisson de genévrier. La rivière elle-même se resserre. Elle se réduit maintenant à un courant peu profond qui traverse des graviers. Mais la vallée reste immense, car sa largeur s'étend encore sur un kilomètre. Le lit de la rivière ne gonfle pourtant pas au fil des saisons car, à cette altitude, les pluies ne sont plus suffisantes pour l'alimenter. Et ceci est le premier des mystères de la Kali Gandaki : comment une vallée aussi large a-t-elle pu être taillée par une rivière comparativement si petite ?

Les animaux sauvages sont désormais très rares. La température est trop froide pour les lézards, et la nourriture trop peu abondante pour les singes entelles. Nous marchons parfois des journées entières sans rencontrer âme qui vive, à part des corbeaux et des craves et, sur les cimes, surveillant les versants montagneux, des vautours de l'Himalaya. Leur présence implique cependant l'existence d'autres animaux, sans lesquels ces vautours périraient. Donc, quelque part parmi les rochers, se cachent des rongeurs, marmottes ou pikas, qui tirent leur subsistance de l'herbe et des tapis de plantes qui poussent çà et là.

Le pâturage est si pauvre qu'il ne peut subvenir aux besoins que d'un très petit nombre d'animaux, et les espèces qui réussissent à survivre ici sont très rares. On y rencontre un quadrupède étrange, ni tout à fait chèvre, ni tout à fait mouton : le tahr.

Plus rare encore est l'animal qui en fait sa proie : le léopard des neiges. Ce splendide félin possède un pelage épais de couleur crème, tacheté de gris ; la plante de ses pattes, recouverte de coussinets poilus, le protège de la rugosité des pierres et du froid. En hiver, il se réfugie dans les forêts de la vallée mais, en été, il s'aventure jusqu'à une altitude de 5 000 mètres.

Nous sommes maintenant à 3 000 mètres. La pluie tombe rarement à cette hauteur, mais le vent souffle presque en permanence. Un froid mordant coupe la respiration. L'air glacé entre dans les poumons et, même en gonflant la poitrine, on se sent étouffer. La plupart d'entre nous éprouvent des malaises et des migraines.

Quelques jours de repos sont indispensables pour s'acclimater. Les symptômes les plus désagréables disparaissent assez rapidement, mais il est impossible d'égaler l'endurance physique des guides muletiers qui accompagnent les caravanes et vivent à grande altitude.

Même les mules peinent sous leurs fardeaux. Les villageois des hauts plateaux les remplacent d'ailleurs par une bête de somme estrêmement résistante : le yak. Autrefois dispersés en grands troupeaux sauvages sur tout le plateau tibétain, les yaks sont aujourd'hui des animaux domestiqués qui transportent des charges et tirent les charrues. Leur robe laineuse est si chaude et si épaisse qu'ils peuvent vivre en permanence à des altitudes plus élevées que n'en sont capables tous les autres grands mammifères, l'homme mis à part.

Il y a quelques jours encore, nous apercevions les grands pics de l'Annapurna et du Dhaulagiri, par des trouées dans la voûte des rhododendrons. Leurs cimes, qui étincelaient comme de blanches pyramides, à plusieurs milliers de mètres en surplomb, sont maintenant derrière nous, et nous nous trouvons face à des remparts de neige qui descendent vers une bande brune barrant l'horizon. C'est le haut plateau sec et demi-glacé du Tibet. Nous venons de traverser de part en part la plus grande chaîne de montagnes du monde.

Or, voici qu'apparaît une autre caractéristique extraordinaire de la Kali Gandaki : elle semble couler dans le mauvais sens. Il est bien acquis que les rivières descendent normalement des pentes des montagnes et qu'elles recueillent l'eau de leurs affluents sur leur chemin vers les plaines. La Kali Gandaki fait le contraire. Elle traverse le rebord des grandes plaines du Tibet et va droit vers les montagnes. Elle se faufile et s'insinue à travers la gigantesque barrière de leurs contreforts, tandis que, de chaque côté, les cimes deviennent de plus en plus hautes. Ce n'est qu'après s'y être frayé un chemin qu'elle atteint une plaine relativement plate et s'unit au Gange pour s'écouler vers la mer. Lorsqu'on suit du regard son cours sinueux qui s'éloigne comme un serpent argenté à travers les montagnes, on ne peut croire que la rivière ait taillé, seule, son lit à travers ces imposantes montagnes. Comment se fait-il donc qu'elle soit passée par là ?

Les clefs de l'énigme sont sous nos pieds, dans le sous-sol. La roche, constituée de grès en désagrégation très friable, contient des myriades de coquilles en spirales. La plupart ne mesurent que quelques centimètres, mais certaines sont aussi grandes que des roues de charrettes. Parmi tous ces fossiles, une quantité impressionnante d'ammonites. D'après leur anatomie et les éléments chimiques des roches dans lesquelles elles sont fossilisées, il est clair qu'elles vivaient dans la mer. Or, nous sommes ici au centre de l'Asie, non seulement à 800 kilomètres de la mer, mais à 4 kilomètres au-dessus de son niveau !

L'explication de ce phénomène, qui a fait l'objet d'une grande controverse parmi les géologues et les géographes il y a une dizaine d'années, est aujourd'hui établie de manière incontestable : entre les grandes masses continentales du sud de l'Inde et du nord de l'Asie s'étendait autrefois une vaste mer. C'est dans ses eaux que vivaient les ammonites. Les rivières qui coulaient des deux continents accumulèrent des

couches de sédiments. Lorsque les ammonites mouraient, leurs coquilles tombaient au fond de la mer où elles étaient lentement recouvertes par de nouveaux dépôts de boue et de sable. Progressivement, la mer devint plus étroite car, au fil des siècles, l'Inde se rapprochait de l'Asie. Ce phénomène comprima les sédiments du fond marin. Sous la pression des terres, ils commencèrent à se froisser et à se plisser, de sorte que la mer devint de moins en moins profonde. Le continent indien continua son avance. Comprimés en grès et en calcaire, les sédiments se soulevèrent en collines. Leur montée fut infiniment lente. Néanmoins, certaines rivières qui descendaient de l'Asie vers le sud ne purent maintenir leurs cours devant les montagnes qui commençaient à se dresser face à elles. Leurs eaux dévièrent vers l'est. Elles évitèrent l'Himalaya naissant en contournant son extrémité orientale, et certaines d'entre elles finirent par rejoindre le Brahmapoutre. La Kali Gandaki eut, quant à elle, assez de force pour creuser son lit à travers les roches tendres, au fur et à mesure qu'elles montaient. Voilà l'explication du cours étrange de cette rivière et des strates plissées que l'on aperçoit aujourd'hui de chaque côté de la vallée.

Ce processus se poursuivit pendant des millions d'années. Avant la collision des continents, le Tibet était une plaine bien arrosée, située en bord sud de l'Asie. Poussé vers le haut et privé peu à peu de ses pluies par les jeunes montagnes, il se transforma en ce haut désert froid qu'il est aujourd'hui.

Privé d'une grande partie des pluies qui lui avaient donné son pouvoir d'érosion initial, le bassin supérieur de la Kali Gandaki s'est rétréci dans sa vallée et l'ancienne mer est aujourd'hui remplacée par les montagnes les plus hautes et les plus récentes du monde. Le processus ne s'est d'ailleurs par arrêté : l'Inde continue à avancer vers le nord d'environ 5 centimètres par an et, chaque année, les sommets rocheux de l'Himalaya s'élèvent d'un centimètre.

Cette transformation de la mer en terre a commencé il y a quelque 25 millions d'années. L'époque nous paraît inconcevablement lointaine, surtout si nous la comparons à l'apparition de notre espèce qui n'existe en tant que telle que depuis 500 000 ans. Mais, à l'échelle de l'histoire de la vie dans son ensemble, cet événement est récent : des animaux primitifs ont en effet commencé à nager dans les mers il y a 600 millions d'années, et l'invasion des terres par les amphibiens et les reptiles remonte à environ 200 millions d'années ! Les oiseaux ont acquis ailes et plumes et se sont mis à voler quelques dizaines de millions d'années plus tard ; les mammifères à fourrure et à sang chaud sont apparus vers la même époque. Il y a soixante-cinq millions d'années que les reptiles ont subi leur mystérieux déclin et que les mammifères ont investi les terres qu'ils dominent toujours actuellement. Ainsi, la plupart des principaux groupes d'animaux et de plantes actuels (ou du moins leurs ancêtres) existaient déjà il y a 25 millions d'années, lorsque le continent insulaire indien s'est accolé à l'Asie. L'Inde était assurément plus pauvre que l'Asie en groupes d'animaux évolués, puisque, en tant qu'île, elle s'était trouvée isolée immédiatement après le déclin des reptiles. Lorsque les deux masses terrestres finirent par s'assembler et que les montagnes commencèrent à s'élever, il y a de cela quelque 40 millions d'années, les animaux et les plantes des deux vieux continents se répandirent à travers les territoi-res nouvellement exondés et se mélangèrent librement.

La jungle recouvrit une partie de l'Asie. Plantes et animaux trouvèrent, sur les collines basses du flanc sud des nouvelles montagnes, des conditions de vie convena-bles. Au-dessus de ces collines, il y avait des terres fraîchement exondées et des som-mets plus hauts que nulle part ailleurs.

Pour coloniser ces terres vides, les organismes vivants durent se modifier, au moins dans leurs comportements. Les singes entelles des plaines chaudes réussirent à mon-ter vers les fraîches forêts de rhododendrons, en se contentant d'acquérir un pelage plus épais ; quelques herbivores tels que le tahr firent de même. Le léopard des tro-piques acquit une fourrure plus épaisse et plus claire, pour être moins visible sur le sol gris des collines ou dans la neige. Il remplaça la nourriture qui était la sienne dans la forêt tropicale, antilopes et bovidés, par du gibier plus petit tel que tahrs et marmottes. L'altitude ne posa pas non plus de difficultés aux oiseaux comme les vautours de l'Himalaya. Ils étaient déjà habitués à voler très haut et n'eurent aucun mal à s'élever dans les immenses vallées, tant qu'ils trouvèrent des animaux pour se nourrir.

Les forêts nouvellement formées et leurs animaux étaient installés depuis longtemps quand les humains arrivèrent. Nous ne savons pas exactement à quelle époque cela se produisit, mais il y a certainement des dizaines de milliers d'années. A mesure que les hommes remontaient les vallées, ils commencèrent eux aussi à s'adapter aux nouvelles conditions climatiques. Ils avaient, sur les autres animaux, un avantage qui leur permettait de se protéger du froid par d'autres moyens que des modifica-tions anatomiques. Grâce à leur intelligence et aux talents qui sont le strict apanage de l'humanité, ils surent se confectionner des vêtements chauds et faire du feu.

Mais ils ne purent rien inventer pour faire face au manque d'oxygène de l'air. Seu-les des modifications physiques pouvaient y répondre. Elles eurent lieu, et c'est ainsi qu'aujourd'hui le sang des habitants des hautes montagnes contient 30 pour cent de globules rouges de plus que celui des habitants vivant au niveau de la mer. Il peut ainsi véhiculer plus d'oxygène. De plus, leur poitrine et leurs poumons sont particu-lièrement développés, ce qui leur permet d'inspirer une plus grande quantité d'air que les habitants des plaines. Toutefois, ils ne sont pas encore entièrement adaptés aux parties les plus hautes des montagnes. Au-dessus de 6 000 mètres, les femmes ne peuvent pas avoir d'enfants. L'air y est si ténu qu'elles ne peuvent pas recevoir assez d'oxygène dans le sang pour en fournir à un bébé en gestation.

L'histoire de la formation de l'Himalaya et de sa colonisation ultérieure par des animaux et des plantes n'est qu'un exemple parmi tant d'autres des nombreux chan-gements sans cesse en cours sur notre planète. A mesure que les montagnes s'élè-vent, elles sont usées par les glaciers et les rivières. Les rivières elles-mêmes se colma-tent et changent de cours. Les lacs se comblent de sédiments et deviennent des marais, puis des plaines.

L'Inde n'est pas le seul continent qui dérive à la surface du globe. Tous ont fait de même, dans une certaine mesure. Quand ils se déplacent et se rapprochent de

l'équateur ou des pôles, leurs forêts deviennent des toundras et leurs prairies s'assè-
chent en déserts. Chaque modification d'ensoleillement, d'altitude, de pluviosité ou
de température détermine une réaction de la communauté de plantes et d'animaux
qui la subit. Certains organismes s'adaptent et survivent, d'autres n'y parviennent
pas et disparaissent.

Parallèlement, des milieux naturels identiques réclament des adaptations semblables et provoquent, dans différentes parties du monde, des animaux qui se ressemblent bien que descendant d'ancêtres tout à fait différents. C'est le cas des petits oiseaux
de couleurs brillantes qui se nourrissent du nectar des grandes fleurs sur les pentes
des Andes, et qui ressemblent à s'y méprendre aux soui-mangas de l'Himalaya, bien
qu'appartenant à une tout autre famille. Mais l'animal de bât qu'utilisent les habitants des Andes, le lama, tient plus du chameau que du bœuf, à l'inverse de son frère
en apparence jumeau, le yak.

Seuls deux grands milieux naturels sont restés inchangés pendant de très longues
périodes : la forêt tropicale humide et la mer. Mais là même, les conditions biologiques se sont progressivement modifiées à mesure que l'évolution, dans ou hors de
leurs frontières, a engendré de nouveaux types d'organismes, confrontant leurs habitants primitifs à de nouveaux problèmes de survie.

Ainsi chaque point de la planète, du plus haut au plus bas, du plus chaud au plus
froid, au-dessus ou au-dessous du niveau des eaux a été colonisé par des plantes et
des animaux qui dépendent étroitement les uns des autres. Ces adaptations ont permis aux organismes vivants de se répandre aux quatre coins du globe. Voilà le thème
majeur de ce livre.

◀ *Once (léopard des neiges)*

LES FOURNAISES DE LA TERRE

Les forces titanesques qui ont édifié l'Himalaya et les autres montagnes du globe ont des effets si lents que ceux-ci sont invisibles à l'échelle humaine. Mais il arrive qu'elles se déchaînent dans les plus impressionnantes démonstrations de violence que la nature puisse offrir : les tremblements de terre et les explosions volcaniques.

Quand la lave qui jaillit du sol est constituée de basalte noir et dense, cela signifie que la zone est, depuis des siècles, le siège d'une activité constante. C'est le cas de l'Islande. Il ne se passe pas une année sans qu'elle connaisse une activité volcanique quelconque. La roche en fusion s'écoule alors de crevasses béantes qui déchirent l'île d'une côte à l'autre, et une terrifiante marée de blocs basaltiques s'avance inexorablement dans les terres. Les roches éclatent avec fracas lorsqu'elles refroidissent et le flux de lave crépite au fur et à mesure que les blocs de basalte s'écroulent sous sa poussée. Parfois, le basalte est plus liquide, et c'est alors une véritable fontaine de feu qui jaillit du sol, dans un grondement sourd. Rouge orangé à sa périphérie et jaune vif en son centre, elle s'élève à une cinquantaine de mètres de hauteur. Ses éclaboussures incandescentes sont balayées par un vent violent qui les refroidit et les dépose sur les rochers avoisinants, en une épaisse couche de poussière grise.

En marchant dans le sens du vent, il est possible d'approcher jusqu'à 50 mètres d'un cratère sans risque de brûlures, car le plus gros de la chaleur et des cendres est balayé dans la direction opposée. Mais si le vent tourne, les cendres sont refoulées et de grosses flammèches s'abattent sur la neige toute proche, dans un sifflement sourd. Mieux vaut alors s'écarter pour éviter les projections de pierres.

Sur le pourtour du cratère, les flots de lave noire refroidissent peu à peu, en formant une croûte boursouflée dont le fond reste incandescent. Par endroits, le gaz contenu dans la lave forme d'énormes cloques. La croûte est si fine qu'elle risque de voler en éclats au moindre contact. C'est le moment de rebrousser chemin, car les émanations de gaz toxiques, bien qu'invisibles et inodores, peuvent asphyxier les explorateurs trop hardis. Prudence oblige, même si ce n'est que de très près que l'on peut apercevoir le spectacle le plus impressionnant : un torrent de lave. La roche en fusion jaillit du cratère avec une telle violence qu'elle forme une calotte instable, d'où elle s'écoule en torrent bouillonnant, large de quelque 20 mètres. Ce flot dévale la pente à une vitesse qui avoisine parfois les 100 km/h.

Au crépuscule, cet extraordinaire rougeoiement teinte le paysage d'une lueur sinistre. Sa surface incandescente crache des bulles de gaz, et la chaleur dégagée fait vibrer l'air. A quelques centaines de mètres de sa source, les bords du flot écarlate se solidifient en se refroidissant. Le torrent de lave coule à présent entre deux rives de

Coulée basaltique, Islande ▶

roche noire. Une croûte finit par se former à la surface du flot mais, en dessous, la lave continue à s'écouler sur des kilomètres, car elle demeure liquide à des températures relativement basses et les parois de roche solidifiée qui canalisent le flux assurent une bonne isolation thermique. Lorsque, après des jours, voire des semaines, le torrent de lave se tarit, l'écoulement se poursuit jusqu'à ce que le tunnel soit entièrement vidé, laissant derrière lui un vaste souterrain sinueux. Ces canaux de lave peuvent avoir 10 mètres de haut et s'étendre à des kilomètres de leur source.

L'Islande fait partie d'un chapelet d'îles volcaniques qui se prolonge jusqu'au centre de l'Océan Atlantique. Plus au nord se trouve Jan Mayen, plus au sud, les Açores, Ascension, Ste-Hélène et Tristan da Cunha. Cette chaîne est plus régulière que ne le montrent les cartes, car certains volcans ont une activité uniquement sous-marine. Tous se placent le long d'une vaste dorsale de roche volcanique qui s'étend à mi-chemin entre l'Europe et l'Afrique à l'est, et les Amériques à l'ouest. Des prélèvements effectués au fond de l'océan de chaque côté de la dorsale montrent que la roche enfouie sous la vase est du basalte semblable à celui qui jaillit des volcans. Le basalte peut être daté grâce à une analyse chimique et nous savons désormais que, plus le prélèvement a lieu loin du rift médio-atlantique, plus l'échantillon est ancien. En fait, les volcans du rift engendrent le plancher sous-marin qui s'écarte lentement de part et d'autre de la crête.

Le processus qui a donné naissance à ce mouvement naît au cœur même de la planète. Deux cents kilomètres sous terre, la chaleur est telle que les roches sont plastiques. Plus bas encore, dans le noyau métallique, la température est beaucoup plus élevée et provoque dans les couches supérieures de lents bouillonnements qui remontent le long du rift [1] avant de se répandre de chaque côté, entraînant avec eux le fond basaltique, semblable à une peau ridée. On appelle "plaques" les parties mouvantes de la croûte terrestre. La plupart d'entre elles portent les continents comme des amas de débris.

Il y a 120 millions d'années environ, l'Afrique et l'Amérique du Sud étaient réunies, ainsi que le suggèrent le tracé identique de leurs côtes et la similitude des roches des deux côtés.

Il y a environ 60 millions d'années, le courant ascendant qui se développa sous ce supercontinent donna naissance à une chaîne de volcans. Une ligne de fracture s'ouvrit et le supercontinent se scinda en deux parties, qui s'éloignèrent progressivement l'une de l'autre. La ligne de fracture correspond aujourd'hui au rift médio-atlantique. L'Afrique et l'Amérique du Sud poursuivent leur dérive et l'Atlantique s'élargit de plusieurs centimètres par an.

Une dorsale identique, qui descend vers le sud depuis la Californie, est à l'origine de la formation du fond de l'est du Pacifique. Une troisième dorsale, orientée de l'Arabie au Pôle Sud, a donné naissance à l'Océan Indien. C'est la plaque du versant oriental de ce rift qui a détaché l'Inde de l'Afrique et l'a entraînée vers l'Asie.

Les courants de convection qui remontent au niveau des dorsales se doivent de redescendre le long des lignes de contact de deux plaques voisines. C'est là que les

1. Vallée déterminée par un effondrement des couches supérieures de la terre en relation avec le volcanisme. Désigne plus particulièrement les grands bassins d'effondrement de l'est africain, du Kénya à la Mer Rouge.

continents s'entrechoquent. Lorsque l'Inde s'est rapprochée de l'Asie, les sédiments sous-marins situés entre les deux continents ont été compressés, puis ils s'entassèrent pour former l'Himalaya, de telle sorte que le raccordement des deux plaques se dissimule sous une chaîne de montagnes. Sous cette ligne de partage, vers le sud-est, se trouve une masse continentale qui n'existe que sur le versant asiatique. La ligne de faille de l'écorce terrestre est donc marquée par un chapelet de volcans qui relie Sumatra à la Nouvelle-Guinée, en passant par Java.

Le mouvement de convection descendant aspire le plancher océanique et crée une saignée longue et profonde qui longe le versant méridional de la chaîne indonésienne. En s'enfonçant, les bords de la plaque basaltique entraînent avec eux de l'eau et des sédiments sous-marins provenant de l'érosion de la masse continentale indonésienne. Ce mouvement ajoute un nouvel ingrédient au mélange en fusion au cœur de la terre. C'est pourquoi la lave des volcans indonésiens est de composition totalement différente de celle du basalte classique qui s'écoule du rift médio-océanique. Elle est beaucoup plus visqueuse. De fait, elle ne jaillit pas des crevasses et ne s'écoule pas en torrent, mais se fige dans la cheminée des volcans. Cela revient à bloquer la soupape de sécurité d'une chaudière.

C'est à un volcan indonésien que l'on doit l'explosion la plus catastrophique jamais enregistrée. En 1883, la petite île de Krakatoa (île liliputienne de 7 km de long sur 5 km de large, située entre Sumatra et Java), commença à émettre des nuages de fumée. Les éruptions s'intensifièrent au fil des jours, arrosant d'une véritable pluie de cendres les navires qui croisaient dans les parages. Jour après jour, dans le fracas des explosions, le cratère cracha des blocs de lave et des débris de pierre ponce. La chambre souterraine d'où provenaient tous ces matériaux semblait intarissable. C'est alors que, le 28 août à 10 heures, cédant sous la pression conjuguée de l'océan et du fond sous-marin, le couvercle minéral de la chambre s'effondra. Des milliers de tonnes d'eau se déversèrent dans la chambre sur la lave en fusion et les deux tiers de l'île s'écroulèrent à leur tour. L'amplitude de l'explosion qui suivit fut telle qu'elle constitua le bruit le plus fracassant jamais enregistré dans l'histoire du monde. La déflagration fut entendue très distinctement à 3 000 kilomètres de là, jusqu'en Australie. Le commandant de la garnison britannique de la petite île de Rodriguez, distante de 5 000 kilomètres, crut entendre l'écho d'une cannonade et donna l'ordre d'appareiller. La tornade qui prit naissance sur le site du séisme fit sept fois le tour de la Terre avant de s'évanouir. Plus terrible encore, l'explosion souleva une vague géante qui, se déplaçant en direction des côtes de Java, se transforma en une muraille liquide, aussi haute qu'un immeuble de quatre étages. Ce raz-de-marée balaya une cannonière qu'il transporta littéralement deux kilomètres à l'intérieur des terres et qu'il abandonna au sommet d'une colline. Il déferla ensuite sur les côtes où il noya village après village, faisant plus de 36 000 victimes.

L'explosion la plus violente de ces dernières années eut lieu de l'autre côté du Pacifique, à l'endroit où le bord oriental de la plaque pacifique est en contact avec la côte occidentale de l'Amérique du Nord. A nouveau, la face continentale n'existe que sur un côté, et la ligne de fracture n'est pas profondément enfouie. Les continents sont toutefois constitués de roches moins denses que le basalte. Ils se superposent donc à la plaque océanique plongeante, ce qui fait que la chaîne des volcans surgit à environ 200 km à l'intérieur des terres. Voilà pourquoi la lave qui en jaillit transporte, ici encore, les matières sédimentaires qui les rendent si dangereusement explosives.

Jusqu'en 1980, le mont St-Helen était réputé pour la parfaite symétrie de son cône. Il culminait à environ 3 000 mètres et portait une couronne de neiges éternelles. Mais au mois de mars, d'inquiétants grondements se firent entendre et un panache de vapeur et de fumées s'éleva de son sommet, souillant la calotte de neige de traînées grises. Au cours du mois d'avril, les volutes de fumée se firent plus épaisses. Présage encore plus lourd de menace, le flanc nord du mont commença à enfler à environ 1 000 mètres du sommet. Le ballonnement s'accentua à raison de 2 mètres par jour. Des milliers de tonnes de roche subirent ainsi des poussées verticales et horizontales. Chaque jour, le cratère laissa échapper de nouveaux nuages de cendre et de fumée, jusqu'au matin du 18 mai à 8 h 30, où la montagne explosa.

Le souffle balaya purement et simplement la face nord du mont St-Helen, soit un kilomètre cube de roches. Les résineux de toutes sortes qui couvraient la partie inférieure des pentes furent couchés sur 200 kilomètres carrés, comme autant d'allumettes. Une énorme nuée noire développa ses volutes 20 kilomètres au-dessus de la montagne. En dépit de la faible densité de la population vivant à proximité du volcan et malgré les nombreuses mises en garde, 60 personnes trouvèrent la mort dans cette éruption. Les géologues estimèrent la puissance de l'explosion à 2 500 fois celle de la bombe atomique qui rasa la ville d'Hiroshima.

Toute forme de vie est exclue sur un volcan après l'éruption. S'il y a eu explosion, la vapeur, la fumée et les gaz toxiques continuent à s'échapper, durant des semaines, des éboulis qui encombrent le cratère. Et aucun organisme n'est capable de résister à la chaleur des coulées basaltiques émises par les volcans du rift médio-océanique. Il n'existe pas sur terre de zone plus stérile et désolée qu'un site volcanique. Pourtant, si les courants de convection sous-marins se décalent imperceptiblement, la violence du volcanisme s'atténue. A ce stade, un volcan en voie d'extinction ne crache généralement plus de lave, mais de l'eau bouillante et de la vapeur. Une partie de cette eau était déjà contenue dans le magma ; le reste provient de la nappe phréatique de l'écorce terrestre. Cette eau contient les substances chimiques les plus diverses dissoutes : certaines ont jailli de la même source profonde de la lave, d'autres contiennent les particules dissoutes des roches que l'eau bouillante a traversées pour faire surface. On trouve entre autres des composés d'hydrogène et de soufre, parfois si concentrés que l'eau peut servir de subsistance aux plus simples des organismes vivants. Il est d'ailleurs fort possible que les premières formes de vie terrestre soient apparues dans les mêmes conditions, il y a quelque 3 000 millions d'années.

En ces temps immémoriaux, la Terre ne possédait pas encore son atmosphère riche en oxygène et la répartition des continents n'avait aucun rapport avec ce qu'elle est dans les temps actuels. Les volcans étaient alors beaucoup plus importants, mais aussi

▲ *L'Anak Krakatoa. Au fond, le Rakata*

Mont St.-Helen, mai 1980 ▶

plus nombreux. Les océans qui résultaient de la condensation des nuages de vapeur environnant cette nouvelle planète étaient encore brûlants, car l'eau qui s'y déversait en bouillonnant jaillissait des sources volcaniques situées dans les profondeurs de l'écorce terrestre. Des molécules complexes étaient en formation dans des eaux riches en éléments chimiques. Enfin, très longtemps après, apparut le premier atome de matière vivante. Cette forme de vie avait une structure interne élémentaire, mais était capable de réunir, en complexes assemblages, les substances chimiques contenues dans l'eau et, surtout, de les reproduire identiques à elles-mêmes. La bactérie était née.

Il existe aujourd'hui toutes sortes de bactéries qui mettent en œuvre des processus chimiques très divers pour se maintenir en vie. Elles sont répandues partout, dans la terre, la mer ou les airs. Certaines parviennent même à survivre sur des sites volcaniques, dans des conditions peut-être pareilles à celles de leur apparition.

En 1977, une mission scientifique américaine effectuait des recherches sur les éruptions volcaniques sous-marines au niveau d'une faille au sud des îles Galapagos. A une profondeur de 3 kilomètres, les chercheurs découvrirent, sur le plancher sous-marin, des bouches crachant des jets d'eau chaude, riche en éléments chimiques. Dans ces projections, comme dans les fissures des roches environnantes, les scientifiques découvrirent d'importantes concentrations bactériennes qui utilisaient les substances chimiques. Ces bactéries étaient à leur tour ingurgitées par des vers géants, qui pouvaient atteindre 3,5 m de long et 10 cm de diamètre.

Ces vers diffèrent de toutes les autres espèces connues à ce jour, car ils ne possèdent ni bouche, ni tube digestif : ils absorbent les bactéries à travers la fine peau de leurs tentacules plumeuses, irriguées par les nombreux vaisseaux sanguins qui prolongent leur réseau sanguin. Étant donné que ces organismes vivent dans l'obscurité des profondeurs abyssales, ils sont incapables de capter directement l'énergie solaire. Étant dépourvus de bouche, ils ne peuvent pas non plus se procurer l'énergie nécessaire à leur vie en absorbant les fragments de cadavres d'animaux en provenance de la surface. Leur nourriture se compose exclusivement de bactéries, qui elles-mêmes tirent leur subsistance des eaux volcaniques. Les vers géants constituent donc vraisemblablement les seuls êtres vivants dont l'énergie provienne intégralement de celle des volcans.

Au voisinage des vers vivent des clams géants, longs de 30 centimètres. Ils se nourrissent, eux aussi, de bactéries. Les jets d'eau chaude font naître des courants sous-marins, entraînant dans leur sillage des déchets organiques dont se nourrissent d'autres créatures étranges, concentrées autour des vers et des clams géants : un poisson bizarre jusqu'alors inconnu ainsi qu'un crabe blanc aveugle. Toute une faune variée se développe dans l'ombre, à proximité des sources volcaniques sous-marines.

Les sources d'eau chaude jaillissent aussi sur la terre ferme. L'eau qu'elles projettent provient de sources souterraines et de l'eau de pluie infiltrée profondément dans le sol. Cette eau a été chauffée dans la chambre volcanique, avant d'être expulsée à travers les fissures de la roche et de jaillir sous pression. Il arrive que la géométrie particulière de ces ''canalisations'' entraîne des émissions sporadiques : l'eau s'accumule dans de petits réservoirs souterrains où elle est surchauffée, avant que la pression de la vapeur ne la propulse en geyser à la surface. Lorsque le débit est plus régulier, la source s'évase pour former un profond bassin, alimenté en permanence. L'eau peut y être si brûlante que la surface fume, ce qui n'empêche pas les bactéries de proliférer dans cette étuve. On y trouve aussi des organismes légèrement plus développés, telle une algue de couleur bleu-vert. Sa structure interne est à peine plus complexe que celle des bactéries, mais contrairement à elles, cette algue est capable de réaliser la synthèse chlorophyllienne, convertissant l'énergie solaire en substances chimiques, puis en tissus vivants.

Les mêmes organismes se retrouvent dans les sources chaudes de Yellowstone, en Amérique du Nord. Les algues et les bactéries s'y combinent pour former, à la surface des bassins, une pellicule gluante, verte ou brune.

Seules des algues et des bactéries peuvent survivre dans les parties les plus chaudes des sources. Mais là où le bassin se prolonge en torrent, l'eau se refroidit peu à peu et d'autres êtres vivants y élisent domicile. Le tapis d'algues est alors parfois si dense qu'il crève la surface et forme un barrage vivant qui dévie le flot. L'eau, en s'écoulant goutte à goutte, se refroidit progressivement et des nuées d'insectes hautement spécialisés viennent envahir sa surface. Dès que la température du tapis d'algues n'excède plus 40°, ils s'installent aussitôt. Certains s'accouplent et déposent leurs œufs sur les algues d'où écloront bientôt des larves qui, à leur tour, s'en nourriront ; ce faisant, ils assurent leur propre destruction ou celle de leur descendance, car ils appauvrissent le tapis d'algues, qui finit par se déchirer, dégageant le goulot d'étranglement ; le bassin déverse alors un flot d'eau brûlante qui balaie les algues restantes et extermine les larves agglutinées. Mais assez d'œufs ont pu éclore pour assurer la survie de l'espèce et recommencer le cycle ailleurs.

Dans les zones plus froides du globe, la chaleur déclinante d'un volcan peut constituer un abri plutôt qu'un danger. La chaîne de volcans qui a édifié les Andes le long de la ligne de contact entre les plaques d'Amérique du Sud et du Pacifique oriental se prolonge à l'est et au sud dans l'océan austral, où elle forme plusieurs chapelets d'îles volcaniques. Bellinghausen est l'un des îlots de l'archipel des Sandwich du Sud. Les mers australes en furie ont sauvagement érodé sa base, sculptant d'un côté une falaise sur laquelle on déchiffre à livre ouvert l'alternance des strates de cendre et de lave, interrompue par les zigzags de conduits de lave. Les pieds de la falaise sont recouverts de bancs de glace et la neige saupoudre ses flancs. Des bataillons de manchots Adélie arpentent en rangs serrés cette étendue immaculée. Le sommet du volcan présente une vaste dépression, large de 500 mètres, tapissée elle aussi de neige. Des stalactites de glace pendent des rochers qui saillent du cratère. Tout est blanc, même les pétrels des neiges qui nichent dans les anfractuosités, juste sur le bord du cratère. Son activité volcanique n'est pourtant pas complètement éteinte. A un ou deux points du bord, des fissures laissent échapper de la vapeur et des gaz qui diffusent dans l'air une odeur infecte d'hydrogène sulfuré et décorent les pierres de l'or des fleurs de soufre. A proximité de la bouche du volcan, le sol est chaud au toucher ; l'endroit est donc tout à fait recommandé pour s'abriter de la morsure des

vents polaires, malgré la puanteur qui s'en dégage. Pour plus de confort, les rochers alentour sont même tapissés de mousses et d'hépatiques.

Ces oasis de chaleur sont les seules parties de l'île où puisse pousser la végétation. L'archipel des Sandwich est plus isolé qu'aucun autre au monde : le continent antarctique et la pointe de l'Amérique du Sud sont distants de quelque 2 000 kilomètres. Et pourtant, les spores de ces plantes primitives ont une telle dispersion dans les airs qu'elles finissent par coloniser les rares points de cet îlot inhospitalier où la vie végétale peut se développer.

La chaleur produite par le volcanisme n'est pas seulement mise à profit dans les régions couvertes de glace, car elle est aussi exploitée par quelques animaux des pays tropicaux. Les mégapodes, oiseaux propres à l'Indonésie et à l'Océanie ont notamment mis au point d'ingénieuses méthodes de couvaison, dont le leipoa ocellé d'Australie donne un exemple caractéristique. Lorsque cet oiseau astucieux fait son nid, il commence par creuser un énorme trou, large d'environ 4 mètres, qu'il remplit de feuilles en décomposition, puis de sable. Dans ce gros monticule, la femelle creuse un tunnel au fond duquel elle dépose ses œufs. Le mâle comble ensuite le tunnel de sable et s'en remet à la chaleur dégagée par la putréfaction des feuilles pour tenir les œufs au chaud. Mais il ne les abandonne pas pour autant ! Plusieurs fois par jour, il se rend auprès de son nid et enfonce son bec dans le sable. Sa langue est si sensible qu'il peut détecter le moindre écart de température de l'ordre d'un dixième de degré. S'il estime que le sable est trop froid, il en rajoute ; s'il est trop chaud, il en enlève. Enfin, après une incubation particulièrement longue, les jeunes se fraient un chemin sous le sable, émergent du monticule, puis détalent toutes plumes dehors. Il s'agit donc dans ce cas d'une couveuse artificielle, chauffée par la décomposition des matières organiques.

Dans d'autres cas, les oiseaux utilisent la chaleur volcanique ou celle qui en dérive. Le maléo, autre oiseau de la famille des mégapodes, qui vit en Indonésie dans l'île de Sulawesi, enfouit ses œufs dans le sable noir d'origine volcanique qui, grâce à sa couleur, absorbe la chaleur des rayons du soleil et s'échauffe suffisamment pour que les œufs puissent incuber. D'autres individus de la même espèce ont abandonné la côte pour élire domicile sur les pentes d'un volcan situé à l'intérieur des terres. Ils y ont découvert de vastes zones chauffées en permanence par l'activité volcanique et en ont fait leur site de ponte favori. C'est ainsi qu'un volcan en voie d'extinction est converti en couveuse artificielle.

Les mouvements des plaques de l'écorce terrestre et le déplacement des courants de matières circulant en profondeur finissent par provoquer l'extinction définitive des volcans. Lorsque le sol se refroidit, les animaux et les végétaux des alentours viennent coloniser ces régions stériles et désolées. Les coulées basaltiques posent de gros problèmes aux nouveaux arrivants. En effet, leur surface cloquée et luisante est si polie que l'eau y glisse ; elle ne comporte en outre que de rares anfractuosités dans lesquelles les jeunes pousses peuvent glisser leurs racines. Certaines coulées restent complètement dénudées des siècles durant. Les plantes à fleurs qui constituent

◀ *Maléos sur les sables volcaniques, Sulawesi*

la première vague colonisatrice diffèrent d'une région du globe à l'autre. Aux Galapagos, où la flore est le plus souvent originaire d'Amérique du Sud, c'est un cactus qui plante le premier ses racines. Particulièrement bien adapté à la vie dans le désert et à la conversion de la moindre goutte d'humidité, il parvient à survivre à la chaleur brûlante que dégage la lave noire sous les rayons du soleil. A Hawaï, le pionnier est un arbre, que les Hawaïens appellent l'ohia lehua. Ses facultés d'adaptation sont moins évidentes, mais ses racines réussissent à s'insinuer profondément dans la coulée pour y capter l'humidité. Elles courent fréquemment le long du conduit de lave qui descend au centre de la plupart des coulées et pendent de la voûte de cette cavité en gros cordons bruns. L'eau de pluie qui s'écoule en surface s'infiltre dans les anfractuosités de la coulée et goutte le long des racines, formant sur le sol des flaques d'eau dormante qui, loin des rayons du soleil, créent une atmosphère humide dont l'arbre tire profit.

L'exploration d'un conduit de lave constitue à elle seule une aventure. A l'abri de l'érosion due aux intempéries et au gel, les parois et le sol de la cavité sont intacts, dans l'état où les a laissés la dernière goutte de lave qui s'en est écoulée ; de plus, le sol était encore assez chaud pour réduire en cendres tout ce qui se trouvait à son contact. Des larmes de lave figée pendent de la voûte, comme des stalactites. Le sol est tapissé d'une coulée solidifiée et grumeleuse. Par endroits, la lave a dû franchir divers obstacles et a laissé sur son passage des cascades pétrifiées. Un afflux soudain de lave, venue grossir le flot, a élevé brièvement le niveau de la coulée qui, en se refroidissant très rapidement, a laissé sur la paroi une marque rectiligne.

Une faune variée peuple cet étrange univers. Divers insectes, tels que des criquets et des coléoptères, sont accrochés aux filaments ténus couvrant les racines qui pendent de la voûte. Ils s'en nourrissent, avant d'être à leur tour la proie d'araignées. Ces animaux ne sont pas la réplique exacte de leurs congénères qui vivent à la surface de l'île. La plupart ont perdu leurs yeux et leurs ailes. Il semble d'ailleurs que, dès qu'une partie du corps d'un animal perd sa fonction, la poursuite de sa croissance n'est que gaspillage énergétique. Les individus qui s'adaptent à l'évolution prennent évidemment l'avantage sur ceux qui la refusent. C'est ainsi qu'au fil des générations les organes inutilisés ont tendance à s'atrophier, avant de disparaître totalement. A l'inverse, les animaux dotés de longues antennes et de grandes pattes sont nettement avantagés dans l'obscurité, car ils peuvent détecter aisément la présence d'obstacles ou de nourriture. Il se trouve justement que les occupants des conduits de lave portent de longues antennes et de grandes pattes.

Les terres incultes résultant des éruptions continentales sont apparemment plus faciles à coloniser que les coulées basaltiques, trop lisses. Les végétaux peuvent en effet mieux prendre racine dans la cendre ou la lave fragmentée en cailloux. Ils ont déjà envahi la vaste étendue désertique formée au lendemain de l'explosion qui a pulvérisé un pan du mont St-Helen. La plupart des graines couvertes de duvets ou pourvues d'ailes qui s'accumulent en petits tas au bord des bancs de vase et sous les pierres appartiennent à la famille de l'épilobe, une plante herbacée qui fleurit en un magnifique épi violet. Ses graines peuvent flotter au vent sur des centaines de

kilomètres. Au cours de la dernière guerre mondiale, l'épilobe fit son apparition en Europe sur des sites fraîchement bombardés, émaillant les ruines de taches de couleur. En Amérique du Nord, cette plante est connue sous le nom d' ''herbe de feu'', car elle compte parmi les premiers végétaux à pousser entre les souches calcinées d'une forêt incendiée. Rien d'étonnant à ce qu'elle ait colonisé les lieux ravagés par des éruptions volcaniques.

Malgré sa vitalité, l'épilobe mettra des années à recouvrir les pentes dénudées du mont St-Helen, en partie à cause de la stérilité de la lave volcanique et de la structure du sol, mélange indécis de boue et de gravier qui freine l'enracinement, et aussi en raison de la pluie et du vent qui balaient cette surface meuble et déracinent la moindre pousse. Pourtant, en dépit de la rareté de la végétation, on y rencontre déjà quelques animaux. Les vents qui apportent les graines d'épilobe transportent aussi des phalènes, des mouches, voire des libellules. Ces insectes, arrivés là accidentellement, sont condamnés à une mort rapide, car ils n'ont aucun moyen de subsistance, si ce n'est de s'entre-dévorer. Ils sont néanmoins les pionniers d'une colonisation moins précaire. En effet, à leur mort leurs restes sont balayés, avec les graines, dans les ravines et les anfractuosités. Absorbées dans la couche de cendre, les substances nutritives de leurs minuscules corps en décomposition serviront d'engrais et permettront à des graines de germer dans cet environnement stérile et hostile.

Le Krakatoa est l'exemple classique de la renaissance d'un site volcanique. Cinquante ans après la catastrophe, un petit monticule émergea de l'océan, en crachant le feu. La population le nomma Anak - l'enfant du Krakatoa. Ses flancs sont déjà recouverts d'une végétation dense de casuarines et de cannes à sucre sauvages. La partie restante de l'ancienne île, appelée aujourd'hui Rakata, est à quelques kilomètres de là. Sur ses pentes, complètement nues il y a un siècle, règne désormais une forêt tropicale dense. Certaines des graines qui lui ont donné naissance ont dû être apportées par les flots ou les vents, ou encore par les oiseaux. Cette forêt abrite nombre de créatures ailées (oiseaux, papillons et autres insectes arrivés là sans peine puisque la terre la plus proche ne se trouve qu'à 40 kilomètres). Quant aux pythons, aux lézards et aux rats, ils ont probablement accédé à l'île sur des radeaux de fortune, constitués par la végétation que charrient habituellement les rivières tropicales. Il subsiste pourtant des indices flagrants de la jeunesse de la forêt et de la proximité du cataclysme qui l'a précédée. Les racines des arbres ont tressé sur le sol un réseau très dense enserrant la terre. Pourtant, par endroits, elles ont été mises à nu par un ruisseau ; un arbre déraciné révèle la couche de poussière volcanique, encore trop peu compacte, sur laquelle il poussait. Lorsque le tapis végétal est détérioré de cette manière, la cendre poudreuse reste donc exposée à l'érosion due au ruissellement. Le ravinement a d'ailleurs creusé une gorge étroite, de 6 à 7 mètres de profondeur, qui s'ouvre sous un entrelacs de racines. Ces ''accidents'' naturels demeurent exceptionnels. En un siècle, la forêt tropicale a pris possession du Krakatoa, et il est bien probable que, d'ici un autre siècle, ce seront des forêts de résineux qui tapisseront les pentes du mont St-Helen.

◀ *Epilobes ou   herbes de feu, Mont St.-Helen*

Les blessures infligées à la terre par les volcans finissent donc par guérir. Certes, les volcans représentent pour l'homme, à l'échelle réduite de sa perception temporelle, la manifestation destructrice la plus terrifiante engendrée par la nature. A plus long terme, ce sont pourtant de grands bâtisseurs. Ils ont créé de nouvelles îles, telles que l'Islande, Hawaï et les Galapogos, et élevé des montagnes comme le mont St-Helen et une partie des Andes. Et les vastes dérives continentales auxquelles ils sont associés constituent le moteur de la grande aventure écologique, offrant aux animaux et aux végétaux de nouvelles perspectives d'évolution.

LE MONDE GELÉ

Rien ne peut vivre de façon durable sur les hauts sommets de l'Himalaya, ni sur les autres grands pics montagneux. Les vents les plus féroces de la terre les balaient à des vitesses parfois supérieures à 300 km/heure, et un froid mortel y règne presqu'en permanence.

Il semble paradoxal que les terres les plus proches du soleil soient parmi les plus froides. La raison en est simple : la chaleur provient de ce que, en traversant l'air, les rayons du soleil fournissent de l'énergie aux particules atomiques des gaz de l'atmosphère, ce qui a pour conséquence de favoriser les collisions atomiques. Chacune de ces collisions microscopiques est productrice de chaleur. Or, plus l'air est léger, plus les atomes sont éloignés les uns des autres ; les collisions sont donc moins fréquentes et l'air reste froid.

Et le froid tue. S'il pénètre la plante ou l'animal au point que le liquide que contiennent les cellules gèle, à quelques exceptions près, les membranes cellulaires éclatent, tout comme les tuyauteries sous l'action du gel, et il y a destruction des tissus. Toutefois, le froid peut tuer bien avant que l'animal ou la plante soit effectivement gelé. Un grand nombre d'entre eux, notamment les insectes, les amphibiens et les reptiles, tirent directement leur chaleur de leur environnement. C'est d'ailleurs pour cela qu'on leur donne souvent le nom d'animaux "à sang froid", mais c'est une appellation trompeuse dans la mesure où leur sang est loin d'être froid. Beaucoup de lézards, par exemple, planifient leur exposition au soleil de façon si efficace qu'ils maintiennent leur corps à une température plus élevée que celle du corps humain, même s'ils se refroidissent considérablement pendant la nuit. Ces animaux tolèrent mieux les baisses sensibles de température, ce qui ne signifie pas qu'ils ne meurent pas eux aussi avant d'être totalement gelés. Lorsque la température de leur corps baisse, le processus chimique qui leur fournit de l'énergie ralentit progressivement et ils tombent en léthargie. Enfin, à environ 4° C au-dessus de zéro, les tissus nerveux perdent les facultés indispensables à la bonne transmission des signaux électriques : l'animal ne contrôle plus le fonctionnement de son organisme et il meurt.

Parce qu'ils produisent eux-mêmes leur chaleur, les oiseaux et les mammifères ont davantage de chance de survie dans le froid. Mais cela leur coûte cher. Même par une journée assez chaude, l'homme utilise la moitié de sa consommation alimentaire pour maintenir son corps à la bonne température. Lorsqu'il fait très froid et qu'il n'est pas suffisamment vêtu, il n'est pas capable de produire de la chaleur à la vitesse à laquelle il la perd, et ceci quelle que soit la quantité de nourriture qu'il absorbe.

De plus, le cerveau et les autres organes complexes de l'homme ne tolèrent pas plus de quelques degrés d'écart de température. Lorsque le corps humain se refroidit jusqu'au point où les reptiles tombent simplement en léthargie, il meurt.

A part quelques animaux arrivés là par hasard, et l'homme qui s'y aventure parfois pour des raisons encore plus obscures, les hauts sommets, où la température descend quelquefois jusqu'à — 20° C, sont dénués de vie.

L'alpiniste a peu de chance d'apercevoir un être vivant sur les falaises de glace et sur les rocs gelés avant d'être descendu de mille mètres en dessous du sommet. Le premier organisme qu'il risque de rencontrer, et que l'on trouve jusqu'à 7 000 mètres d'altitude, sera sans doute cette fine croûte à l'aspect boursouflé qui tache les rochers : un lichen. En fait, il ne s'agit pas là d'une seule plante, mais plutôt de deux espèces très différentes qui vivent en symbiose : une algue et un champignon. Le champignon fabrique une substance acide qui désagrège la surface du rocher, permettant à la petite colonie de s'y fixer. Elle dissout en outre les sels minéraux en une forme chimique que l'algue peut absorber. Le champignon procure également aux plantes un matériau spongieux qui absorbe l'humidité de l'air. L'algue, avec le concours du soleil, transforme par synthèse les matières minérales de la roche, l'eau et le gaz carbonique de l'air en matières organiques qui servent à alimenter les deux plantes. Elles se reproduisent séparément et la génération suivante doit reprendre la collaboration au point de départ. Cependant, l'association n'est pas équitable. En effet, les hyphes des champignons s'enroulent autour des cellules des algues pour en prélever les substances nutritives. Le champignon est donc totalement dépendant de l'algue et, s'ils sont séparés, il meurt, alors que l'algue peut parfaitement survivre sans lui. Apparemment, le champignon parasite l'algue pour coloniser des régions qui lui seraient autrement tout à fait inaccessibles. Un grand nombre d'espèces d'algues et de champignons s'associent de cette manière, mais les associations spécifiques sont si fréquentes que les organismes qui en résultent en viennent à être considérés comme des espèces distinctes avec leurs caractéristiques, leurs couleurs et leurs implantations propres.

Il existe environ 16 000 "espèces" de lichens. Tous poussent lentement, en particulier ceux qui s'ancrent sur le rocher. A très haute altitude, il n'y a parfois qu'un seul jour dans l'année où la croissance du lichen est possible, et il faut souvent attendre une soixantaine d'années avant qu'il ne recouvre un centimètre carré. On trouve beaucoup de lichens de la taille d'une assiette, mais ils ont certainement des centaines, sinon des milliers d'années.

Les champs de neige qui recouvrent les hautes pentes des montagnes risquent de paraître encore plus déserts que les rochers avoisinants. Pourtant, ils ne sont pas tous d'un blanc virginal. Dans la chaîne de l'Himalaya et dans celles des Andes, dans les Alpes et sur les montagnes de l'Antarctique, on aperçoit de temps en temps des bandes de neige aussi roses que des pastèques. Le spectacle est saisissant. D'autant plus que, pour s'aventurer dans ces régions, il est nécessaire de porter des lunettes de glacier et l'on a facilement tendance à croire que les taches rougeâtres sur les flancs enneigés ne sont que des ombres ou un tour que nous jouent nos yeux éblouis. Si vous prenez une poignée de cette neige dans votre main et que vous l'examinez à l'œil nu, vous ne verrez rien d'extraordinaire sinon qu'elle est du blanc le plus pur. Ce n'est qu'au microscope que vous pourrez déceler, parmi les particules de glace, les responsables de cette coloration : des milliers d'organismes uni-cellulaires. Ce sont encore des algues. Chacune d'elle contient des particules vertes qui lui permettent d'accomplir la synthèse chlorophyllienne. Mais la coloration verte est masquée par un pigment rouge très envahissant qui joue le même rôle que les lunettes de glacier : il filtre les rayons ultra-violets néfastes.

A une des étapes de sa vie, chaque cellule possède un filament qui lui permet de se mouvoir sous la neige pour atteindre le niveau, situé juste au-dessous de la surface, où se trouve la quantité exacte de lumière qui lui convient. La neige la protège des vents et les températures ne sont pas aussi basses qu'à l'air libre. Pourtant l'algue des neiges a encore besoin d'être protégée du froid et c'est pour cela qu'elle contient une substance qui reste liquide à plusieurs degrés en dessous de zéro.

Ces plantes microscopiques ne dépendent absolument pas du monde extérieur, hormis la lumière du soleil et une quantité négligeable de matières nutritives dissoutes dans la neige. Elles ne se nourrissent, ni ne nourrissent aucun autre organisme, et elles ne modifient pratiquement pas l'environnement, si ce n'est par cette coloration rosée qu'elles donnent à la neige. Elles existent, simplement, témoignage émouvant de la persistance de la vie dans sa plus simple expression.

D'autres créatures vivantes, d'un genre plus complexe, habitent les grandes étendues neigeuses. Parmi elles, on trouve de minuscules vers et des insectes primitifs, comme différents thysanoures, collemboles et grylloblattes. Ils fourmillent souvent en si grand nombre qu'ils colorent également la neige, mais en noir. Cette pigmentation foncée est certainement leur meilleur atout, car les couleurs sombres absorbent la chaleur alors que les claires la réfléchissent. Cependant, malgré cet apport supplémentaire, il leur faut vivre la plupart du temps avec une température du corps proche de zéro. Ils contiennent eux aussi un liquide anti-gel ; leurs processus physiologiques sont adaptés pour fonctionner à basses températures au point que, s'ils se réchauffent brutalement (ce qui se produit, si on en prend un dans le creux de la main), ils meurent. A l'inverse de l'algue des neiges, ils ne sont pas capables d'effectuer la synthèse chlorophyllienne ; ils se nourrissent de grains de pollen ou d'animalcules morts, transportés par les vents depuis les vallées.

Comme on peut s'y attendre de la part d'organismes froids, ils vivent à un rythme très lent. Il faut un an à l'œuf de grylloblatte pour éclore, et cinq à la larve pour atteindre l'âge adulte. Tous ces insectes ne possèdent pas d'ailes. Ceci n'est pas vraiment surprenant dans la mesure où les ailes des insectes ne sont efficaces que si elles sont agitées très vite. Or, à basses températures, aucun insecte n'a des muscles capables d'une telle prouesse, tout simplement parce qu'ils ne peuvent produire suffisamment d'énergie. L'une de ces étranges créatures, la puce des glaciers, a mis au point sa propre technique pour compenser son incapacité à voler. C'est une méthode qui ne nécessite aucune réaction musculaire rapide : dans le creux de ses articulations, l'insecte dispose d'un coussinet qu'il comprime lentement puis bloque en

position. Lorsqu'il est menacé par un ennemi, il libère brutalement le coussinet qui se dilate d'un seul coup et lui permet d'effectuer un véritable vol plané.

Parmi les blocs de pierre qui jalonnent les champs de neige, on trouve de petits coussinets de plantes blotties les unes contre les autres : œillets sauvages, saxifrages, gentianes et mousses. Elles se terrent dans le creux des pentes pour se protéger du vent et leurs racines atteignent parfois un mètre de profondeur, ce qui leur permet de rester en place au milieu des éboulis. Les tiges et les feuilles sont serrées les unes contre les autres. Elles forment une sorte de coussin pour se protéger du froid glacial. Certaines utilisent même leurs réserves de nourriture pour produire un peu de chaleur et elles réussissent parfois à faire fondre la neige qui les entoure.

Elles poussent toutes très lentement : il leur faut une année entière pour produire une ou deux feuilles à peine, et parfois jusqu'à dix ans pour rassembler suffisamment de réserves pour fleurir.

Sur les flancs des montagnes, les conditions climatiques s'améliorent. Le froid est moins rude, car les vents sont arrêtés par les crêtes. D'autre part, la pente étant moins raide, des éclats de rochers brisés par le gel se stabilisent sur place, offrant aux plantes un terrain propice à un développement plus normal. Sur certaines bandes de terres bien exposées, on peut même admirer un tapis vert presque continu.

Les plantes de montagne les plus spectaculaires poussent en Afrique, dans les hautes vallées du mont Kénya. Il s'agit de véritables géantes : la lobélie et le séneçon. Le séneçon mesure plus de 6 mètres de haut. Il ressemble à un énorme chou posé sur un tronc. Lorsque ses feuilles meurent, elles restent accrochées à la tige centrale, formant une sorte de manchon épais qui empêche le froid de passer. Quant à la lobélie, elle s'élève parfois jusqu'à huit mètres de hauteur. Elle a l'aspect d'un pilier sur lequel poussent de petites fleurs bleues et de longues feuilles grises poilues qui donnent l'impression que la colonne est recouverte de fourrure. Les poils assurent à la plante une excellente protection contre le gel pendant la nuit. Il existe d'autres lobélies qui ne poussent pas en hauteur, mais restent près du sol, formant une énorme rosette de 50 cm de diamètre et dont la partie centrale est remplie d'eau. Lorsque la surface de l'eau gèle à la tombée du jour, ce "couvercle" l'empêche de geler totalement, comme si le bourgeon central était muni d'un revêtement de protection liquide. La lobélie est alors confrontée à un autre type de problème : elle pousse dans des régions proches de l'équateur, à une altitude où les rayons du soleil sont extrêmement forts, et l'eau risque de s'évaporer laissant le calice central sans défense. Il est cependant utile de préciser que l'eau qu'il contient ne provient pas uniquement des pluies. Elle est également sécrétée par la plante et est légèrement visqueuse, car elle contient de la pectine, substance gélatineuse qui freine l'évaporation. Le système d'isolation de la plante est donc parfaitement efficace, qu'il s'agisse d'affronter des chaleurs torrides ou de résister à des nuits glaciales.

Certaines broméliacées se sont développées de manière tout aussi gigantesque dans les Andes. Il est probable que l'altitude et la proximité de l'équateur soient responsables de ce phénomène de gigantisme mais, jusqu'à présent, les botanistes n'ont pas réussi à l'expliquer. Le contraste des lobélies africaines géantes avec les formes naines de la même espèce est absolument étonnant. Les rares plantes qui poussent sur les pentes des montagnes attirent inévitablement les animaux qui s'aventurent dans ces régions. Sur le mont Kénya, les damans (petits animaux de la taille d'un lapin, mais de la famille des ongulés) ''broutent'' les feuilles de lobélies. Ils doivent eux aussi se protéger du froid, aussi leurs poils sont-ils plus longs que ceux de leurs frères des terres basses. Ils ont leurs sosies dans les Andes : les chinchillas. Même taille, même forme, mêmes habitudes et même alimentation, à cette différence près que les chinchillas sont des rongeurs et qu'ils possèdent une des fourrures les plus denses du monde. On rencontre aussi dans les Andes un parent du chameau sauvage, la vigogne, qui donne une des laines les plus appréciées sur terre. Son épaisse toison l'isole si bien du froid qu'elle risque parfois de mourir de chaleur. C'est pour pallier ce danger que sa laine ne recouvre pas toutes les parties de son corps. L'intérieur des cuisses et l'aine sont nus. Lorsqu'elle a trop chaud, la vigogne adopte une position qui laisse passer l'air en ces endroits pour les rafraîchir. En revanche, s'il fait froid, elle serre ses cuisses contre son abdomen, de façon à ne laisser aucun espace vide dans la toison.

Chez les animaux, la toison est loin d'être le seul moyen de conserver la chaleur. Les proportions du corps ont aussi leur importance et, selon les cas, elles peuvent se révéler fort utiles, ou fort gênantes. Les extrémités longues et étroites gèlent plus facilement ; c'est pourquoi les animaux des montagnes ont souvent de petites oreilles et des membres courts. La sphère est la forme qui conserve le mieux la chaleur et la taille a également son importance. Les pertes de chaleur peuvent être dues à un rayonnement de la surface du corps ; de ce fait, plus la surface est réduite par rapport au volume total du corps, meilleure sera la conservation de chaleur. Une petite sphère conserve moins bien la chaleur qu'une grosse. La conséquence de tout ceci est que, pour une même espèce, les animaux vivant dans des climats froids auront tendance à être plus gros que ceux qui habitent des régions plus chaudes. On trouve par exemple des pumas dans toute l'Amérique, de l'Alaska à la jungle amazonienne en passant par les Montagnes Rocheuses et la chaîne des Andes, mais les pumas des bas plateaux sont de véritables nains par rapport à ceux des montagnes.

Si vous cherchez la vigogne et le chinchilla dans les Andes équatoriales, il vous faudra atteindre les neiges éternelles et pour cela grimper à plus de 5 000 mètres d'altitude. Toutefois, en allant vers le sud, le long de la Cordillère des Andes, la limite des neiges éternelles baisse de plus en plus. Au niveau de la Patagonie et de la pointe sud du continent américain, la neige tombe toute l'année à quelques mètres d'altitude, et les glaciers s'écoulent directement dans la mer. La raison en est simple : au niveau de l'équateur, les rayons du soleil frappent la terre à angle droit, tandis qu'ils sont de plus en plus obliques au fur et à mesure que l'on s'éloigne vers les pôles. La quantité de soleil qui frappe un mètre carré de terre plate à l'équateur est diffusée sur une zone d'autant plus grande que l'on s'avance vers le sud. La chaleur des rayons eux-mêmes est moins forte dans les régions polaires, puisqu'ils traversent l'atmosphère en oblique et ont donc un plus long chemin à parcourir pour atteindre la terre. Ils perdent une grande part d'énergie en route. C'est ce qui explique pourquoi les

▲ *Eléphant de mer, Géorgie du sud*   *Manchots Empereurs, avec poussin, Antarctique* ▶

l'éclosion, les parents se relaient pour nourrir l'oisillon. La croissance de ce dernier est rapide et, dès la fin du court été austral, il a revêtu son plumage d'adulte et est capable de nager et de subvenir à ses besoins.

L'Empereur est le plus grand de tous les manchots. Il arrive à mi-hauteur d'homme et pèse 16 kg, ce qui fait de lui le plus grand et le plus gros de tous les oiseaux marins. Sa grande taille pourrait être le résultat d'une adaptation de l'espèce au froid puisque l'Empereur vit et se reproduit sur le continent antarctique même. Pourtant, si sa stature lui assure une excellente rétention thermique, elle constitue aussi un handicap important : les poussins ne peuvent se nourrir eux-mêmes tant que leur croissance n'est pas achevée et que leur plumage n'est pas étanche. Or, les gros poussins sont longs à éclore et leur croissance est lente.

Contrairement aux espèces plus petites, les poussins du manchot Empereur ne parviennent pas à achever leur croissance pendant le court été austral. Leurs parents ont résolu le problème en adoptant un calendrier de reproduction inverse de celui de la plupart des oiseaux : au lieu de pondre au printemps et d'élever leur progéniture pendant les mois chauds de l'été austral, quand la nourriture est facile à trouver, ils démarrent le cycle au début de l'hiver.

Pendant tout l'été, ils pêchent pour aborder l'hiver plus gras et plus résistants que jamais. En mars, quelques semaines avant la longue nuit hivernale, les adultes regagnent la banquise qui s'étend déjà bien au-delà de la côte. Les manchots doivent souvent parcourir plusieurs kilomètres vers le sud avant d'atteindre leurs habituels territoires de reproduction, en bordure de la côte. Pendant les mois d'obscurité d'avril et mai, mâles et femelles paradent avant de s'accoupler. Le couple ne revendique aucun territoire et ne construit pas de nid car, sur la banquise où un manchot niche, ne se trouvent ni végétaux ni minéraux susceptibles d'être utilisés. La femelle pond un gros œuf unique, riche en vitellus, le jaune d'œuf classique. Dès la ponte, elle doit lui éviter tout contact avec la glace, qui le ferait geler. Elle se sert alors de son bec pour faire rouler l'œuf jusque sur ses pattes, puis elle l'enfouit dans un bourrelet de peau protégé de duvet, qui pend de son abdomen. C'est alors que le mâle la rejoint et, dans une parade qui clôt le rituel de la reproduction, il s'empare à son tour de l'œuf pour l'enfouir sous un tablier de plumes. Pour l'heure, la femelle a rempli son rôle. Elle laisse au mâle le soin de couver et disparaît dans l'obscurité en direction de la mer, où elle pourra enfin trouver de quoi se nourrir. A ce stade, l'hiver est déjà très avancé et la banquise s'étend bien au-delà de la côte. La femelle devra parfois parcourir plus de 150 kilomètres à pied avant d'atteindre l'océan.

Pendant ce temps, le mâle reste debout, son précieux fardeau posé sur ses pattes, bien au chaud sous son pli stomacal. Il est passif et se contente de se blottir près des autres mâles qui couvent eux aussi ; ainsi regroupés, dos aux rafales de neige et au blizzard, ils se protègent mutuellement du froid. Le mâle n'a pas d'énergie à gaspiller en mouvements superflus. A son arrivée sur la banquise, l'épaisse couche de graisse située sous son plumage représentait presque la moitié de son poids. Mais il a déjà puisé dans ses réserves pour soutenir les efforts de sa parade amoureuse et il lui reste 2 mois à tenir jusqu'à l'éclosion qui a lieu, 60 jours après.

Encore incapable d'entretenir sa propre chaleur, le jeune poussin reste enfoui dans celle des plumes paternelles. Son père réussit encore à prélever assez de nourriture de son estomac pour la régurgiter et donner la becquée à son rejeton nouvellement éclos. C'est alors que la femelle réapparaît. Elle a bien engraissé. Pour elle, pas de nid à localiser, car le mâle a pu s'éloigner de l'endroit où elle l'avait laissé. Elle l'identifie aux cris qui font écho à ses appels. Dès les retrouvailles, la femelle nourrit son poussin de poisson à demi digéré qu'elle régurgite aussitôt. Cette réunion est cruciale : si, en chemin, la femelle a été la proie de quelque léopard de mer, son petit mourra de faim en quelques jours. Même si son retard n'excède pas 24 ou 48 heures, elle ne pourra fournir à temps la nourriture dont dépend la survie de son poussin ; il périra avant son retour.

Le mâle qui, pendant des semaines, est resté presque immobile, le ventre vide, est désormais libre de partir en quête de nourriture après tant de privations. Laissant le poussin à la charge de la femelle, il se dirige vers la mer. Il fait peine à voir ; décharné, il a perdu un tiers de son poids. Mais s'il réussit à atteindre la limite de la banquise, il n'a plus qu'à plonger et à se gaver de poissons. Ses vacances dureront deux semaines. L'estomac et le jabot remplis de poissons, il entamera la longue marche qui le ramènera vers sa progéniture.

Le jeune manchot qui n'a eu pour toute nourriture que le poisson rapporté par sa mère et le suc digestif qu'elle a dégurgité, engloutit avidement ce que lui offre son père. Il porte encore son plumage gris, duveteux et ébouriffé, de jeune poussin. Tous les jeunes sont blottis pêle-mêle, mais chacun reste identifiable pour ses parents grâce à son cri. Jusqu'à la fin de la période hivernale, les parents partent pêcher à tour de rôle. Enfin l'horizon s'éclaircit, la température s'adoucit insensiblement et des crevasses apparaissent à la surface de la banquise, donnant naissance à des chenaux qui s'avancent de plus en plus près de l'endroit où se blotissent les jeunes. Excellents nageurs dès leur premier contact avec l'élément liquide, les jeunes manchots s'y traînent et plongent. Les adultes se joignent joyeusement à la baignade. Il ne leur reste que deux mois pour reprendre des forces et reconstituer leurs réserves de graisse avant de recommencer le même cycle.

Les processus de la reproduction sont semés d'embûches et de dangers : des conditions climatiques à peine plus détestables que d'habitude, une pêche un peu moins bonne, un parent en retard d'un jour seulement... le moindre contretemps peut être fatal au poussin. Un taux de mortalité élevé frappe la majorité des nichées : pendant les années fastes, 4 poussins seulement sur 10 atteignent l'âge adulte.

L'Antarctique n'a pas toujours été un continent aussi désolé. Son sol renferme les restes fossilisés de fougères et d'arbres, de petits mammifères primitifs et de dinosaures. Toutes ces espèces abondaient il y a plus de 140 millions d'années, à l'époque où l'Antarctique formait, avec l'Amérique du Sud, l'Australie et la Nouvelle-Zélande, un supercontinent austral, beaucoup plus proche de l'équateur et au climat plus chaud. Mais lorsque les plaques océaniques commencèrent à isoler ce supercontinent, l'Antarctique, d'abord rattachée à l'Australie, entama sa dérive vers le sud. A cette époque, les terres du Pôle Sud étaient immergées sous un océan dont les eaux devaient être froides car le soleil y brillait de manière très oblique. C'est leur circulation autour d'autres terres plus chaudes qui les a probablement empêchées de geler. L'Antarctique s'est ensuite séparée de l'Australie et a continué sa dérive vers le sud ; il se peut même qu'elle soit venue se superposer au pôle même. C'est alors que les conditions climatiques évoluèrent. Le refroidissement a dû s'accélérer ; les dinosaures et autres animaux terrestres, si tant est qu'ils aient survécu si longtemps, n'ont pu y résister. En effet, les terres, contrairement aux eaux en mouvement, ne pouvaient être réchauffées. La neige tombée en hiver tenait bon sur le continent, ce qui accentua la rigueur du climat et contribua à un irréversible refroidissement ; en effet, la blancheur de le neige renvoyait 90 % de la chaleur déjà faible dégagée par les rayons solaires. La neige s'accumula donc au fil des ans et se transforma en glace sous la pression de son propre poids.

Aujourd'hui la glace recouvre toute la surface du continent, à l'exception de quelques rares sommets qui en rompent la monotonie et de quelques bandes de terre en bordure de mer. Son épaisseur atteint par endroits 4 à 5 kilomètres et elle occupe une superficie égale à celle de toute l'Europe occidentale, culminant en un énorme dôme à 4 000 mètres au-dessus du niveau de la mer. Ce continent glacé détient à lui seul 90 % des réserves mondiales en eau douce. Sa fonte élèverait d'environ 55 mètres le niveau des mers du globe.

Tandis que l'Antarctique dérivait vers le sud, les continents de l'hémisphère nord étaient eux aussi en pleine mutation. En ces temps reculés, le Pôle Nord était immergé sous des eaux et le resta jusqu'à ce que l'Eurasie, l'Amérique du Nord et le Groënland ne viennent l'enserrer dans un étau. Cet encerclement peut avoir contrarié le libre flux des courants et compromis le réchauffement des eaux. Cette fois, même les mers furent prises par la glace et aujourd'hui encore le Pôle Nord est recouvert non par un continent, mais par une banquise.

Le phénomène de refroidissement consécutif à ces dérives continentales a été très vraisemblablement accentué par les variations intervenues dans l'intensité du rayonnement solaire. C'est ainsi qu'il y a 3 millions d'années, notre planète s'est nettement refroidie. Débuta alors une ère glaciaire, qui étendit ses glaciers en direction du sud, jusqu'à l'actuelle Angleterre ; cette ère n'est pas encore révolue, malgré les atténuations répétées qu'elle a connues.

La disposition annulaire des continents autour de l'Arctique a été déterminante pour sa faune et elle l'oppose ainsi à l'Antarctique. En effet les terres ont constitué des rampes d'accès qui ont favorisé la progression d'animaux originaires de régions plus tempérées vers les glaces. Ainsi, alors qu'aucun mammifère terrestre de grande taille, si ce n'est l'homme, ne vit à proximité du Pôle Sud, le Pôle Nord est le territoire de chasse de l'un des plus grands mammifères carnivores, l'ours polaire, dit aussi ours blanc.

Cette masse blanche est apparentée aux grizzlis et aux ours bruns qui vivent au sud du cercle arctique, en Eurasie et en Amérique du Nord. L'ours polaire est particulièrement bien protégé contre le froid. Comme nombre d'espèces des régions froides, sa taille est nettement supérieure à celle de ses congénères des régions tempérées.

Les poils de sa fourrure sont extrêmement longs et graisseux, de ce fait même quasiment imperméables à faible profondeur. La fourrure couvre aussi la plante de ses pieds ; elle protège sa peau de la brûlure de la glace et lui assure une bonne adhérence. Durant la période estivale, plus au sud, un ours polaire peut se nourrir de baies et de lemmings qu'il tue d'un coup de ses énormes pattes. Mais sa proie préférée reste le phoque. Il le traque en rampant sur la neige, quasi invisible. S'il aperçoit un phoque prenant le soleil sur un banc de glace, à quelque distance de là, il plonge et refait surface de l'autre côté, lui barrant ainsi la route du large. D'autres fois, il attend, à l'affût près d'un trou dans la glace, que le phoque émerge et l'assomme contre la glace d'un coup de patte.

L'Arctique, comme l'Antarctique, regorge de pinnipèdes. A la saison des amours, les phoques du Groënland se massent par centaines de milliers sur les bancs de glace. Mais pas de trace des manchots, omniprésents en Antarctique. Ils ont toutefois des remplaçants qui appartiennent à la famille des pingouins guillemots ou des macareux moines. Ils ont de nombreux points communs avec les manchots ; ils sont noir et blanc pour la plupart ; ils adoptent la station verticale sur la terre ferme et surtout, ils excellent en nage sous-marine et se meuvent comme les manchots en agitant leurs ailerons et en utilisant leurs pattes comme gouvernail.

Néanmoins, leur passage du stade d'oiseau bon voilier à celui de nageur n'est pas aussi complet que chez le manchot. Ils n'ont pas totalement perdu l'usage de leurs ailes, bien que leur envol soit laborieux. Ils restent cloués au sol pendant la courte période qui correspond à la perte totale des plumes de leurs ailes ; chez la plupart des oiseaux, cette mue n'est que partielle. Les pingouins vont ensuite en mer et flottent de vague en vague, plus ''manchots'' que jamais.

Le Grand Pingouin - le plus grand représentant de cette famille - était devenu totalement incapable de voler. Haut de 75 centimètres, il avait adopté la station verticale et son plumage noir et blanc le faisait ressembler à un manchot ; il fut d'ailleurs le premier détenteur de ce nom. L'étymologie du mot est discutée ; certains l'attribuent à la réunion de deux mots d'origine galloise signifiant ''tête blanche''. Certes, l'oiseau porte sur la tête deux taches blanches, mais il n'a jamais vécu au Pays de Galles. Plus vraisemblablement, ce terme dérive d'un mot latin signifiant ''gras'', car le Grand Pingouin possédait une épaisse couche de graisse sous-cutanée qui le fit très recherché par les chasseurs. C'est ainsi que les explorateurs qui rencontrèrent dans l'hémisphère austral des oiseaux semblables, incapables de voler, leur donnèrent aussi le nom de pingouins. Finalement, le Grand Pingouin n'y laissa pas seulement son nom, mais aussi la vie. Son incapacité à voler en faisait une proie facile pour l'homme. Le dernier représentant de l'espèce fut tué en 1844 sur une petite île au large de l'Islande.

Le reste de la famille des pingouins dut peut-être sa survie au fait que ces oiseaux pouvaient encore voler. Ils se concentrent sur les parois de falaises abruptes et au sommet de pitons rocheux, mais ne vont jamais s'aventurer en masse sur les plages ou les bancs de glace, comme le font les manchots, certainement en raison de la présence de prédateurs venus du sud.

◀ *Polygones de la toundra, Alaska*

Ces prédateurs ne sont pas seulement l'ours polaire et le renard des neiges, mais aussi l'homme. Il y a de cela très longtemps, les Esquimaux quittèrent le nord de leur Asie natale pour remonter vers le pôle. Il n'existe actuellement aucun groupe d'hommes mieux adapté au froid le plus rigoureux. En dépit d'une stature assez petite, leur corps est remarquablement proportionné en vue de conserver la chaleur ; les Esquimaux sont trapus et offrent ainsi une surface réduite par rapport à leur volume. Leurs narines sont plus rapprochées que celles des autres races, ce qui leur permet de diminuer la déperdition de chaleur et d'humidité due à la respiration. Ils ont aussi de gros bourrelets de graisse qui protègent du froid les seules parties du corps qu'un Esquimau tout habillé laisse exposées : les joues et les paupières.

Sans la chaleur des fourrures animales, les Esquimaux n'auraient pu survivre dans l'Arctique. Ils utilisent la peau de phoque pour la confection de gants et de bottes, celle de l'ours polaire pour les pantalons, la peau de caribou et d'oiseaux pour les tuniques. Leurs coutures sont si serrées que les vêtements sont imperméables. Les Esquimaux portent deux paires de tuniques et de pantalons superposées, la première avec la fourrure au contact de la peau, la seconde avec la fourrure à l'extérieur.

Traditionnellement, les Esquimaux partaient pour de longues campagnes de chasse à travers les glaces, ne se nourrissant que de viande de phoque. Pour édifier leur campement, ils construisaient des igloos en empilant en spirale des blocs de neige tassée découpés avec des couteaux faits en os. Ils y ménageaient parfois une fenêtre en remplaçant un bloc de neige par un bloc de glace translucide. A l'intérieur, un banc taillé dans la neige dure était recouvert de peaux de bêtes. La lumière était fournie par des lampes à huile. La chaleur dégagée par l'huile et le corps des occupants pouvait élever la température jusqu'à 15° C ; les Esquimaux pouvaient alors retirer leurs lourdes pelisses et se détendre, demi-nus, sur leurs couvertures de fourrure.

Une telle vie était synonyme de privations extrêmes. Depuis cette époque, l'homme occidental s'est installé sur le continent arctique et a apporté avec lui du matériel moderne et des combustibles, des groupes électrogènes et des tissus synthétiques, des traîneaux à moteur et des carabines à longue portée.

Ces nouveautés ont presque éclipsé le traîneau tiré par les chiens et le harpon lancé à la main, l'igloo et les vêtements de peau cousus main. Désormais, l'Esquimau ne part plus pour de si longues campagnes de chasse à travers les banquises de l'Arctique.

Les glaciers qui descendent de l'Antarctique surplombent l'océan en un plateau massif. Cette barre se désagrège périodiquement en énormes icebergs, dont certains atteignent 100 kilomètres de large et peuvent dériver pendant des dizaines d'années à travers les mers australes, avant d'être entraînés vers des eaux plus chaudes où ils finissent par fondre lentement. Dans l'Arctique, au contraire, la chappe de glace se termine généralement sur la terre ferme. Et c'est là, au Groënland, à l'île Ellesmere et au Spitzberg, que se forment des falaises de glace d'où s'écoulent des flots d'eau de fonte. Vers le sud s'étend, sur des centaines de kilomètres, une immensité désolée faite de graviers et de galets, débris et éclats de roches concassées par la poussée de la glace pendant les périodes les plus froides, puis abandonnées à son retrait. C'est la toundra.

Pendant l'été, un soleil timide parvient à faire fondre la surface du sol, mais à un mètre de profondeur, la terre demeure gelée, ainsi qu'elle l'a toujours été depuis la venue de l'ère glaciaire. Le sol, sous cette couche de permafrost[1], gèle et dégèle au fil des saisons. Les phénomènes de contraction et d'expansion au cœur des graviers sculptent d'étranges formes. Si le gel pénètre une bande de terre et transforme l'eau qu'elle contient en glace, les graviers vont s'élever en un petit monticule et subir une dilatation latérale. Le gel déplace plus rapidement les grosses particules que les petites, de telle sorte que les graviers les plus fins demeurent au centre, alors que les cailloux plus gros sont expulsés vers la périphérie. Lorsque de telles formations se développent côte à côte, il arrive que leurs bords se rejoignent et constituent des polygones, dont la taille varie de quelques centimètres à une centaine de mètres, et dont les arêtes sont soulignées par de grosses pierres. Comme les fins graviers situés au centre constituent un terrain plus favorable à la poussée, on voit apparaître de la verdure au milieu de ces polygones. C'est ainsi qu'une partie de la toundra semble avoir été fragmentée en d'étranges parcelles cultivées. Sur les pentes, ce phénomène ne forme pas de polygones, mais de longues raies qui descendent jusqu'au pied des collines.

Partout ailleurs, l'alternance du gel et du dégel peut concentrer l'eau souterraine et entraîner la formation d'une pyramide de 100 mètres de haut appelée "pingo". Elle a l'aspect d'un petit volcan qui contiendrait de la glace vive au lieu de lave.

Comme on pouvait s'y attendre, les lichens et les mousses poussent partout dans la toundra ; mais on y trouve aussi plus d'un millier de plantes à fleurs qui parviennent à subsister. Aucune n'excède pourtant la taille d'un petit buisson.

Les vents desséchants les en empêchent. Le saule de l'Arctique, par exemple, ne croît pas à la verticale, mais à l'horizontale, parallèlement au sol. Les plus gros peuvent mesurer 5 mètres de long pour seulement quelques centimètres de haut. Leur croissance, comme celle de tous les végétaux des climats froids, est extrêmement lente. Un arbuste dont le tronc mesure quelques centimètres de diamètre peut très bien avoir 400 ou 500 ans, ainsi que le prouvent les anneaux de son écorce. On trouve aussi des tapis de bruyère naine, de roseaux et de plantes herbacées. La plupart des plantes de la toundra se retrouvent à haute altitude dans les montagnes de l'Amérique du Nord et de l'Eurasie. Il est d'ailleurs fort possible qu'elles en soient originaires, car ces montagnes existaient bien avant que la première glaciation ne recouvre le globe et ne donne naissance à la toundra.

Pendant le long sommeil hivernal, la neige recouvre presque tout le sol et peu d'animaux sont alors visibles. Sous la neige, là où la température est plus clémente qu'en surface, s'organise toute une vie souterraine, orchestrée par une faune de petits rongeurs, surtout de lemmings ; ceux-ci, deux fois plus petits qu'un cochon d'Inde, replets, le pelage foncé, les oreilles courte et la queue minuscule, se faufilent dans des galeries aménagées à fleur de sol où ils grignotent la végétation. Il arrive qu'un renard blanc des neiges leur donne la chasse et creuse profondément la neige en grattant frénétiquement pour faire sortir les rongeurs. Quant à l'hermine, petit prédateur blanc,

1. Etendue de sol gelé en permanence et en profondeur.

Caribou sur la toundra, en été ▶

elle est de taille assez réduite pour aller traquer le lemming dans sa galerie. Quelques oiseaux blancs, les lagopèdes, cherchent une vallée abritée en quête de baies ou de feuilles de saule. Le lièvre des neiges gratte désespérément le sol à la recherche de quelques feuilles intactes. Mais les conditions sont rudes et seuls les plus résistants survivront.

Le printemps fait alors brusquement son apparition. Chaque jour, le soleil s'élève un peu plus haut au-dessus de l'horizon. Le ciel s'éclaircit et l'air se réchauffe doucement. Commence alors la fonte de neiges. Le permafrost retient l'eau de fonte qui forme bourbiers et mares. Animaux et végétaux répondent sans tarder à l'appel du printemps et à cette nouvelle douceur. Le répit laissé par le gel ne durera que quelque 8 semaines ; il n'y a donc pas de temps à perdre.

En un clin d'œil, les plantes se parent de fleurs. L'aulne est si pressé qu'il ne peut attendre l'éclosion progressive de ses chatons puis de ses feuilles, comme le font les autres membres de sa famille, et qu'il les déroule en une seule fois. Les lemmings se retrouvent à découvert, après la fonte de leur abri de neige. Dans les mares et les lacs éclosent les œufs d'insectes, en incubation pendant tout l'hiver, libérant des myriades de mouches et de moustiques. L'air résonne d'un bourdonnement menaçant, tandis que des millions d'insectes partent en quête du sang chaud dont ils ont besoin pour se reproduire, à leur tour.

Insectes ou lemmings, jeunes pousses tendres ou plantes aquatiques attirent nombre de migrateurs affamés qui remontent du sud pour profiter de cette aubaine si brève. Des escadrons entiers de canards, pilets, milouins, sarcelles d'hiver et garrots s'abattent avidement sur les plantes aquatiques en bourgeons. Les faucons gerfauts, les corbeaux et les harfangs des neiges traquent les lemmings. Les phalaropes, bécasses et tourne-pierres sillonnent le ciel en quête d'insectes et de larves. Les renards leur font cortège, dans l'espoir de dévorer leur progéniture. D'immenses hardes de caribous viennent pesamment brouter lichens et feuillages.

Les animaux, blancs en hiver, ont mué et changé de couleur. Les renards et les lagopèdes, les hermines et les lièvres des neiges, tous, qu'ils soient chasseurs ou chassés, ont besoin de se camoufler et ont adopté la couleur brune, qui leur permet de se confondre avec le paysage dénudé de la toundra pendant l'été.

Les oiseaux migrateurs commencent à se reproduire et gavent leur progéniture des insectes qui pullulent. Toutes ces opérations doivent être accélérées, car l'hiver approche et les jeunes doivent être suffisamment armés pour endurer le voyage de retour. Heureusement, il fait maintenant jour presque 24 heures sur 24 et les parents peuvent chercher leur nourriture et donner la becquée à leurs petits sans interruption. Puis l'été prend fin aussi brutalement qu'il était apparu. Le soleil baisse chaque jour davantage. La lumière faiblit et le gel étend à nouveau son emprise. Les averses de pluie tournent au grésil mordant. Les phalaropes sont les premiers à partir, suivis bientôt par tous les migrateurs, jeunes et adultes. Les caribous s'alignent en longues files et se mettent en marche, tête basse, à travers le paysage blanchissant. Comme tant d'autres visiteurs estivaux de la toundra, ils trouveront refuge dans les vastes forêts de résineux, plus au sud, qui les protégeront de la morsure du blizzard.

LES FORÊTS DU NORD

Les hardes de caribous qui, en septembre, traversent la toundra de l'Alaska en direction du sud sont constitués d'individus gras et sains, après tout un été passé à paître. Les jeunes accompagnent leurs parents tout en jouant. Mais leur périple sera long et le temps se dégrade. La neige a déjà commencé à tomber sur le paysage nu et désolé de la toundra. Pendant le jour, les rayons du soleil sont encore assez chauds pour faire fondre la neige, ce qui est loin d'avantager le caribou ; en effet l'eau de fonte gèle pendant la nuit et la glace est par endroits si épaisse qu'il ne peut la casser pour atteindre les feuilles et les lichens qu'elle emprisonne. La nécessité de se trouver à couvert se faisant chaque jour plus pressante, les caribous peuvent être amenés à parcourir jusqu'à 60 kilomètres par jour.

Enfin, après une semaine de marche ininterrompue, les hardes atteignent les premiers arbres ; ceux-ci, décharnés et noueux, poussent, isolés ou en bouquets, à l'abri des plissements du terrain. Les caribous poursuivent leur marche vers le sud sans s'y arrêter. Progressivement les arbres gagnent en nombre et en taille. Au terme d'un périple qui leur aura fait parcourir jusqu'à 1 000 kilomètres, les hardes progressent bientôt sous la haute futaie entre les grands arbres d'une véritable forêt.

Là, tout est plus facile. Malgré l'extrême froidure, la forêt dense protège les animaux de l'engourdissement mortel dont les menace le vent. De plus la nourriture est accessible. La neige, sous le couvert des branchages noirs, ne fond pas pour regeler aussitôt, et demeure souple et poudreuse ; ainsi, il suffit au caribou de gratter le sol de ses sabots et d'enfouir son mufle dans la neige pour dégager la végétation.

La forêt où les hardes ont trouvé refuge constitue le plus vaste peuplement sylvestre du globe. Il forme une bande, atteignant par endroits 2 000 kilomètres de largeur, qui ceinture la planète. Il s'étend à l'est depuis la côte pacifique de l'Alaska jusqu'à la côte atlantique sur toute la largeur de l'Amérique du Nord. En direction opposée, il traverse le détroit de Bering et se prolonge jusqu'en Sibérie et en Scandinavie. D'une extrémité à l'autre, il mesure quelque 10 000 kilomètres.

L'amélioration des conditions climatiques entre la toundra du nord et la forêt est due à une intensification sensible de l'ensoleillement qui permet aux arbres de croître. Dans les régions polaires, l'été est trop bref pour permettre à un arbre de développer un haut fût et de produire un feuillage assez persistant pour résister aux gelées automnales. Dans la forêt, les conditions sont suffisamment clémentes pour permettre la croissance des arbres : l'ensoleillement optimal dure au moins 30 jours par an et la température dépasse parfois 10°. Il n'empêche que le climat est extrêmement

rigoureux. Les températures peuvent chuter jusqu'à 40° en dessous de zéro, étant ainsi inférieures à la plus basse température enregistrée sur la toundra.

La violence des blizzards tasse la neige en congères épaisses de plusieurs mètres qui ne fondront pas avant 6 mois. Le froid glacial qui règne menace de congeler la sève des arbres, et surtout de les priver de l'un de leurs plus précieux moyens de subsistance : l'eau. Elle existe certes partout sous forme de neige et de glace, mais son état solide la rend inutilisable pour les plantes. Les arbres des forêts nordiques doivent donc endurer une sécheresse aussi extrême que celle à laquelle sont soumises les espèces végétales des plus brûlants déserts.

L'aiguille de pin est le type même de feuillage susceptible de résister à ces privations. Longue et fine, elle empêche la neige de la courber sous son poids. Elle est très pauvre en sève et limite donc les risques de congélation. Sa couleur noire lui permet d'absorber le maximum de chaleur malgré les timides rayons du soleil. Tous les végétaux, au cours du processus de croissance, perdent obligatoirement de l'eau. Il leur faut absorber le gaz carbonique de l'air et rejeter l'oxygène, qui constitue un déchet, en l'éliminant à travers des pores microscopiques appelées stomates. Cet échange gazeux dégage inévitablement de la vapeur d'eau ; or, l'aiguille de pin en produit nettement moins que les autres types de feuilles. Elle possède en effet assez peu de stomates, situées à la base de minuscules orifices répartis en lignes régulières au fond d'une rainure qui court sur toute la longueur de l'aiguille. Cette rainure retient au-dessus des stomates une couche d'air immobile qui réduit considérablement leur diffusion de vapeur d'eau. De plus, toute perte d'eau à travers les parois cellulaires, en tout point de la surface de l'aiguille, est réduite au minimum par une épaisse pellicule vernissée. Enfin, lorsque le froid gèle le sol en profondeur et que l'eau n'arrive plus aux racines, les stomates peuvent se clore pour éviter toute évaporation fatale.

Il arrive pourtant que ces dispositifs de rétention d'eau ne soient pas assez efficaces. Le mélèze, par exemple, pousse dans des régions relativement tempérées, mais sur des terrains très secs. Il ne peut donc se permettre la moindre perte d'humidité pendant l'hiver ; à l'automne, il perd ses aiguilles et entre dans une période d'inactivité totale. Mais partout ailleurs, les aiguilles font la preuve de leur efficacité douze mois sur douze et leurs propriétaires n'en changent que tous les 7 ans ; ils les renouvellent alors progressivement pendant les périodes de croissance. Le feuillage persistant offre d'énormes avantages. Aux premiers jours du printemps, les aiguilles sont prêtes à réaliser la photosynthèse dès que la lumière le permettra. De plus, l'arbre économise sa précieuse énergie, n'étant pas obligé de renouveler ses feuilles chaque année.

Les conifères à feuillage persistant appartiennent à une famille très ancienne, apparue sur terre il y a quelque 300 millions d'années, devançant nettement le reste des plantes à fleurs. Leurs graines sont renfermées dans un cône. Ils regroupent les pins et les épicéas, et les cèdres, les sapins et les cyprès. La nature de leur feuillage, imposée par la rigueur du climat, détermine à plus d'un titre la composition de l'ensemble du peuplement forestier. Les aiguilles, poisseuses et résineuses, ne se décomposent pas facilement. En l'occurrence, le froid ralentit considérablement l'activité

◀ *Bec-croisé sur un pin*

bactérienne. Ainsi, à leur chute, elles ne pourrissent pas et forment pendant des années un épais tapis élastique. Cette absence de décomposition ne permet pas de libérer les substances nutritives contenues dans les aiguilles et le sol demeure pauvre et acide. Quant aux arbres, ils ont recours aux champignons pour récupérer les éléments nutritifs de leurs aiguilles tombées. Les racines des conifères sont superficielles et se ramifient en un vaste réseau autour du tronc. Elles sont enveloppées d'un entrelacs inextricable de filaments de champignons qui se prolonge en surface et qui décompose les aiguilles en substances chimiques assimilables par les conifères. En échange, les champignons extraient des racines les sucres et autres hydrates de carbone dont ils ont besoin et qu'ils ne peuvent synthétiser, faute de chlorophylle.

Cet échange entre les champignons et les conifères n'est pas aussi poussé que l'association avec les algues, qui donne naissance aux lichens. Il est d'ailleurs moins spécifique, car une seule espèce de pin peut abriter jusqu'à 119 espèces de champignons, et six ou sept types de champignons peuvent coloniser simultanément les racines d'un arbre unique. Enfin, cette association est facultative, bien qu'elle favorise la croissance du conifère.

La présence d'aiguilles dans les forêts de conifères limite considérablement la variété de la faune qui y vit. Les tonnes de feuilles produites chaque année par les forêts sont destinées à nourrir les groupes d'animaux herbivores. Mais ces aiguilles poisseuses ne tentent ni les caribous, ni les petits rongeurs, et seuls des insectes et de rares oiseaux, tels que le grand tétras ou le gros bec, acceptent de s'en nourrir ; ces derniers ont une nette préférence pour les jeunes aiguilles vertes, encore tendres et juteuses.

La partie la plus savoureuse du conifère n'est pas son feuillage, mais ses graines. Divers oiseaux sont capables de les extraire des pommes de pin. Le bec-croisé, de la famille des fringillidés, est doté à cet effet d'un bec remarquable : les deux mandibules ne se rejoignent pas, mais se superposent. L'oiseau se sert de son bec comme d'un levier et extrait de l'écorce de la ''pomme de pin'' les graines riches en protéines. Son adresse lui permet de récolter parfois 1 000 graines par jour. Le ''casse-noix'' est un oiseau de plus grande taille et atteint 30 centimètres de long ; il est doté d'un bec si puissant qu'il peut écraser l'écorce des pommes de pin d'un seul coup de bec (!) libérant ainsi les graines ; il est fréquent qu'il les stocke dans les fentes des arbres pour les consommer ultérieurement.

Quelques petits mammifères, écureuils campagnols et lemmings, se nourrissent aussi de graines qu'ils ramassent en grattant la neige. Quant aux grands herbivores, caribous, chevreuils et orignaux ils vivent presque exclusivement sur les réserves de graisse constituées pendant l'été et complètent leur alimentation avec l'écorce arrachée aux arbres, les mousses et les lichens ; ils broutent aussi les rares buissons qui réussissent à pousser dans les clairières, sur les rives des lacs ou des rivières.

Ces herbivores sont la proie de prédateurs carnivores qui doivent sillonner sans relâche la forêt en quête de nourriture. Le lynx, félin à la fourrure épaisse, peut quadriller plus de 200 kilomètres carrés. Dans ces régions froides où la conservation de l'énergie est primordiale, le prédateur doit veiller attentivement au bon rendement de sa chasse. Lorsqu'un lynx donne la chasse à un lièvre des neiges, il arrête la poursuite au bout de 200 mètres de course zigzaguante. L'énergie dépensée à le pourchasser serait dorénavant bien supérieure à celle fournie par sa chair. Le chevreuil, beaucoup plus gros, est une proie autrement plus intéressante, que le lynx traque avec acharnement et que le carcajou ou glouton, carnivore de la taille d'un blaireau bas sur pattes, pourchasse aussi volontiers. La traque est pour lui plus aisée, car la croûte de neige durcie supporte son poids et lui permet de rattraper le chevreuil qui, trop lourd, trébuche et se fait prendre.

Rien d'étonnant à ce que la plupart de ces animaux, qui vivent exposés au froid, soient les géants de leur espèce : le grand tétras parmi les grouses, l'orignal chez les cervidés, et le carcajou chez les mustélidés. Grâce à leur corpulence, ils améliorent le stockage de la chaleur, comme le font les grands animaux des régions montagneuses. Il reste que la faune de ces forêts glacées est pauvre en nombre et en variété. Souvent, ces solitudes neigeuses s'étendent à perte de vue, vierges de toute trace de vie.

La communauté restreinte que forment animaux et arbres se retrouve d'un bout à l'autre de la forêt de conifères. Seul un bon naturaliste est en mesure de distinguer les espèces européennes des espèces américaines ; seuls leurs noms diffèrent généralement. L'énorme cervidé à la lèvre supérieure proéminente et à l'imposante ramure est un orignal au Canada, et un élan en Europe, mais il s'agit de la même espèce. Le cervidé de taille moyenne qui trouve refuge pour l'hiver dans la forêt est appelé caribou au Canada et renne en Europe, mais là encore, c'est le même animal. Les carcajous vivent non seulement en Scandinavie et en Sibérie, mais aussi en Amérique du Nord. Quant à la petite belette au long poil luisant, qui dévaste les nids, elle peut correspondre à la martre d'Europe ou à la martre du Canada, à la seule différence que cette dernière est plus trapue. Enfin, la magnifique chouette lapone chaudement bottée de plumes grises parcourt à tire-d'aile les forêts des deux continents.

Si une seule espèce de bec-croisé peuple la forêt d'est en ouest, il y en a plusieurs de casse-noix. L'espèce américaine a un corps gris et des ailes noires tachées de blanc, tandis que son cousin européen a un pelage moucheté. Le grand tétras, de la taille d'une dinde, vit en Eurasie, de la Scandinavie à la Sibérie ; l'espèce qui niche en Amérique du Nord n'est pas plus grosse qu'une poule et porte un trait rouge au-dessus de l'œil : c'est alors un tétras des savanes.

A la venue du printemps, les forêts nordiques sont méconnaissables. Les jours rallongent et les conifères mettent à profit le surplus de lumière pour accélérer leur croissance. Tout au long de l'hiver les bourgeons ont été ''scellés'' et hermétiquement isolés de l'extérieur ; une gaine de résine leur a évité de se dessécher. Les cellules exposées à l'air ambiant ont développé une sorte d'anti-gel capable de supporter des températures de 20° C en dessous de zéro sans se solidifier. Enfin, leur enveloppe extérieure est constituée de tissus morts isolants. Au printemps, les bourgeons éclatent et déchirent leur carapace hivernale. Les larves, après avoir incubé pendant tout l'hiver au cœur des aiguilles de pin ou au fond des trous ménagés sous l'écorce par leurs parents, finissent par éclore et libèrent des hordes de chenilles qui s'attaquent aux aiguilles encore vertes.

Les chenilles n'ont aucun moyen de défense contre les fourmis-éclaireurs - ni mandibules, ni dards venimeux - mais savent comment ne pas révéler leur présence. Elles mâchent la résine qui perle des aiguilles de pin cassées et la stockent dans une poche intestinale. Elles en enduisent la tête et les antennes de l'éclaireur qui, complètement désorienté, arrive difficilement à regagner sa base. De plus, cette glu contient une substance semblable à celle que libèrent les fourmis en cas de danger. Si une ouvrière croise la trace de l'éclaireur, elle ne réagit qu'au signal de danger et tue l'éclaireur, devenu un ennemi. Ainsi, les grandes concentrations de chenilles continuent leurs ravages en toute impunité.

Les arbres sont maintenant en fleurs. Les fleurs femelles forment des touffes discrètes, généralement rouges et situées à l'extrémité des pousses. Les fleurs mâles sont indépendantes et produisent tant de pollen que l'air est envahi de nuages jaunes. Ainsi s'effectue la fécondation. La brièveté de l'été empêche certaines espèces de développer leurs graines, qui ne se formeront que dans un an. Les graines de l'année précédente commencent tout juste à enfler pour former des pommes de pin vertes. Quant aux pommes à maturité, elles écartent leurs écailles de bois pour libérer leurs graines.

Plus bas, au niveau du sol, les lemmings et les campagnols, invisibles pendant l'hiver, trottinent sur l'épais tapis d'aiguilles de pin et se gavent des graines tombées. C'est aussi la période de reproduction. Une femelle lemming peut avoir 12 petits d'une même portée et répéter l'opération trois fois en une saison ; de plus, les jeunes de la première ou même de la deuxième portée peuvent s'accoupler avant le début de l'hiver ; ils n'ont alors que 19 jours et procréeront à 40 jours seulement. Ils ne tardent pas à mettre de l'animation dans la forêt. Le rythme de croissance et de reproduction des jeunes dépend de la quantité de nourriture disponible selon les années. Tous les 3 ou 4 ans, les arbres produisent par exemple des tonnes de graines. Cette surabondance peut être due aux variations de température au cours de l'été ou correspondre, pour les arbres, au besoin de constituer des réserves sur plusieurs saisons en vue d'une récolte miracle. Il peut aussi s'agir d'un phénomène d'adaptation destiné à assurer la survie des graines ; en temps normal, les lemmings et autres amateurs de graines sont si voraces que peu de graines arrivent à germer. La surproduction permet donc la germination avant que la multiplication des lemmings ne soit parvenue à son maximum. L'année suivante, la nourriture sera moins abondante et les portées réduites : il y aura baisse de la population de lemmings.

Les jeunes aiguilles de pin, les chenilles grouillantes et les hordes de lemmings et de campagnols sont les victimes en puissance de divers prédateurs. A l'approche de l'été, des vols d'oiseaux venus du sud s'abattent sur la forêt, prêts pour le festin. Les chouettes se joignent aux espèces sédentaires pour chasser le lemming. Les mauvis, les litornes et autres grives viennent en masse se repaître de chenilles, tandis que les mésanges et les fauvettes préfèrent les insectes adultes. Les zones européenne, asiatique et américaine de la forêt abritent chacune une population distincte d'oiseaux migrateurs en provenance des régions tempérées. En Scandinavie, ce sont les mauvis et des pinsons du nord, au Canada, des nuées de minuscules fauvettes américaines ou parulines tachetées de jaune et appartenant à douze espèces différentes.

Ces migrateurs profitent pendant tout l'été de cette brève abondance pour nicher et élever leur progéniture. Le succès de l'entreprise dépend essentiellement de la prodigalité de la nature, car la quantité de nourriture disponible varie considérablement selon les années. Ces variations de la productivité n'affectent pas seulement les conifères, mais aussi les populations de lemmings et de campagnols, qui, après une croissance effrénée de 5 ou 6 ans, enregistrent une baisse brutale. Cette chute se répercute à son tour sur les populations de chouettes : les années où les rongeurs se font rares, la chouette lapone, privée de sa nourriture favorite, ne pond qu'un ou deux œufs. A l'inverse, il arrive que les nichées comptent 9 oisillons ; la population de campagnols s'effondre alors et les chouettes, affamées, désertent la forêt nordique et émigrent massivement en direction du sud.

De même, les becs-croisés connaissent une croissance rapide lorsque les pommes de pin abondent, mais sont contraints à l'exil en période de disette ; nombre d'entre eux, privés de leur nourriture de base, n'en survivront pas.

Les fauvettes, mésanges et grives qui sont venues passer l'été plus au nord ne représentent qu'une fraction de la population totale de l'espèce sur le continent ; beaucoup d'individus restent dans les forêts plus tempérées pour y élever leurs nichées.

Dans les étendues boisées du sud, les conifères ne sont plus dominants et, le climat s'adoucissant, ils sont remplacés par les bouleaux, puis par un nombre croissant de chênes et de hêtres, de châtaigniers, de frênes et d'ormes. Leurs feuilles ne sont pas constituées de touffes d'aiguilles foncées, mais forment des strates translucides et étagées qui étendent leurs rameaux vers la lumière. La surface de ces feuilles est parsemée de stomates, jusqu'à 20 000 par cm². Ces minuscules orifices assurent ainsi l'absorption de gaz carbonique en grandes quantités et fournissent à l'arbre les matières premières nécessaires à la fabrication de son tronc et des branches. L'évaporation qui se produit aussi à travers les stomates est considérable ; en une seule journée d'été, un chêne adulte peut perdre un volume d'eau qu'on peut évaluer à plusieurs tonnes. Ce phénomène ne perturbe en rien les feuillus car, dans ces climats tempérés, les chutes de pluie estivales pallient les risques de dessèchement.

Ces belles feuilles vertes, beaucoup plus appétissantes que les aiguilles de pin, font les délices de très nombreux animaux. Des chenilles de toutes sortes s'y agglutinent, chaque espèce colonisant son arbre favori. Certaines préfèrent attendre la nuit pour se restaurer à l'abri des regards indiscrets des oiseaux prédateurs. D'autres ont choisi la vie au grand jour et se sont armées de soies empoisonnées que détestent les oiseaux. Pour plus de sûreté, elles les soulignent de couleurs éclatantes. D'autres enfin se fient au camouflage et deviennent invisibles par mimétisme en se confondant avec les feuilles et les branches. Pour les détecter les oiseaux prédateurs repèrent les feuilles déchiquetées qui signalent leur passage. Là encore, les chenilles ont trouvé la parade : certaines se débarrassent des restes de feuilles et de tiges qu'elles coupent et font tomber sur le sol ; d'autres veillent à ne pas s'attarder sur les lieux de leurs ravages.

Les arbres ne sont pas totalement impuissants devant ce déferlement avide. Ils peuvent élaborer, au niveau de leurs feuilles, des substances chimiques répulsives telles que les tannins, qui éloignent les chenilles. Ce système de défense est, certes,

▲ *Parade nuptiale du Grand Tétras*

Chouette lapone, Scandinavie ▶

contraignant et il mobilise une partie du capital énergétique normalement destinée à la croissance des branches et des feuilles. Les arbres ne font usage de ces armes chimiques que lorsque l'alerte est suffisamment sérieuse et que l'invasion est menaçante ; dans ce cas, un chêne est capable de réagir promptement en sécrétant des tannins aux endroits critiques. Les chenilles ne sont pas exterminées, mais incitées à chercher ailleurs des feuilles plus mangeables. Ce faisant, elles s'exposent aux attaques des oiseaux, affamés eux aussi. Ainsi, le nombre d'envahisseurs est sensiblement réduit. Si l'invasion des chenilles est de très grande envergure, les arbres peuvent s'avertir mutuellement du danger en sécrétant des substances chimiques indécelable pour l'homme ; le message est décodé par les arbres voisins qui déclenchent à leur tour la production de tannins dans leurs feuilles avant que les chenilles ne les assaillent.

Une famille d'oiseaux, celle de pics, est la mieux adaptée à la vie en forêt. Les doigts de leurs pattes sont disposés de façon à faciliter leur progression verticale le long des troncs : les 1er et 4e doigts sont dirigés vers l'arrière, les 2e et 3e orientés vers l'avant. Les plumes de la queue sont courtes et si rigides qu'elles peuvent lui servir de support. Le bec est acéré et pointu. Les pics grimpent le long des troncs, à la verticale, attentifs au moindre grattement qui trahirait la présence d'un insecte sous l'écorce. L'ayant détecté, ils dégagent à coups de bec la galerie creusée par l'insecte et y insinuent leur langue pour capturer leur proie. Cette langue se termine par des barbules et elle est incroyablement longue. Chez certaines espèces, elle atteint la longueur du corps de son propriétaire et est logée dans une poche cervicale qui s'enroule autour de l'orbite et se termine à la base de la mandibule supérieure.

Le pic fait aussi usage de son bec puissant pour sculpter son nid dans le tronc des arbres ; il commence par percer soigneusement un orifice horizontal, puis l'agrandit sur une quarantaine de centimètres et se ménage un logis. Il choisit généralement un arbre mort probablement en raison de la moindre dureté du bois pourri. De plus, les arbres morts grouillent de vermine et permettent au pic de s'alimenter sur place.

Le martèlement saccadé des coups de bec du pic est l'un des bruits les plus caractéristiques de la forêt. L'oiseau ne se contente d'ailleurs pas de l'émettre lorsqu'il se nourrit ou creuse son nid, mais tambourine aussi comme d'autres sifflent, pour délimiter son territoire et y attirer une femelle. La séquence et le rythme du martèlement varient d'une espèce à l'autre.

Chaque espèce de pic a son met favori. Le pivert, très friand de parasites du bois, ne dédaigne pas de venir au sol à la recherche de fourmis, dont le torcol est un plus grand amateur encore. Ce dernier n'est pas un grimpeur et n'est pas doté de la queue rigide des autres pics. En revanche, il possède leur langue télescopique, qu'il introduit dans les fourmillières et qu'il ressort chargée de fourmis, parfois 150 en une fois. Le pic des chênes met à profit ses talents de menuisier pour percer dans les troncs des cavités de la grosseur d'un gland. Dans l'arbre de son choix, il perce alors des centaines de trous identiques qu'il remplit de glands, se constituant ainsi un garde-manger pour l'hiver. Le pic maculé et ses parents se comportent de la même façon, mais leur objectif est autre. Ils choisissent les arbres riches en sève et sculptent dans leur écorce une multitude de trous minuscules. Le liquide qui s'en écoule goutte à goutte est, selon les espèces, résineux ou sucré ; il englue les insectes que le pic s'empresse de capturer et qu'il mélange à la sève pour obtenir une pâte riche en sucres et en protéines.

Avec la venue de la chaleur, les feuillus entrent en floraison. La forêt, malgré sa densité, laisse passer les vents que la plupart des arbres utilisent pour polliniser les organes femelles. N'ayant pas recours aux insectes pour transporter le pollen, ils développent des fleurs généralement discrètes. Dans les climats tempérés, l'été est assez long pour que les fleurs montent en graine en une saison. Les châtaignes et les glands se forment. Les sycomores développent des bouquets de graines ailées et les noisetiers leurs noisettes à coque dure.

Puis l'été touche à sa fin. Les jours raccourcissent, annonçant la venue prochaine du froid. Les arbres font leurs préparatifs d'hivernage. Si leurs feuilles, fines et gorgées de sève, ne tombaient pas, elles subiraient les ravages du gel. Les bourrasques de la bise hivernale, arrêtées par ce rideau de feuilles, pourraient arracher des branches entières. La lumière baissant, les feuilles devraient ralentir leur activité pour éviter toute perte d'humidité par évaporation à travers les stomates. Les arbres s'en dépouillent donc. La chlorophylle qu'elles contiennent est d'abord décomposée selon un processus chimique avant d'être éliminée. Les déchets de photosynthèse sont alors libérés et les feuilles prennent des teintes brunes, jaunes et même rouges. Les vaisseaux qui assuraient la circulation de la sève dans le limbe de la feuille obstruent le bas de la tige qu'ils scellent ; une plaque de cellules de liège se développe à ce niveau. Il suffit alors d'un souffle pour détacher la feuille morte.

Nombre des mammifères de la forêt de feuillus - musaraignes et campagnols, écureuils, belettes et blaireaux - vont devoir se mettre au régime pour passer l'hiver. Ils ont accumulé des réserves de graisse pendant l'été et réduisent leur activité au minimum : ils évitent toute dépense d'énergie inutile et passent le plus clair de leur temps au fond de leurs trous ou terriers. D'autres, à l'image des arbres, entrent dans une période de demi-sommeil. La durée de leur hibernation est variable. L'ours brun a, pour sa part, le sommeil assez léger. Aux premiers jours de l'automne, il part à la recherche d'une caverne tapissée de feuilles et dissimulée sous un surplomb rocheux. La tanière ainsi choisie a pu être un lieu de sieste déjà utilisé par notre ours. Chaque individu fait son trou lui-même. Au terme d'un ou deux mois de somnolence, la femelle donne naissance à 1 ou 3 oursons. Ils sont minuscules, de la taille d'un rat, et l'ourse semble à peine remarquer leur présence ; pendant son sommeil, les oursons tâtonnent, enfouis dans sa fourrure, en quête du lait maternel. Leur mère ne s'alimente pas plus qu'elle ne défèque jusqu'à l'arrivée du printemps.

Les oursons grandissent très vite au cours de l'hiver. Ils grognent et geignent comme des chiots, en se déplaçant à tâtons dans l'oscurité de la caverne. L'ourse et ses rejetons restent plus ou moins longtemps dans leur tanière, selon la durée et la rigueur de l'hiver. Dans la partie méridionale de la forêt américaine, leur isolement peut être de 4 mois seulement ; dans les zones situées plus au nord les ours passent entre 6 et 7 mois confinés dans leur tanière et ainsi hibernent pendant la majeure partie de leur existence.

Au cours de ce long sommeil, le rythme cardiaque de l'ours se ralentit et sa température corporelle baisse de plusieurs degrès. Il s'assure ainsi une notable économie d'énergie tout en conservant la possibilité d'un réveil rapide s'il est dérangé. Quant aux animaux plus petits - loirs, hérissons, marmottes - l'hibernation les plonge dans un sommeil si profond qu'on a peine à les croire vivants. Ils se lovent, la tête sur le ventre, les pattes postérieures serrées sous le museau et les yeux clos. La température de leur corps baisse considérablement et se maintient à environ 1° C au-dessus du point de congélation. Leurs muscles se raidissent et ils deviennent presque aussi froids et durs que la pierre. A ce stade de l'hibernation, les processus physiologiques fonctionnent au ralenti et n'entament que très peu les réserves de graisse.

En été, le cœur d'une marmotte bat à 80 pulsations/minute ; en hiver, il tombe à 4. De même la marmotte prend une seule inspiration au lieu de 28 par minute.

Cette demi-mort ne se prolonge pas nécessairement pendant tout l'hiver. Le réchauffement de l'air peut provoquer le réveil de l'animal, comme le fait à l'inverse un refroidissement sensible de température. Si le gel pénètre dans son refuge et fait baisser la température de son corps d'un seul degré, l'animal meurt de froid. Si donc un coup de froid intense survient, les sujets endormis se réveillent et se réactivent pour sauver leur vie aussi coûteux que cela puisse être sur le plan de l'énergie et des réserves graisseuses. Les loirs et les marmottes ont paré à toute éventualité et se sont constitué des stocks de noisettes et autres aliments dans leurs quartiers d'hiver ou à proximité. Au premier signe de radoucissement, ils regagnent leur tanière et se rendorment.

A présent, les arbres ont perdu toutes leurs feuilles, qui jonchent le sol des sous-bois. Malgré le froid, la terre n'est que momentanément gelée ; bactéries et champignons peuvent donc se développer. Un grouillement d'insectes, de mille-pattes, de collemboles et surtout de vers de terre brassent le tapis de feuilles en décomposition et l'incorporent à la terre, formant ainsi un sol riche en humus. En deux ans, les feuilles caduques auront été décomposées presque entièrement, alors que les aiguilles de pin se désintègrent deux fois plus lentement.

Plus au sud, le ralentissement hivernal de la vie est moins prononcé. Le climat, moins rigoureux, évite aux arbres le gel de leur feuillage. Apparaissent alors des essences à feuillage persistant, magnolias, oliviers et arbousiers. D'autres espèces, telles que le chêne, ont un feuillage caduc plus au nord et un feuillage persistant d'un bout à l'autre de l'année dans ces régions plus méridionales. La période la plus critique n'est plus l'hiver, mais l'été et sa chaleur : les arbres souffrent de la sécheresse. Face à ce danger, les feuilles des arbres à feuillage persistant sont plus sèches et ont une surface vernissée étanche, ainsi qu'un nombre réduit de stomates, généralement placées sur l'envers de la feuille. Aux heures les plus chaudes du jour, elles pendent vers le sol pour ne pas absorber trop de chaleur. Elles dispensent alors peu d'ombre.

▲ *Ours brun hibernant*

LES FORÊTS TROPICALES HUMIDES

C'est dans les forêts tropicales humides que se développe la végétation la plus dense et la plus exubérante du monde. Elle couvre les terres les plus chaudes, les plus humides et les plus ensoleillées de notre planète : l'Afrique de l'Ouest et l'Afrique centrale, l'Asie du Sud-Est, les îles de l'Océan Pacifique et l'Amérique du Sud, de Panama au sud du Brésil, en passant pas l'Amazonie.

Contrairement à ce qui se passe plus au nord, les conditions climatiques de ces forêts sont presque constantes tout au long de l'année. Du fait de la proximité de l'équateur, l'ensoleillement et la longueur des jours sont assez réguliers. La seule variation, celle des précipitations, est minime : on passe d'une période humide à une période plus humide, et ceci depuis si longtemps que tous les autres habitats, mis à part l'océan, n'apparaissent que comme des milieux transitoires. Il suffit de quelques décennies pour que les lacs se remplissent de sédiments et se transforment en marais, de quelques siècles pour que les steppes deviennent des déserts arides et de quelques milliers d'années pour que même les montagnes s'usent sous l'action des glaciers. La forêt tropicale elle, humide, couvre les régions voisines de l'équateur depuis des dizaines de millions d'années.

C'est peut-être cette stabilité qui est responsable de l'incroyable diversité des formes de vie qui existent aujourd'hui. Les arbres immenses sont bien plus variés que ne le laissent supposer leurs troncs lisses, tous semblables, et leurs feuilles lancéolées, souvent presque identiques. C'est seulement au moment de la floraison que l'on se rend compte du nombre stupéfiant d'essences différentes. Sur un hectare de forêt tropicale, on trouve fréquemment plus de cent espèces d'arbres. Et cette diversité n'est pas uniquement réservée aux plantes : plus de 1 600 espèces d'oiseaux vivent dans la forêt amazonienne et il est quasiment impossible d'y dénombrer les insectes ; à Panama, sur une seule espèce d'arbre, les entomologistes ont relevé plus de neuf cent cinquante espèces différentes d'insectes. Si l'on s'en tient à l'ensemble des insectes et autres petits invertébrés comme les araignées et les mille-pattes, les chercheurs estiment qu'il peut y avoir jusqu'à quarante mille espèces différentes sur un seul hectare de forêt sud-américaine. Il semble que les processus d'évolution, en action sans interruption depuis des millénaires dans cet environnement stable, ont donné naissance à des organismes spécialisés pour chaque pouce de terrain.

Cependant, la plupart de ces créatures vivent dans une partie de la forêt qui n'avait pratiquement pas été explorée par l'homme : la voûte du feuillage. Un monde en soi, situé à 40 ou 50 mètres du sol, et qui retentit en permanence d'une extraordinaire variété de claquements, bruissements, cris, appels, hurlements, sifflements et souffles qui résonnent dans les branchages, le jour comme la nuit. Quant à savoir quel animal émet le bruit, c'est un véritable jeu de devinettes. Un ornithologue a bien de la chance s'il aperçoit à travers ses jumelles autre chose qu'une ombre fugace qui volète de branche en branche. Des botanistes, déconcertés par l'uniformité des énormes troncs et incapables de discerner les fleurs, sont allés jusqu'à abattre les branches à coup de fusil pour pouvoir identifier les arbres qui les entouraient. L'un d'eux, bien décidé à établir un catalogue aussi complet que possible de la jungle à Bornéo, avait dressé un singe à grimper aux arbres choisis, à y prélever quelques rameaux fleuris et à les jeter sur le sol.

Enfin, il y a quelques années, on a pensé à utiliser dans la forêt tropicale les techniques d'escalade utilisées par les alpinistes. La première exploration directe de la voûte de la forêt vierge avait commencé.

La méthode est très simple. Il faut d'abord placer une fine cordelette sur une branche, soit en la lançant simplement à la main, soit en la fixant à une flèche. On attache à cette cordelette une corde d'alpiniste de l'épaisseur d'un doigt et pouvant supporter plusieurs fois le poids d'un homme. En tirant sur la cordelette on fait passer la corde sur la branche. Lorsqu'elle est bien accrochée, on fixe deux poignées en métal que l'on peut faire glisser vers le haut mais qu'un cliquet empêche de glisser vers le bas. Les pieds dans des étriers en sangle, il est alors possible de progresser lentement le long de la corde, debout, pesant sur un des étriers, tandis que l'on remonte l'autre avec la main. Avec beaucoup d'efforts, on peut atteindre une première branche, lancer une autre corde à une branche plus haute et ainsi de suite jusqu'à ce qu'on atteigne les branches les plus élevées. On est enfin dans la voûte.

En arrivant, on a l'impression de quitter l'escalier sombre et étouffant d'une tour pour sortir sur le chemin de ronde. Le crépuscule moite est brutalement remplacé par l'air pur et le soleil. Tout autour, des "champs" de feuillages s'étendent à perte de vue. Cela ressemble à la surface d'un gigantesque chou-fleur. Çà et là, une dizaine de mètres au-dessus du reste, s'élèvent des arbres isolés. Ces géants vivent dans un climat complètement différent des autres arbres de la jungle, car les vents soufflent ici librement à travers le feuillage. Les arbres les utilisent pour disperser leur pollen et leurs graines. En Amérique du Sud, le kapokier géant, qui donne un coton soyeux, fabrique des quantités de graines duveteuses qui volent comme le duvet de chardon et pénètrent la forêt sur des kilomètres à la ronde.

En Asie du Sud-Est et en Afrique, ses semblables équipent leurs graines d'ailettes, afin que leur chute en tourbillon soit suffisamment ralentie pour permettre aux vents de les emporter sur de grandes distances avant qu'elles ne disparaissent dans le feuillage de la voûte.

Hélas, le vent n'a pas que des avantages. Il risque de priver un arbre de ses réserves essentielles en évaporant l'humidité de ses feuilles. Les arbres géants y remédient en produisant des feuilles plus étroites que celles des arbres de la voûte ou même que celles de leurs propres branches qui poussent plus bas, à l'ombre.

Le feuillage de ces arbres gigantesques est le site préféré des oiseaux les plus terribles de la forêt ; c'est là qu'ils font leur nid. Chaque forêt possède ses propres espèces : l'aigle des singes en Asie du Sud-Est, la harpie en Amérique du Sud et l'aigle couronné en Afrique. Leur ressemblance est remarquable. Tous ont de grandes crêtes, de longues queues et des ailes larges mais courtes, ce qui leur permet de se mouvoir aisément dans l'air. Ils bâtissent une plate-forme de branchages qu'ils occupent saison après saison. C'est là qu'ils élèvent généralement leur unique oisillon, lequel dépend totalement de ses parents pour son alimentation pendant près d'un an. Ils chassent tous dans la voûte, rapides et féroces. La harpie est le plus grand rapace au monde ; elle chasse les singes en plongeant entre les branches, tandis que la bande des victimes cède à la panique, jusqu'à ce qu'elle se jette sur sa proie et la ramène dans son nid. Le cadavre est alors mangé peu à peu par la famille de la harpie qui met plusieurs jours à le dépecer.

La voûte elle-même, véritable plafond de la forêt, est une couche dense de verdure, de six à sept mètres d'épaisseur. Chacune des feuilles qui la composent est très précisément orientée de façon à recevoir le maximum de lumière. Nombreuses sont celles dont la base de la tige est conçue pour leur permettre de pivoter et de suivre ainsi le soleil dans sa course quotidienne d'est en ouest. A l'exception de la couche supérieure, tout est parfaitement protégé du vent ; l'air ambiant est donc chaud et humide. Les conditions climatiques sont extrêmement propices à la végétation, au point que les algues et les mousses prolifèrent. Elles recouvrent l'écorce des arbres et retombent des branches. Si par malheur elles poussaient sur les feuilles, elles les priveraient de la lumière qui leur est indispensable et obstrueraient les stomates qui leur permettent de respirer.

Mais la feuille est protégée par une couche de cire vernissée sur laquelle une radicelle ou un filament aurait du mal à se fixer. De plus presque toutes les feuilles sont munies de systèmes d'égouttage : d'élégantes pointes à leur extrémité forment une sorte de bec minuscule. Après un orage, l'eau ne s'attarde pas sur la feuille, elle glisse sur la surface, s'écoule rapidement et le dessus de la feuille reste ainsi propre et sec.

Dans la forêt, les saisons sont mal définies et il n'existe aucun changement climatique qui annonce la tombée des feuilles comme on l'observe dans d'autres pays. Cela ne signifie pas non plus que tous les arbres perdent leurs feuilles et qu'elles repoussent en l'espace d'une année. Les cycles varient selon les espèces. Certaines perdent leurs feuilles tous les six mois. D'autres suivent une période arbitrairement fixée qui ne semble obéir à aucune logique. Elle peut être de douze mois et vingt-et-un jours par exemple. D'autres encore procèdent par étapes, une branche à la fois, à divers moments de l'année.

La période de floraison varie également, et de façon bien plus mystérieuse. Les cycles de dix ou quatorze mois sont courants. Il arrive aussi que certains arbres ne fleurissent que tous les dix ans. Là aussi, le processus n'est pas seulement dû au hasard puisque, sur une vaste étendue de forêt, tous les arbres d'une même espèce fleurissent en même temps, ce qui est d'ailleurs indispensable quand il s'agit de fertilisation croisée. Cependant, on n'a pas encore découvert ce qui déclenche la floraison.

◀ *Vue aérienne de la voûte de la forêt, Pérou*
Arbre géant, Pérou ▶

Les fleurs des arbres de la voûte, contrairement à celles des arbres géants, ne peuvent s'en remettre au vent pour leur pollinisation, car l'air qui les entoure est presque immobile. Elles doivent donc attirer des animaux qui se chargeront d'effectuer le transport du pollen. C'est la fonction du nectar, dont la présence est signalée aux visiteurs potentiels à l'aide de pétales de couleurs voyantes. Beaucoup de fleurs sont fertilisées par les insectes, lents coléoptères, guêpes et papillons multicolores aux ailes puissantes. Quand elles veulent attirer les oiseaux nectarivores, colibris en Amérique du Sud, souï-mangas en Asie et en Afrique, elles sont presque toujours rouges, alors que les fleurs pâles et à l'odeur fétide s'adressent plutôt aux roussettes ou autres chauve-souris frugivores.

Les mêmes problèmes de transport se posent lorsque les graines sont développées, car elles ne peuvent être véhiculées que par des animaux d'une certaine taille étant donné le poids du fruit qui les contient. Beaucoup de ces fruits sont recouverts d'une chair sucrée délicieuse qui attire les singes, les calaos, les toucans et les roussettes géantes, tous suffisamment gros pour avaler les graines avec le fruit sans s'en rendre compte. Ils mangent les figues sur l'arbre ; les fruits plus gros tombent à terre où les animaux qui vivent au sol les mangent. Dans tous les cas, la graine est protégée par une sorte de cuticule très résistante, ce qui fait qu'elle peut traverser sans dommage l'appareil digestif d'un animal et être éjectée avec ses excréments. Avec un peu de chance, elle se retrouvera à une certaine distance de l'endroit où elle avait été absorbée.

Ici, bien au-dessus du sol vit une communauté variée d'animaux qui broutent, chassent, se dévalisent et se dévorent entre eux, naissent et meurent sans jamais quitter le monde vert de la voûte. Les nombreuses espèces d'arbres donnent des fruits à des moments très différents de l'année ; il y a donc toujours quelque chose à manger pour ces animaux qui ne se nourrissent presque que de fruits. Mammifères et oiseaux forment des bandes nomades qui vont d'arbre en arbre et se saisissent des fruits mûrs. La façon la plus gratifiante d'observer la vie de la voûte est de repérer un arbre dont les fruits sont sur le point de mûrir, de s'asseoir et d'attendre. A Bornéo, lorsque les fruits sont mûrs, les figuiers grouillent d'animaux. Des singes gambadent dans les branches, ils reniflent les figues une par une pour trouver celle qui leur convient, celle dont le parfum indique qu'elle a atteint la perfection. Ils la font alors disparaître tout entière dans leur gosier. L'orang-outang est un solitaire et on ne trouve généralement qu'un seul adulte, mâle ou femelle, et son petit par arbre. En revanche, les gibbons se déplacent par familles entières. Sur les branches les plus éloignées du tronc et les plus fragiles, là où des animaux massifs auraient du mal à se déplacer, des dizaines d'oiseaux frugivores volètent et gloussent. Des perroquets vont et viennent, saisissant le fruit d'une patte tandis qu'ils se balancent la tête en bas.

Des calaos et des toucans cueillent les figues de leur long bec et les jettent en l'air avant de les rattraper dans leur gorge. Le festin ne cesse pas avec la tombée du soir, car de nouveaux convives se pressent avec la nuit. Les loris, primates nocturnes aux yeux démesurés et au pelage clair, sortent de leur cachette et des roussettes géantes viennent se poser sur les branches dans un grand froissement d'ailes.

◄ Aigle mangeur de singes, Philippines

Certains animaux ne se nourrissent que de feuilles, dont les réserves sont immenses et inépuisables. Le seul problème qui se pose à eux est de digérer la cellulose. Les animaux qui en absorbent doivent posséder de gros estomacs pour pouvoir stocker la nourriture pendant qu'elle est hachée. C'est pour cela que la plupart des herbivores sont des animaux assez gros et rarement des oiseaux, ces derniers se devant de rester le plus léger possible s'ils veulent continuer à voler. Certains singes ayant adopté les feuilles comme aliment principal disposent de compartiments très spécialisés dans leur appareil digestif de façon à pouvoir les traiter correctement. Il s'agit des singes hurleurs en Amérique du Sud, des entelles en Asie et des colobes en Afrique. Mais le plus étrange de tous les herbivores de la voûte du feuillage est certainement le paresseux d'Amérique du Sud. Il vit généralement suspendu aux branches. Ses doigts se sont transformés en griffes solides et, de supports souples et articulés, ses membres sont devenus des crochets raides et osseux. Contrairement à tous les autres animaux, ses poils partent des chevilles pour aller vers les épaules, et du milieu de l'abdomen vers l'épine dorsale, ceci pour qu'en cas de pluie l'eau puisse s'écouler rapidement s'il est pendu à une branche. L'aï, le paresseux à trois doigts, vit plutôt dans les arbres moins hauts et se nourrit presque exclusivement de feuilles de parasoliers. En revanche, l'unau, le paresseux à deux doigts, est un véritable habitant de la voûte. Il évolue sur les plus hautes branches et mange non seulement toutes sortes de feuilles, mais aussi des fruits.

Ici aussi il y a des chasseurs. Aux aigles qui plongent dans la voûte pour se saisir de singes ou d'oiseaux, s'ajoutent des félins arboricoles : le margay en Amérique du Sud et la panthère en Asie. Tous deux sont de merveilleux grimpeurs, fort capables de traquer et d'attraper singes, écureuils et oiseaux. Ils bondissent de branche en branche en prenant appui sur leurs pattes postérieures et remontent le long des troncs en un éclair. Leurs réflexes sont si rapides qu'ils réussissent toujours à se rattraper à une branche en cas de chute. La forêt est également peuplée de serpents. Pas les monstres que l'on rencontre dans les romans, qui se balanceraient sur leur branche en attendant le voyageur égaré, mais des animaux bien plus petits, parfois pas plus larges que le petit doigt, qui se nourrissent de grenouilles et d'oisillons.

Les habitants de la voûte revendiquent généralement un territoire, petit ou grand, parmi les branches. C'est un individu, une famille entière ou même un groupe qui empêche toute intrusion. Il est difficile de discerner les signaux visuels parmi les feuilles, et les marques olfactives, si courantes au sol, sont peu durables et peu efficaces dans les branches. Les signaux auditifs sont plus faciles à émettre et plus impressionnants. De plus, les habitants de la voûte produisent des bruits extrêmement sonores. Matin et soir, les singes hurleurs se livrent à des chœurs de vagissements sinistres. Les longs duos d'appels en cascade des gibbons mâles et femelles sont si bien harmonisés qu'on a tendance à croire qu'il n'y a qu'un seul exécutant. Dans la forêt amazonienne, le procnias (oiseau d'un blanc pur, à peine plus gros qu'une grive) reproduit, pendant des journées entières, le bruit du marteau sur une enclume.

Les animaux ne sont pas les seuls à utiliser l'échaffaudage constitué par les branches massives des arbres. Les minuscules spores de mousses et de fougères qui

▲ *Atèles se désaltérant à une fleur de la voûte*

Unau ▶

flottent dans l'air se déposent dans les creux des écorces où elles finissent souvent par germer. En pourrissant, elles forment un compost sur lequel viendront se greffer de plus grandes plantes. Avec le temps, les branches maîtresses se couvrent ainsi de toute une végétation de fougères, d'orchidées et de broméliacées épiphytes qui tirent leur subsistance du terreau de feuilles accumulées sur les branches, et puisent leur humidité en laissant pendre leurs racines dans l'air humide.

Les broméliacées ont elles aussi leurs locataires. Leurs feuilles poussent en forme de rosette et sont si serrées à la base qu'elles forment un calice qui retient l'eau. Des grenouilles multicolores sont attirées par ces mares miniatures, mais elles pondent généralement ailleurs, sur une feuille. A leur naissance, la femelle fait grimper les têtards un par un sur son dos. Elle se dirige ensuite vers une broméliacée qu'elle soumet à une inspection soignée en s'attachant davantage à l'axe central rempli d'eau. S'il ne porte aucune trace de prédateurs potentiels, elle se renverse de façon à toucher l'eau avec le bas de son dos pour que les têtards puissent se glisser dans leur nouvel aquarium. Plusieurs espèces de grenouilles se comportent ainsi. La mère compte sur les œufs que les moustiques et autres insectes pondent dans la plante pour subvenir aux besoins alimentaires de ses petits. Certaines espèces sont plus attentives : la mère rend visite aux têtards une à deux fois par semaine et dépose à côté de chacun un œuf non fertilisé. Ils mordent dans la gelée et se nourrissent du jaune. Ce processus dure six à huit semaines, jusqu'à ce que leurs membres soient suffisamment développés pour leur permettre d'être indépendants.

Toutes les plantes qui poussent sur les arbres ne sont pas comme les broméliacées. Certaines se montrent dangereuses. Les graines de figuier germent parfois sur les branches, mais leurs racines ne se contentent pas de pendre innocemment dans le vide comme celles des broméliacées. Elles continuent à pousser et s'enfoncent dans le sol où elles absorbent de plus grandes quantités d'éléments nutritifs et d'eau que dans l'air. Là-haut dans les branches, leurs feuilles se font de plus en plus vigoureuses. D'autres racines croissent le long des branches ou horizontalement à partir des racines pendantes et s'enroulent peu à peu autour du tronc central de l'arbre hôte. Le figuier se met à bourgeonner et à produire un feuillage si dense qu'il recouvre bientôt l'arbre hôte de son ombre. Il prend lentement une position de plus en plus dominante. Enfin, une centaine d'années après la germination de la graine, l'arbre hôte ayant perdu sa part de lumière meurt. Le tronc pourrit, mais les racines du figuier qui l'enveloppent sont si épaisses et si solides qu'elles forment un cylindre tressé et creux qui tient parfaitement debout sans appui. Le "figuier étrangleur" a alors totalement remplacé son hôte dans la voûte.

D'autres plantes d'un type moins dangereux, les lianes, se hissent aussi le long des arbres de la voûte. Elles naissent en buissons au ras du sol et produisent de nombreuses vrilles qui croissent en direction des jeunes arbres. Lorsqu'elles en rencontrent un, elles s'y agrippent et suivent sa croissance jusqu'à ce que, ensemble, ils atteignent la voûte. En fait, la liane conserve ses racines et n'utilise l'arbre que comme support.

Ainsi, les lianes, les figuiers et les racines pendantes des broméliacées garnissent la forêt de leurs guirlandes à la manière des cordes d'un navire. La corde de l'homme qui s'aventure dans le feuillage pend de la même façon. Il n'est pas difficile de redescendre, bien qu'il faille une certaine confiance en soi et en sa façon de faire les nœuds. On passe une boucle de la corde dans un descendeur que l'on fixe à son baudrier. Debout sur les étriers, on peut alors glisser vers le bas en contrôlant, d'une main, le défilement de la corde et donc de la vitesse. Une dizaine de mètres plus bas, on sort du feuillage et des branches et on se balance librement au milieu des lianes et des racines et, au-delà, des troncs lisses et monumentaux qui s'élèvent comme les colonnes d'une cathédrale. On pourrait croire que la vie est absente dans un espace vide situé entre la toiture verte et le sol. Or, une grande quantité d'animaux vont et viennent de la voûte au sol et la circulation y est intense.

Les écureuils courent le long des lianes. Les orangs-outangs adultes deviennent parfois si pesants qu'ils ont des difficultés à traverser la forêt de branche en branche ; ils descendent alors au sol et remontent par les lianes en s'aidant des mains avec une grande facilité. Les paresseux qui, assez étonnamment, défèquent toujours sur le sol et généralement au même endroit, dévalent vers leur fumier.

De nombreux oiseaux préfèrent passer sous la voûte pour rejoindre une autre partie de la forêt plutôt que de s'exposer aux aigles qui patrouillent sans cesse à l'air libre. Les aras, les calaos et les toucans nichent dans les cavités des troncs d'arbres. Les trogons creusent un espace dans les fourmillières des fourmis arboricoles. Les martinets assemblent des petits morceaux de plumes et d'écorce avec leur bave et bâtissent une sorte de prolongation minuscule sur le côté d'une branche, dans laquelle leur unique œuf viendra se loger aussi étroitement qu'un gland dans sa cupule.

Les oiseaux ne sont pas les seules créatures qui peuplent les airs. D'autres animaux, qui ne peuvent ni battre des ailes ni voler, font cependant des aéronautes très compétents. Ils glissent. C'est le cas des écureuils qui trottinent le long des branches et des troncs, solidement accrochés à l'écorce par leurs petites griffes aussi effilées qu'une aiguille. L'un d'eux est particulièrement attrayant. Sa taille est assez grande et son pelage entièrement roux. C'est l'après-midi, quand il sort du trou qu'il a creusé dans un arbre, qu'on a le plus de chances de l'apercevoir. Il sera souvent suivi d'un de ses congénères, car ils vivent par deux. Pendant une ou deux minutes, ils vont tourner autour de l'arbre et soudain, sans prévenir, l'un d'eux va bondir en avant, déroulant du même geste un grand pan de peau qui s'étale de chaque côté de son corps, des poignets aux chevilles. Sa longue queue broussailleuse flotte à l'arrière et semble servir de gouvernail. Il sera probablement imité par son compagnon et tous deux vont parcourir trente ou quarante mètres en direction d'un autre tronc. Quand ils l'atteignent, ils piquent vers le haut, leur membrane couverte de poils flottant autour d'eux comme un manteau trop grand. On rencontre également un petit lézard qui, lui aussi, monte en flèche de liane en liane et de branche en branche. La membrane qui lui permet de glisser ne le recouvre pas entièrement comme c'est le cas pour l'écureuil volant. C'est plutôt une sorte de rabat de peau, renforcé par des prolongements osseux des côtes qui font saillie de chaque côté du corps. Normalement, ces pans sont enroulés

Si l'on continue à descendre le long de la corde, on rencontre une nouvelle couche de feuillage. Elle n'est pas aussi dense que la voûte et elle provient des quelques arbustes du sous-bois, en particulier de palmiers adaptés à la lumière tamisée du lieu et de jeunes arbres chétifs issus des graines de leurs aînés de la voûte. En posant le pied à terre, on sent enfin le sol ferme et compact de la forêt. Bien qu'il soit recouvert de feuilles mortes et d'autres végétaux en décomposition, la couche est étonnamment fine. La chaleur intense et l'air stagnant chargé d'humidité conviennent parfaitement au processus de décomposition. Les bactéries et les moisissures travaillent sans cesse. Les champignons prolifèrent. Ils étalent leurs filaments sous le tapis de feuilles et forment des fructifications en forme de chapeau, de globe, de plate-forme ou de lance, dont pendent des jupes de dentelle. La décomposition se fait très rapidement. Dans les forêts froides des régions nordiques, une aiguille de pin met environ sept ans à se décomposer. Dans les forêts d'Europe, une feuille de chêne se désintègre en une année. En revanche, il suffit de six semaines à une feuille tombée d'un arbre de la jungle pour se décomposer totalement.

Les substances nutritives et minérales ainsi libérées ne restent pas pour autant longtemps au même endroit, car les averses quotidiennes les emportent rapidement vers les ruisseaux et les rivières : c'est pourquoi, s'ils ne souhaitent pas perdre ces matières précieuses, les arbres doivent les récupérer sans tarder. C'est précisément la fonction de l'épais tapis de radicelles qu'ils fabriquent juste sous la surface. Ce système le long de son corps, mais lorsqu'il gonfle les côtes, ils s'étalent sur les côtés. Ces petites créatures défendent jalousement leur territoire. En cas de visite, le propriétaire des lieux plonge immédiatement dans l'air pour atterrir près de l'intrus. Commence alors un déploiement d'agressivité : le lézard déroule un triangle de peau situé sous le menton jusqu'à ce que l'ennemi perde contenance, s'éloigne et disparaisse en glissant dans l'air.

Certaines grenouilles se sont aussi mises à planer. Elles se servent de leurs pieds palmés, partie intégrante de l'équipement de toute grenouille nageuse. La grenouille volante possède des doigts très longs et, lorsqu'elle les écarte, chaque pied forme un véritable petit parachute qui lui permet de planer d'arbre en arbre.

Mais le plus étonnant de tous ces animaux volants, celui dont les exploits ont été jadis mis en doute comme issus de l'imagination d'explorateurs trop passionnés, est certainement le serpent volant. Petit, fin, et particulièrement beau avec ses écailles bleu-vert tachetées de rouge et or, il laisse rarement deviner ses prouesses aériennes. C'est aussi un grimpeur hors pair qui remonte les troncs avec rapidité en adhérant à l'écorce avec le bord des écailles transversales de sa face ventrale et en prenant appui de ses anneaux contre les aspérités de l'écorce. Lorsqu'il atteint la cime de l'arbre, il prend son élan sur une branche et décolle. Dans l'air, il aplatit son corps au point de ressembler à un ruban. En même temps, il forme une série d'anneaux en S sur toute sa longueur. Il prend ainsi davantage d'appui sur l'air et plane bien plus loin que s'il se laissait simplement tomber. Il peut même, semble-t-il, faire de véritables virages inclinés et changer de direction en vol, ce qui lui permet de déterminer, jusqu'à un certain point, où il va atterrir.

◀ *Haut : Ecureuil volant*
◀ *Bas : Lézard volant*

de racines peu profondes ne fournit pas un appui très solide aux arbres gigantesques, et nombreux sont ceux qui s'entourent d'énormes arcs-boutants ou contreforts qui poussent sur leur tronc à quatre ou cinq mètres de hauteur et vont se planter à la même distance dans le sol.

C'est un monde de pénombre. Moins de cinq pour cent de la lumière qui éclaire la voûte réussit à se frayer un chemin jusqu'ici. Cette pénombre et l'absence relative de substances nutritives dans le sol rendent la croissance des plantes au niveau du sol extrêmement hasardeuse. Aucune trace de tapis de fleurs pouvant rivaliser avec nos sous-bois parsemés de jonquilles au printemps. Parfois, on aperçoit une tache de couleur au loin, mais, lorsqu'on s'approche, on découvre que toutes les fleurs sont mortes : elles sont tombées des branches de la voûte. Il y a malgré tout quelques fleurs. Pour l'œil habitué aux forêts des zones tempérées, les bouquets qui jaillissent sur les troncs des arbres, à quelques mètres de hauteur, sont assez inattendus. Cette façon de pousser est directement liée au manque de fertilité du sol. Puisqu'elle ne peut compter sur le sol, la graine doit trouver autre part sa nourriture, si elle souhaite se développer. Cela explique pourquoi de nombreux arbres produisent des graines chargées des substances qui aideront le jeune plant à franchir les premières étapes de son existence. De plus, les troncs leur conviennent beaucoup mieux que les extrémités fragiles des branches de la voûte. Elles sont aussi faciles à découvrir pour les animaux qui vont se charger de la pollinisation. Bon nombre d'entre elles, qui dépendent des chauves-souris frugivores, sont de couleur claire pour être décelées dans la nuit. Certains arbres poussent même le raffinement plus loin, en différenciant une longue épine au-dessus de la fleur, de manière à ce que la chauve-souris puisse s'accrocher à bonne hauteur pour aspirer le nectar.

Quelques fleurs poussent tout de même sur le sol. Ces plantes ne tirent cependant pas leur nourriture du sol lui-même mais des arbres. Ce sont des parasites. L'une d'entre elles, la rafflésie, a les plus grosses fleurs du monde entier. La plupart du temps, la plante vit sous forme de filaments qui croissent à l'intérieur de la racine d'une plante grimpante. La présence de la rafflésie devient apparente lorsque des renflements se développent sur la racine souterraine pour monter ensuite au-dessus du sol et constituer une rangée qui ressemble à un alignement de choux. Plusieurs espèces prospèrent en Asie du Sud-Est, mais la plante la plus spectaculaire se trouve à Sumatra. La fleur mesure un mètre de diamètre et prend directement appui sur le sol, monstrueuse et totalement dénuée de feuilles.

Ses pétales épais sont rouge bordeaux, parcheminés, et couverts d'excroissances. Ils entourent une vaste coupelle dont la surface est hérissée de pointes. Il s'en dégage une odeur pestilentielle qui révulse l'homme, mais attire les mouches par milliers, tout comme la viande avariée. Ce sont les mouches qui se chargent de la pollinisation. Au début, les graines sont minuscules et recouvertes d'une cuticule dure. On n'est pas certains de la manière dont elles sont transportées vers d'autres plantes grimpantes pour les contaminer, mais on peut supposer qu'elles restent accrochées aux pieds des grands mammifères qui sillonnent la forêt et qui, ce faisant, écrasent les tiges couchées sur le sol, permettant à la graine de rafflésie de s'y introduire.

Hélas, dans toutes les forêts tropicales humides, de tels animaux sont peu nombreux. En effet, les feuilles dont ils se nourrissent ne sont pas abondantes. A Sumatra, rares sont les éléphants qui demeurent dans la forêt, tout comme les rhinocéros. Ils broutent le maigre tapis de feuilles du sous-bois, triste chère que vient améliorer la végétation luxuriante des rives des cours d'eau, là où il y a davantage de lumière. En Afrique, l'okapi, un cousin primitif de la girafe, et en Amérique du Sud, le tapir, se nourrissent de la même façon. Tous ces animaux sont peu nombreux et très dispersés. Nulle part dans la jungle on ne trouve les grands troupeaux d'herbivores que l'on rencontre dans d'autres milieux. Pas de troupeaux d'antilopes qui s'enfuient en désordre à votre approche, ni de lapins pétrifiés par la peur qui courent se réfugier dans leurs terriers. Les pâturages de la forêt sont là-haut, dans le feuillage animé de la voûte et aucun animal de grande taille ne peut survivre sur le tapis de feuilles.

Mais les petits le peuvent. Toutes sortes de coléoptères, larves et adultes, se frayent un passage en grignotant les branches en décomposition et les troncs pourris. Plus nombreux et plus répandus de tous, les termites œuvrent sans répit dans le dépôt de feuilles pour les apporter petit à petit à leur nid. La plupart du temps, ils effectuent un travail invisible, à l'intérieur du bois mort ou sous la première couche de feuilles, mais on en rencontre parfois des colonies entières. Marchant à trente ou quarante de front, ils suivent une piste progressivement aplanie par les millions de petites pattes et forment un ruban ininterrompu de plusieurs centaines de mètres, avant de disparaître dans un trou ou dans la fissure d'un tronc qui conduit à leur nid.

La cellulose dont les membranes cellulaires des plantes sont faites est difficile à digérer. Or, les tissus morts qui ont perdu leur délicieuse sève ne sont pratiquement plus que de la cellulose pure, matière peu gratifiante pour la plupart des animaux. Les termites ont résolu le problème en élevant des colonies de micro-organismes dans la deuxième moitié de leur intestin : des flagellés. Ceux-ci assimilent la cellulose et la transforment en sucre. Non seulement les termites absorbent ce dérivé fabriqué par les flagellés, mais ils digèrent également un grand nombre de ceux-ci, ce qui leur fournit des protéines. A leur sortie de l'œuf, les jeunes termites se munissent de cultures de ces protozoaires en suçant la partie postérieure des adultes. Toutefois, d'autres termites utilisent plutôt un champignon pour résoudre leur problème de cellulose. Lorsque les ouvriers fouisseurs rentrent au nid, ils placent leurs petits chargements de feuilles dans des salles spéciales. Ils mastiquent ensuite les feuilles pour obtenir un compost spongieux sur lequel le champignon va pouvoir se développer et former un tissu de filaments enchevêtrés. Le champignon absorbe les éléments nutritifs de ce compost, dont il ne restera qu'un matériau friable, couleur miel, dont se nourriront les termites. Les jeunes femelles en âge de procréer emportent avec elles des spores de ce champignon, trousseau indispensable lorsqu'elles s'envolent pour fonder une nouvelle colonie.

Parce que les termites font partie des rares créatures capables de convertir des végétaux en décomposition en tissu vivant, ils constituent une étape essentielle du passage des éléments nutritifs d'un organisme à un autre. De nombreux animaux s'en nourrissent. Certaines fourmis vivent presque uniquement des pillages des nids de

112

◀ *Un tronc et ses contreforts, Brésil*

Rafflésie ▶

termites, d'où elles enlèvent larves et ouvriers. Oiseaux et grenouilles guettent les colonnes dans leurs déplacements et cueillent les individus un par un, tandis que les autres continuent obstinément à avancer. Les pangolins, en Afrique et Asie, et les tamanduas en Amérique du Sud, sont souvent appelés ''fourmiliers'', car ils ne se nourrissent pour ainsi dire que de termites. De leurs pattes antérieures musclées, ils fouillent les nids et, de leur long groin et de leur langue filiforme, ils dévastent les galeries et ramassent les insectes par centaines.

La forêt fournit d'autres matériaux d'origine végétale que les feuilles : des fruits secs tombés des branches, des tubercules et des racines à déterrer. Il y a même quelques bourgeons et quelques feuilles sur les buissons du sous-bois. Dans chaque type de forêt, il existe au moins un mammifère qui réussit à survivre : le cerf muntjack en Asie, l'antilope royale en Afrique et l'agouti en Amérique du Sud. Ils appartiennent tous trois à des familles très différentes. Le cerf muntjack est apparenté aux ruminants primitifs, l'antilope royale est une véritable antilope malgré sa petite taille, et l'agouti est un rongeur. Pourtant ils se ressemblent énormément : ils sont à peu près de la taille d'un lièvre et ont des pattes très fines, d'aspect fragile, qui se terminent par des griffes acérées ou des sabots, ce qui donne l'impression qu'ils se déplacent sur la pointe des pieds. Ils ont les mêmes habitudes et le même tempérament : extrêmement nerveux, ils sont pétrifiés par le danger avant de s'enfuir en zigzags frénétiques. Le cerf muntjack et l'agouti utilisent les mêmes signaux de reconnaissance : un battement impatient de la patte. Ils se nourrissent tous trois de feuilles, de bourgeons, de fruits secs et charnus, de graines et de champignons.

De nombreux oiseaux trouvent suffisamment de ressources sur le sol et le quittent rarement. Ils ne s'envolent dans les branches qu'en cas de danger. L'un d'eux, le coq sauvage d'Asie, est l'ancêtre de nos volailles domestiques. Tôt le matin, il émet une version aiguë et légèrement étranglée du chant du coq de basse-cour, son plutôt incongru dans la forêt vierge. Les hoccos, grands oiseaux noirs qui ressemblent fort à nos dindes, sont leur équivalent en Amérique du Sud. Certains de ces oiseaux du sous-bois sont devenus si gros qu'ils peuvent à peine voler. Le faisan argus, en Asie du Sud-Est, est le plus spectaculaire de tous. La femelle ressemble également à une dinde, mais le mâle est vraiment très différent. Il a une queue d'environ un mètre de long et d'immenses plumes, toutes décorées d'une rangée de points qui ressemblent étrangement à des yeux. C'est pour cette raison qu'on lui a donné le nom d'argus, d'après Argos, le monstre aux cent yeux de la mythologie grecque. Dans la forêt, le mâle entretient une aire de six mètres de diamètre environ et la débarrasse des feuilles et des branches qui tombent des arbres. Il va jusqu'à couper du bec les jeunes pousses qu'il ne parvient pas à déraciner. A l'aide d'appels sonores qui résonnent quotidiennement dans la forêt, il attire ensuite une femelle sur son territoire. Dès qu'elle apparaît, il la conduit vers son aire et se met à danser avec elle, dans une agitation croissante. Brusquement, il se dresse et fait la roue, se changeant en un véritable écran de plumes tacheté de rangées d'ocelles brillants.

En Nouvelle-Guinée, des oiseaux de paradis entretiennent aussi des aires de danse et paradent de la même façon. Le sifilet danse debout, étalant un plumage noir velouté et agitant les six plumes flamboyantes de sa huppe. Ce merveilleux paradisier s'exhibe sur une branche basse et l'éventail vert irisé de plumes de sa poitrine étincelle dans la lumière pâle. En Amérique du Sud, c'est le coq-de-roche qui est le grand danseur. Il parade en groupes d'une douzaine d'exécutants. Le mâle est d'un très bel orangé, ses ailes sont noires et une crête orange, qui descend sur le devant de sa tête, recouvre presque entièrement son bec. Pendant la saison des amours, les coqs se rassemblent en un endroit précis de la forêt. Chaque mâle choisit une aire. La plupart du temps, les oiseaux sont perchés sur les branches voisines ou sur une liane, mais, lorsque la femelle se présente, chacun se précipite sur son aire en gloussant, pour commencer son spectacle. Ils se recroquevillent, la tête inclinée de façon à ce que la crête soit à l'horizontale, puis bondissent en tous sens en claquant bruyamment du bec. De temps à autre, ils s'arrêtent, immobiles mais tendus. Enfin, la femelle volète vers l'une des aires et se met à mâchonner les plumes duveteuses du croupion du propriétaire des lieux. Celui-ci bondit aussitôt et la couvre sur la piste de danse. L'accouplement ne dure que quelques secondes, puis la femelle s'envole dans la forêt où elle pond ses œufs seule et élève ses petits, presque invisible dans son plumage brun, tandis que le mâle aux plumes flamboyantes continue à danser et à sautiller dans le sous-bois.

Le plus actif et le plus omnivore de tous les habitants de la forêt est cependant l'homme. Il a vécu dans la savane avant d'envahir la forêt humide, probablement assez tôt dans l'histoire. Au début, les hommes étaient certainement des chasseurs errants comme le sont encore aujourd'hui les Pygmées au Zaïre ou les Orang Asli en Malaisie et quelques tribus d'Indiens d'Amazonie. Ce sont des êtres de petite taille. Les Mboutis du Zaïre sont les plus petits êtres humains ; les hommes mesurent en moyenne un mètre cinquante et les femmes sont encore plus petites. La pauvreté relative de leur alimentation en est peut-être partiellement la cause, mais leur petite taille convient aussi parfaitement à la vie dans la forêt et leur permet de se mouvoir rapidement et sans aucun bruit. Ils sont minces et souvent imberbes et ils transpirent très peu. En effet, si elle est efficace dans d'autres régions du monde, cette façon de se rafraîchir ne peut donner de résultats dans la forêt tropicale où l'air ambiant est d'une telle moiteur que la sueur s'évapore trop lentement. Les voyageurs des contrées moins chaudes qui s'aventurent dans la forêt ne le savent que trop bien. Ils transpirent abondamment et inondent leurs vêtements, sans pour autant éprouver une sensation de fraîcheur, tandis que leurs guides, frais et imperturbables, restent parfaitement secs.

Ces peuples nomades ont une connaissance profonde et détaillée de la forêt. Ils savent mieux que tout autre en tirer leur subsistance : ils ramassent les tubercules et les fruits secs et fendent les troncs abattus pour récolter les larves d'insectes comestibles ; ils grimpent aux arbres pour cueillir les fruits, retirent les rayons de miel des essaims d'abeilles sauvages et tranchent les lianes d'où l'eau jaillit comme d'un robinet, leur fournissant, pendant quelques minutes, de quoi se désaltérer. Ce sont par ailleurs des chasseurs habiles et courageux. Les Mboutis prennent les antilopes royales et les okapis au filet et organisent de longues chasses périlleuses pour attraper

l'éléphant de forêt. Tous savent imiter les appels des oiseaux et des mammifères du sous-bois et les attirer pour pouvoir les atteindre de leurs flèches et de leurs lances. Ils ont d'ailleurs dû augmenter la portée de leurs armes, car la plupart des animaux vivent dans la voûte. Les Indiens d'Amérique du Sud se servent de sarbacanes : ils placent la partie interne d'un tube de bambou fin, ou de long roseau débarrassé de ses membranes intermédiaires, dans un étui en bois qui lui assure une certaine rigidité et la protège. Les fléchettes sont empoisonnées d'un côté ; de l'autre côté elles sont entourées de fibres prélevées sur des graines duveteuses de façon à agir comme un bouchon. Elles sont projetées avec une telle force qu'elles peuvent atteindre une cible située trente mètres plus haut. Le poison est si puissant qu'un animal touché en un point sensible s'écroule en moins d'une minute. De plus, toute l'opération est extrêmement silencieuse, au point que lorsqu'un oiseau touché tombe, le reste de la volée peut très bien ne pas réagir, ce qui permet au chasseur d'en tuer un second.

La forêt fournit aux nomades bien d'autres choses que leur nourriture quotidienne : des grenouilles rôties à la broche, ils extraient le poison mortel des fléchettes et, avec les fibres des lianes, ils fabriquent des filets de chasse ; la résine de certains arbres leur fournit d'excellentes torches, et les feuilles des palmiers, des toits parfaitement étanches pour les abris. Lors des fêtes rituelles, ils utilisent des graines écrasées pour obtenir de la peinture pour le corps et les plumes des perroquets ou des colibris permettent de fabriquer de magnifiques coiffures.

La vie des nomades est cependant rude et la recherche de nourriture occupe une bonne partie de leur temps. De nombreuses tribus préfèrent défricher des clairières et faire des abattis. Ils utilisaient jadis des haches de pierre soigneusement taillées et polies mais, même avec des lames de métal, l'abattage des arbres est un travail long et éreintant. Lorsqu'ils ont abattu les arbres et brûlé les feuilles et les branches, ils sèment du manioc, du taro ou du riz entre les troncs renversés. Hélas, le sol est d'une pauvreté telle qu'après quatre ou cinq saisons, la récolte n'est plus rentable et les tribus doivent repartir et défricher un autre endroit.

Que l'homme les abatte ou non, les arbres de la forêt finissent par tomber. Ils vivent souvent pendant plusieurs siècles, mais, peu à peu, la sève ne monte plus aussi facilement dans les troncs gigantesques. Les branches âgées, attaquées par les moisissures et les champignons et criblées de galeries d'insectes, ne peuvent plus supporter le poids de leurs feuilles et des épiphytes. Qu'une grosse branche casse et l'arbre risque d'être mortellement déséquilibré. Il suffit d'un orage pour en finir : la pluie torrentielle ajoute plusieurs tonnes à la cime émondée, et la foudre porte le coup de grâce. L'arbre énorme pivote alors lentement. Les lianes qui le relient aux autres arbres se tendent, certaines claquent, d'autres entraînent les branches voisines. La cime bascule en avant, de plus en plus vite, en déchirant la voûte dans un fracas assourdissant. Les premières branches touchent le sol et c'est une véritable fusillade qui éclate, suivie de près par un bruit sourd qui fait trembler la terre lorsque le tronc rebondit sur le sol. Enfin, c'est le silence, troublé par le doux bruissement des feuilles, arrachées par l'appel d'air et qui tombent en pluie fine sur le désastre.

◀ *Oiseau de paradis, Nouvelle-Guinée*

Si la chute et la mort d'un vieil arbre s'accompagnent de la destruction de l'habitat des oiseaux, des serpents, des singes et des grenouilles, elles apportent en revanche la promesse de la vie aux jeunes arbres qui végétaient dans son ombre. La plupart d'entre eux, qui ne dépassaient pas une cinquantaine de centimètres de hauteur, attendaient ce moment depuis des années. Pour eux, c'est une véritable course qui commence. Le premier prix est le trou laissé dans la voûte par la chute de l'arbre, là où le soleil brille. La lumière éblouissante et inhabituelle, la première qu'ils rencontrent, déclenche leur croissance. Aussi rapide que soit l'apparition de leurs feuilles et de leurs branches, ils sont vite dépassés par les autres plantes. Les graines qui étaient au repos dans le sol germent brusquement. Les bananiers, les héliconias et les parasoliers, toutes les plantes qui prolifèrent au soleil, sur les rives des cours d'eau ou dans les clairières, naissent et étalent leurs feuilles pour se gorger de lumière, fleurir et donner des fruits. La masse des arbustes les rattrape toutefois en quelques années. Au fur et à mesure qu'ils poussent, que ce soit à cause de leur vigueur naturelle, d'un départ plus favorable ou d'un terrain riche en éléments nutritifs, certains prennent la tête. Leurs branches se développent, recouvrant ainsi les concurrents de leur ombre. Privés de lumière, les petits arbres s'affaiblissent, abandonnent la course et meurent. Des dizaines d'années plus tard, les arbres "vainqueurs" ont atteint leur taille normale et ils peuvent commencer à fleurir. La toiture de la forêt s'est à nouveau refermée sur sa stabilité retrouvée.

tempérées, les vers de terre se faufilent hors de leurs trous pour ramasser des feuilles mortes qu'ils emportent sous terre pour les digérer. Enfin, dans toute les prairies tropicales, ce sont les termites qui sont à l'œuvre.

Tendre et mince, l'épiderme d'un termite ne retient que difficilement l'humidité. Dans la forêt dense où l'atmosphère est humide, il n'y a pas de problème et les colonnes d'ouvriers cheminent à découvert sur le sol. Mais ce comportement leur serait fatal dans les plaines où le soleil dessécherait rapidement leurs petits corps. Il existe une ou deux espèces de termites qui parviennent effectivement à se déplacer sans protection à la surface du sol en profitant de la fraîcheur de la nuit. Mais la plupart des termites des savanes cheminent dans des galeries souterraines ou le long de leurs voies habituelles, recouvertes de boue mastiquée.

Quand ils s'attaquent à un petit buisson, ils commencent par enfermer toute la plante dans une enceinte de murs de boue, puis ils s'acharnent sans faiblir dans l'humidité obscure ainsi recréée.

Indispensable, l'humidité contraint également les colonies de termites à se bâtir des nids bien à eux. Certaines espèces creusent des chambres et des galeries souterraines. D'autres bâtissent d'énormes forteresses de boue. Chaque ouvrier façonne ses briques en mâchant de la terre, qu'il mélange avec un ciment liquide provenant d'une glande spéciale située au-dessus de ses pièces buccales ; il en confectionne une petite boulette qu'il malaxe et met en place dans le mur en construction en secouant sa tête. Il faut des millions de termites pour ériger ces immenses forteresses, dont certaines atteignent jusqu'à 3 ou 4 mètres de diamètre et 7 mètres de hauteur. Sur tout le pourtour, des conduites d'aération remontent à l'intérieur des contreforts pour permettre à l'air vicié de s'échapper. Des puits profonds traversent les fondations afin d'atteindre le sol humide où les ouvriers iront puiser de l'eau. Cette eau est projetée sur les parois internes des galeries pour empêcher la chute fatale du taux d'humidité du microclimat créé dans la forteresse.

Dans les savanes, vivent aussi des fourmis. Au premier abord, on pourrait les confondre avec les termites. Pourtant ces insectes sont fort différents. Alors que les termites appartiennent au même groupe que les blattes, les fourmis s'apparentent aux guêpes, dont elles possèdent la taille étranglée, inexistante chez les termites. Tout comme les guêpes, mais à l'inverse des termites, le corps des fourmis est recouvert d'un épiderme dur et imperméable qui leur permet de cheminer en surface, même en plein soleil, avec le minimum de risque de déshydratation. Ces insectes fourmillent - c'est le cas de le dire - dans le gazon, glânant infatigablement les graines d'herbes qu'elles emportent dans leurs greniers souterrains. Là, des ouvrières aux mâchoires énormes, qui appartiennent à une caste spéciale, écrasent les graines pour que les autres membres de la colonie puissent les manger. Les fourmis moissonneuses appartiennent à un autre groupe ; elles découpent les feuilles vivantes, se servant de leurs mâchoires pour cisailler feuilles et tiges en tronçons facilement transportables.

Pas plus que les termites, les fourmis ne peuvent digérer la cellulose. Elles aussi ont recours à un champignon, différent de celui que cultivent les termites et qu'elles absorbent directement. Les nids de fourmis moissonneuses sont moins voyants que

◀ Fourmis coupeuses de feuilles

les termitières, car ils sont souterrains, mais ils sont encore plus vastes. Leurs galeries descendent parfois jusqu'à 6 mètres ; ils s'étendent sur 200 mètres carrés et peuvent abriter sept millions d'insectes.

D'autres fourmis prélèvent la substance nutritive des graminées à l'aide d'un intermédiaire bien différent : il ne s'agit plus de champignons mais de pucerons. Ces derniers ne digèrent qu'une faible partie de la sève qu'ils "pompent". Le reste est excrété sous forme de liquide sucré, connu sous le nom quelque peu flatteur de miellée. On repère souvent cette traînée gluante sur le sol, sous une plante de jardin infestée de pucerons. Certaines fourmis apprécient tellement cette miellée qu'elles élèvent des "troupeaux" de pucerons pour les "traire", agissant ainsi un peu comme un agriculteur avec ses vaches laitières. Pour encourager les pucerons à produire plus de miellée, les fourmis les caressent de façon répétée avec leurs antennes. Elles les protègent également en émettant des jets d'acide formique qui font fuir tous les autres insectes susceptibles d'envahir les lieux où les pucerons s'alimentent. Certaines érigent des abris spéciaux, faits d'une sorte de parchemin ou en terre, tout autour de la tige ou de la racine particulièrement productive où viennent se nourrir les pucerons ; le but est de les priver ainsi de leurs libres pâturages, à l'image des enclos des exploitations agricoles. A la fin de l'été, quand meurent les pucerons, ces fourmis rapportent les œufs de puceron dans la fourmilière, d'où elles les ressortent au printemps suivant, quand ils sont éclos, pour les mener vers de nouveaux pâturages où les jeunes pourront se nourrir.

Tous ces insectes, pucerons et fourmis, termites et sauterelles, punaises et coléoptères, constituent eux-mêmes une nourriture potentielle pour des animaux de taille supérieure. Dans les prairies d'Amérique du Sud vagabonde l'un des mammifères les plus extraordinaires de la terre, digne des figures héraldiques les plus extravagantes. Il a taille d'un gros chien. Sa tête a la forme allongée d'un long palpeur incurvé, au sommet duquel se situent les yeux et les oreilles, alors que les narines et une petite bouche étroite se trouvent à son extrémité inférieure. Son corps est couvert de poils raides et sa gigantesque queue mesure, à elle seule, plus de la moitié de la longueur de l'animal ; elle est si fournie, tant dessus que dessous, qu'elle flotte derrière lui comme un étendard.

C'est le fourmilier géant. La vue basse, l'ouïe à peine plus développée, il dispose en revanche d'un excellent sens de l'odorat qui lui permet de repérer les termites à l'odeur de leur salive séchée mélangée aux parois des termitières. Quand il découvre un nid, le fourmilier élargit l'entrée de l'une des galeries principales à l'aide de la longue griffe courbe de sa patte antérieure, et il y enfonce son groin. De l'extrémité de ce groin sort une langue en forme de longue lanière qui balaie les couloirs de la termitière à grande vitesse, parfois jusqu'à 160 fois par minute. Chaque fois qu'il projette ainsi sa langue, celle-ci se recouvre d'une nouvelle couche de salive ; chaque fois qu'il la rentre, il ramène un paquet de termites, lesquels sont avalés intégralement. Son estomac contient un peu de gravier et de sable qui contribuent à broyer les insectes qu'il finit par digérer. Le fourmilier géant adulte peut ainsi absorber jusqu'à 30 000 termites en l'espace d'une journée.

◀ *Fourmilier géant*

Nandous ▲

Les tatous, autres prédateurs moins spécialisés, s'attaquent également aux fourmis et aux termites. Ils sont couverts d'une armure de corne souple, à dosseret osseux, sur les épaules et d'une autre armure sur les hanches, toutes deux reliées par plusieurs bandes enserrant la taille. Parmi eux, le consommateur de termites le plus acharné est le tatou géant. De taille comparable à celle d'un fourmilier géant, sa démarche est beaucoup plus décidée lorsqu'il se met en quête de nourriture : au lieu de se fatiguer à fourrer élégamment son nez dans des couloirs de sortie, le tatou géant creuse un énorme tunnel, arquant son dos cuirassé contre la voûte. Il refoule la terre qu'il balaye avec ses pattes antérieures jusqu'à ce qu'il atteigne le cœur de la colonie, apparemment indifférent aux morsures des milliers de soldats-termites en colère.

Ses cousins plus petits, le tatou aux sept bandes, le tatou poilu et le tatou à piquants ont des goûts plus éclectiques en matière de nourriture : ils ne s'attaquent pas uniquement aux termites mais aussi aux oisillons, aux sauterelles, et même aux fruits et aux racines. Le tatou à trois bandes est le seul capable de se protéger en se roulant en boule. Lorsqu'il se referme bruquement, la cuirasse triangulaire de la base de sa queue vient se loger le long de la cuirasse de sa tête, triangulaire elle aussi. Son corps tout entier n'est plus qu'une boule cuirassée inattaquable, de la grosseur d'un pamplemousse. Ses cousins plus grands ont peu à redouter des prédateurs tels que les renards et les rapaces. Le tatou géant et le fourmilier géant sont bien trop grands ; en outre, ils peuvent porter des coups redoutables à l'aide de leurs pattes antérieures qui leur servent à creuser. Quant aux plus petits, ils sont suffisamment bien armés pour repousser toute amorce d'attaque, sans compter qu'ils savent creuser un trou pour se mettre en sécurité si l'assaillant persévère.

Naturellement, l'herbe n'est pas uniquement réservée aux insectes herbivores. Ancêtres sauvages de nos cochons d'Inde domestiques, les petits cobayes bruns, au nez retroussé et dépourvus de queue, percent des tunnels parmi les graminées où ils trottinent en tous sens pour récolter les tiges juteuses. Les viscaches, gros rongeurs de la taille d'un lièvre et même d'un chien, vivent dans des terriers. Ils en émergent à la tombée du jour pour brouter tranquillement l'herbe à l'entrée de leur abri. Ainsi, à la moindre alerte, il leur est facile de détaler pour se mettre en sécurité. Le lièvre des pampas d'Amérique du Sud fourrage sur de plus vastes étendues pendant la journée. Loin de son terrier, il compte sur sa rapidité pour semer ses poursuivants. Il a les mêmes pattes longues et sveltes que le lièvre d'Europe dont il possède le caractère nerveux et ombrageux, et il a une curieuse tendance à exécuter des bonds en l'air aux moments les plus inattendus.

De nombreux prédateurs chassent ces herbivores. Parmi les rapaces, les caracaras avancent majestueusement à travers les herbes et fondent sur les cobayes. Il en va de même pour le renard de la pampa dont l'aspect rappelle celui du chacal. Le loup à crinière, autre membre de la famille des canidés, de plus grande taille lui, rôde également dans la pampa. Il ressemble moins à un loup qu'à un renard vu dans un miroir déformant ; si sa tête est plus petite que celle d'un chien de berger, ses pattes sont si longues qu'il mesure un mètre au garrot. Ses longs membres lui permettraient de courir très vite, mais on ne voit pas très bien pourquoi il y serait obligé : nul n'a jamais entendu dire qu'il ait été poursuivi par un animal plus gros que lui, mis à part l'homme ; et puis, point n'est besoin de vitesse pour attraper les cobayes. Ses goûts se portent plutôt sur de petites proies telles que oisillons, lézards et même sauterelles et escargots ; il se nourrit également de racines et de fruits.

Le plus grand animal des pampas n'est pas du tout un chasseur : c'est un herbivore. Plus lourd que le loup à crinière, il est deux fois plus haut. Mais ne nous y trompons pas : ce n'est pas un autre mammifère, c'est un oiseau, le nandou. Ressemblant à une autruche, il ne vole pas car ses ailes ne lui servent à rien. Il possède un long cou et de longues pattes maigres qui lui permettent de courir à grande vitesse. Son régime est très varié : ne dédaignant pas les insectes et les petits rongeurs, il se nourrit surtout d'herbes. A certaines périodes de l'année, les nandous se regroupent en troupes dans les pampas, semblables aux troupeaux d'antilopes au gagnage.

Les nids de nandous offrent un spectacle extraordinaire, car leurs œufs sont dix fois plus gros qu'un œuf de poule. Rien de tellement surprenant de la part d'un oiseau d'une telle taille, mais le nid peut contenir au moins vingt œufs et il est des cas où l'on en a dénombré plus de quatre-vingts. Ce n'est bien entendu pas la même femelle qui pond tous ces œufs. Le mâle est polygame. Il bâtit le nid en dégageant un creux de terrain peu profond, généralement sous un buisson ou une touffe de hautes herbes, et le tapisse de feuilles sèches. Il fait sa cour et s'accouple avec plusieurs femelles. Il commence par danser autour d'elles, col incliné et plumes ébouriffées. A mesure que l'excitation du couple croît, il arrive que les deux oiseaux entrelacent leur cou. Puis la femelle s'accroupit et le mâle la couvre. Peu de temps après, la femelle vient le retrouver dans le nid qu'il occupe ; il se relève pour lui permettre d'y déposer son œuf. L'une après l'autre, les femelles le rejoignent. Si l'une d'elles trouve le nid déjà occupé par une autre, elle va pondre hors du réceptacle et laisse au mâle le soin de faire rouler l'œuf avec son bec pour le ramener dans le nid. Il arrive que les femelles soient si nombreuses que le mâle qui commence à couver se retrouve avec plus d'œufs qu'il n'est capable d'en couvrir. Dans ce cas, il abandonne le surplus hors du nid. Ces œufs se refroidissent et pourrissent.

Le nandou mâle qui couve est un gardien extraordinaire. Tout intrus qui se risquerait près du nid a toutes chances d'être reconduit au pas de charge et mis en fuite. D'où l'utilité de bâtir un nid inaccessible. Mais aucun autre oiseau des pampas n'a la taille ni la force du nandou. Pour les autres, trouver un emplacement sûr où nicher est un problème crucial, car les prédateurs sont nombreux.

Le fournier est un des rares oiseaux qui parvienne à bâtir un nid garantissant une relative sécurité contre les voleurs. Il le construit sur un poteau ou sur une branche basse d'un arbre isolé. Les matériaux qu'il utilise sont simplement de la boue mélangée à un peu d'herbe, avec lesquels il bâtit une chambre en forme de dôme, dure comme la pierre et munie d'une cloison située juste à l'entrée ; il devient alors pratiquement impossible d'y introduire un groin ou une patte pour attraper les œufs ou les oisillons nichés à l'arrière. Le colapte, sorte de pic-vert qui, dans les plaines, se nourrit presque exclusivement de fourmis, se sert souvent des termitières pour y aménager son nid. L'atavisme reste encore suffisamment vivace chez lui pour qu'il sache

▲ *Chouettes des terriers montant la garde*

Capybara ▶

creuser un trou dans la dure maçonnerie fabriquée par les termites. Ce sont ces derniers qui réparent alors les galeries éventrées et les condamnent. Dès lors, le colapte dispose d'une chambre aux parois lisses où il peut déposer ses œufs.

Les trous primitivement ménagés dans le sol, par les tatous, ou désertés par les viscaches, sont souvent investis par de minuscules chouettes. Elles seraient très capables de les creuser elles-mêmes, ce qu'elles font parfois, mais elles semblent préférer le rôle de locataires. Il n'est pas rare de rencontrer, à l'entrée de chaque terrier de viscache, une chouette postée en sentinelle. Quand on l'approche, ses yeux jaunes et perçants vous lancent un regard furibond ; elle se met à sautiller sur place, en proie à une agitation comique mais, au dernier moment, elle perd courage et s'esquive, replongeant vers la sécurité que lui assure son terrier d'emprunt.

Le caracara préfère les petits arbres mais, en cas de nécessité, il niche aussi bien à même le sol. Avec son bec de carnassier et ses serres puissantes, il est suffisamment bien armé pour mettre en fuite ses ennemis. Il se nourrit de lézards et de serpents. Beaucoup moins gros, le pluvier armé se nourrit généralement d'insectes et d'autres petits invertébrés. Son bec est petit et ses serres plutôt réduites. Il a apparemment beaucoup de difficultés à défendre ses œufs contre les reptiles et les tatous rôdeurs. Mais il protège son nid avec vaillance : il descend du ciel en piqué, dans un battement d'ailes précipité et en poussant des cris perçants. S'il ne parvient pas à décourager l'intrus de cette façon, il se pose, déploie une aile comme s'il était estropié, et continue à pousser des cris aigus, feignant d'être blessé. Le prédateur le poursuit et grâce à ce stratagème se trouve ainsi éloigné du nid. Parfois, le pluvier pousse la supercherie plus loin. Il se pose, s'installe dans l'herbe, les ailes semi-déployées, et commence à arracher de petits brins d'herbe avec son bec, exactement comme s'il était sur son nid. Si l'on s'approche pour explorer cet endroit précis, il s'envole. On s'aperçoit alors qu'il vous a trompé et que l'on a fait chou blanc. Si tous ces stratagèmes échouent, il lui reste encore une défense : il camoufle si parfaitement ses œufs et ses poussins que l'on ne les remarque pas, même en passant à quelques pas. L'efficacité de cet ensemble de stratégies n'est apparemment plus à démontrer. La preuve en est que, dans certaines régions de prairies, les pluviers armés sont partout et c'est leur cri, le "tero-tero", que l'on entend le plus souvent résonner dans la pampa.

La platitude et l'uniformité mêmes des plaines ainsi que l'aspect immuable de leur tapis de graminées ont donné naissance à des communautés animales qui, comparées à celles qui peuplent les forêts, ne comptent qu'un nombre d'espèces relativement limité. Leurs rapports sont plus simples. Les insectes et les rongeurs se nourrissent surtout de graminées et de plantes herbacées. Les excréments que les grands herbivores déposent dans la plaine sont remaniés par les insectes ou lavés par les pluies qui les restituent à la terre. Les tatous et les oiseaux mangent les insectes. Les rapaces et les mammifères carnivores mangent les rongeurs. Quand les chasseurs meurent, leur substance retourne à la terre, soit par l'intermédiaire des nécrophages, soit directement, par pourrissement. Les éléments minéraux synthétisés par les graminées leur sont restitués, permettant une repousse qui nourrira de nouvelles générations d'herbivores.

A de rares exceptions près, on retrouve ces mêmes communautés depuis les fraîches pampas du sud de l'Argentine jusqu'au nord, sur 3 000 kilomètres, en passant par le "campo" voisin du Rio de la Plata, l'intérieur du Paraguay et même au-delà, dans le sud du Brésil. Mais en bordure méridionale de l'Amazonie, les pluies deviennent suffisantes pour permettre aux arbres de pousser. C'est la fin des prairies et le début de la forêt tropicale humide. Pourtant, à mille cinq cents kilomètres plus au nord, de l'autre côté de l'Amazone, aux abords du cours moyen de l'Orénoque, on retrouve les prairies : ce sont les "llanos". En décembre, le paysage n'est pas très différent de celui des pampas. Sur des milliers de kilomètres carrés les graminées ondulent dans le vent, sous les nuages qui passent haut dans le ciel bleu. Pourtant, on est frappé par la différence des populations animales. On retrouve bien certains oiseaux tels que le pluvier armé et le caracara, mais pas de cobayes parmi les herbes ni de terriers de viscaches.

L'absence de ces animaux s'explique par des raisons géographiques, mais aussi écologiques. A la saison des pluies, qui sont torrentielles, les eaux des rivières montent non seulement avec une rapidité alarmante, mais elles sont en outre grossies par les précipitations qui s'abattent sur les versants des Andes, quelque 500 kilomètres plus à l'ouest. Les rivières débordent et, comme dans ces lieux le sol est constitué d'argile épaisse, l'eau ne peut pas y pénétrer. Elle envahit les "llanos" même quand l'amplitude de la crue reste faible. Un arbre qui pousserait à cet endroit verrait ses racines gorgées d'eau et les animaux peuplant les terriers n'auraient que peu de chances d'échapper à la noyade.

C'est alors que le plus grand herbivore des "llanos", le capybara, le plus gros de tous les rongeurs, se retrouve dans son élément. De la taille d'un porc domestique, il est couvert d'une fourrure brune à longs poils, et ses pieds palmés l'aident à nager. Ses yeux, ses oreilles et ses narines se situent tout au sommet de sa tête, ce qui lui permet de s'immerger presque complètement sans rien perdre de ce qui se passe autour de lui. Il vit dans les rivières, les lacs et les marais, de l'Argentine à la Colombie, mais aussi dans les prairies et dans la jungle. Il se nourrit de plantes aquatiques, d'herbes et de toute autre végétation poussant près des rives. Lorsque les crues envahissent les "llanos", son domaine s'élargit brusquement : foin de l'étroite bande de terre longeant les rivières, à lui les immenses lagunes ! Le capybara profite pleinement de sa liberté toute neuve. Des troupes de vingt à trente individus barbotent dans les hauts-fonds, arrachant les herbes noyées. Ils forment des escadrons pour traverser à la nage les étendues les plus profondes. Aucun autre herbivore de ces régions, mammifère, oiseau ou insecte, n'est aussi amphibie que lui et, pendant plusieurs mois, il a tous les grands pâturages pour lui.

Au nord et à l'ouest des "llanos", au Panama, au Guatémala et dans le sud du Mexique, la forêt tropicale réapparaît mais plus loin, au-delà de la frontière des États-Unis, on retrouve les herbages dans les prairies du sud du Texas. La "prairie" américaine se déploie sur une bande de quelque 3 000 kilomètres de long et 1 000 kilomètres de large. Elle remonte le long du versant oriental des Montagnes Rocheuses en passant par l'Oklahoma, le Kansas, le Wyoming et le Montana. Traversant la

leur protection, car les hommes ne leur rendront jamais les vastes territoires qu'ils occupaient.

Les bisons partageaient la prairie avec des troupeaux d'autres ruminants, rappelant les antilopes : on leur a donné le nom d'antilocapre en raison de leurs deux courtes cornes à deux branches. Ce ne sont ni de vraies antilopes, ni de vrais cerfs. Il s'agit plutôt d'un animal primitif intermédiaire. Leur population rivalisait autrefois en nombre avec celle des bisons. Au XIXe siècle, les estimations portaient sur 50 à 100 millions d'individus. Ne disposant ni de la masse imposante ni de la puissance des bisons, ils étaient plus vulnérables face aux prédateurs tels que le loup. Ils comptaient sur leur vélocité pour se protéger. Ce sont en fait les animaux les plus rapides d'Amérique du Nord, capables de pousser des pointes à 80 km/heure ; mais il n'échappèrent pourtant pas aux fusils des hommes. Abattus sans pitié, il n'en restait plus qu'environ 19 000 en 1908. Fort heureusement, ils sont aujourd'hui protégés et on en dénombre actuellement près d'un demi-million.

Les territoires qui, à une certaine époque, faisaient vivre les grands troupeaux d'antilocapres et de bisons servent aujourd'hui de pâturages au bétail domestique. Bien sûr, les hommes ont besoin de viande pour leur alimentation. Mais, ironie du sort, l'herbe des prairies ne couvre plus, désormais, que les besoins alimentaires d'un tiers du cheptel d'élevage alors que, par le passé, elle suffisait largement à faire vivre des bêtes sauvages, mais conçues pour s'en nourrir.

Les steppes d'Asie Centrale qui se situent à des latitudes voisines de celles de la "prairie" d'Amérique, sont en général loin d'être aussi fertiles. Comme elles occupent le cœur même des plus vastes régions continentales du globe, la pluviosité y est très faible. La terre y est sèche et poussiéreuse en été ; l'hiver, elle gèle en profondeur. Et pourtant d'immenses troupeaux de ruminants y vivent. Les saïgas sont d'authentiques membres de la famille des antilopes, quoique très étranges. Elles ont la taille et l'aspect général du mouton, mais leur tête, vraiment extraordinaire, présente d'immense yeux globuleux. Seul le mâle porte des cornes couleur d'ambre en forme de dagues toutes droites. Le plus curieux de leurs caractères est leur nez qui se termine par une amorce de trompe souple. Leurs fosses nasales, larges et arrondies, sont occupées par des circonvolutions tapissées de glandes muqueuses, qui occupent un tel volume qu'elles donnent au front de l'animal un aspect protubérant. Cet étonnant appareil a pour fonction de réchauffer, d'humidifier l'air et d'en filtrer les poussières. Ces animaux parcourent continuellement les steppes, se nourrissant de maigres graminées. Capables de pressentir les changements de temps qui les menacent, les saïgas peuvent modifier subitement leur allure, abandonnant leur pas tranquille pour un trot vif qu'elles soutiendront plusieurs jours durant afin d'échapper au blizzard qui s'annonce.

Au XVIIIe siècle, ces curieuses antilopes étaient très répandues des rives de la mer Caspienne, à l'ouest, jusqu'aux abords du désert de Gobi, à l'est. Elles pullulaient au point qu'il était fréquent d'en tuer des dizaines de milliers en une seule battue. Quand des hommes, toujours plus nombreux et équipés de meilleures armes à feu, se lancèrent à travers les steppes, la chasse aux saïgas s'intensifia. Leur viande était fort appréciée. Dès 1829, elles avaient été exterminées dans toute la partie centrale de leur territoire, des monts Oural à la Volga. Au début de notre siècle, il restait moins d'un millier d'individus. L'espèce était au bord de l'extinction quand les hommes réalisèrent subitement qu'aucun autre animal, sauvage ou domestique, ne se montrait aussi efficace que les saïgas pour transformer l'herbe des steppes en protéines. Si elles disparaissaient, d'immenses régions de steppe ne produiraient plus rien qui soit susceptible de nourrir l'homme. On en interdit donc la chasse. Les survivants furent protégés et élevés avec autant de soin que s'il s'était agi d'un bétail de race.

Elles reprirent le dessus de manière incroyable. Ces animaux semblent, par nature, spécialement adaptés pour réagir quand ils sont décimés par des catastrophes naturelles, extrême sécheresse en été ou hivers particulièrement rigoureux. Le taux de reproduction des femelles est exceptionnel. Elles s'accouplent dès l'âge de 4 mois, avant même d'avoir terminé leur croissance. Quand elles sont pleines, les jeunes femelles ne se développent pas beaucoup mais, sitôt après la mise bas, elles se remettent à grandir. A la fin de la saison de reproduction suivante, elles ont atteint leur taille adulte. En outre, les trois-quarts des femelles donnent naissance à des jumeaux. Grâce à leur remarquable fécondité, les saïgas ont réussi à se remettre rapidement de la plus grande catastrophe qui ait jamais fondu sur elles : le premier contact avec l'homme armé d'un fusil. En cinquante ans, leur population est passée de quelques centaines à plus de deux millions d'individus. De nos jours, en Union Soviétique, on en abat 25 000 chaque année pour leur viande.

Ces mêmes histoires de massacres intensifs de troupeaux immenses se retrouvent dans le "veldt" du sud de l'Afrique. Mais il est au moins une espèce qui n'a pas connu ce sursis de dernière heure. Quand, au début du XIXe siècle, les colons européens commencèrent à s'aventurer vers le nord, ils y découvrirent des plaines luxuriantes, peuplées d'antilopes de toutes sortes : les springboks et les blesboks, les bubales et les gnous à queue blanche. Les springboks étaient tellement nombreux qu'ils devaient régulièrement migrer en masse, en quête de nouveaux pâturages. A cette occasion, ils formaient de si grands troupeaux que le paysage tout entier semblait s'ébranler avec eux. Ils surpassaient même en nombre les troupeaux d'antilopes et de bisons d'Amérique du Nord. En 1880, aux dires d'un naturaliste, un seul troupeau de springboks en migration aurait compté au moins un million d'individus.

On trouvait là aussi une multitude d'équidés, voisins du cheval, autre type de grands herbivores qui a joué un rôle considérable dans l'histoire de l'humanité. Les ancêtres de nos chevaux vivaient à l'origine dans les prairies d'Amérique du Nord. Leur tube digestif abritait lui aussi des bactéries et des protozoaires pour digérer les matières végétales. Quoique dépourvus de l'appareil digestif complexe des ruminants, ils obtenaient le même résultat. Pendant longtemps, ils furent les rois. Ils franchirent le détroit de Béring qui formait alors un pont intercontinental, pour s'installer en Asie, en Europe, et jusqu'en Afrique. En Amérique, ils finirent par céder la place aux premières formes de ruminants et aux antilopes, et disparurent. En Europe et en Asie, on commença par chasser les chevaux et leurs cousins germains, les ânes sauvages, puis on les domestiqua. De nos jours, les espèces sauvages y ont pratiquement disparu. Les seuls survivants forment quelques petites troupes vivant en Asie centrale. C'est seulement en Afrique que l'on peut encore voir galoper de grandes hordes de ces magnifiques créatures zébrées de blanc et de noir. On distingue parmi eux plusieurs espèces : le zèbre de Grévy aux rayures étroites qui vit sur les terres arides d'Éthiopie et dans la partie australe de l'Afrique, le zèbre de montagne, à l'ouest, et, dans le ''veldt'', plusieurs variétés du zèbre de plaine. L'un d'eux, le couagga, n'est même pas rayé intégralement. Sa tête et son cou portent des zébrures, mais son corps est d'un brun uniforme qui va en s'éclaircissant jusqu'aux pattes qui sont blanches.

Tous ces animaux, antilopes et zèbres, ont été considérés comme gibier par les colons, pour la nourriture ou pour le sport. Vers 1850, les chasseurs commencèrent à se rendre compte que le gibier n'était plus aussi abondant qu'autrefois, mais les massacres ne ralentirent pas pour autant. La destruction des troupeaux prit une trentaine d'années. Vers la fin du siècle, les troupeaux de blesboks ne comptaient plus que quelque 2 000 individus, les springboks survivants ne constituaient plus que de petits groupes isolés il restait moins d'une centaine de zèbres des montagnes et aucun gnou à queue blanche ne vivait plus à l'état sauvage. Seuls quelque 500 d'entre eux avaient survécu en captivité dans les fermes. Le couagga avait été exterminé. Sa viande n'était pas considérée comme particulièrement savoureuse, mais sa peau avait plus de valeur, car on en faisait des chaussures et des sacs pratiques et légers. Il était en outre facile à repérer et à tirer. Le dernier couagga sauvage fut abattu en 1878 et, cinq ans plus tard, le dernier couagga captif mourait dans un zoo.

Le dernier des immenses herbages du monde où vivent encore des populations presque intactes de grands herbivores est la savane d'Afrique orientale. La survie des troupeaux s'explique avant tout par le fait que les terres y sont moins bien arrosées que dans la ''prairie'', le ''veldt'' et les pampas. Elles ne conviennent donc ni à l'élevage des animaux domestiqués par l'homme, tous issus d'espèces venues des climats tempérés, ni à la culture des plantes domestiques. Actuellement, ces terres font vivre les plus vastes concentrations de gros mammifères sauvages qui existent.

Le pays des savanes forme un grand fer à cheval qui enserre la forêt tropicale humide d'Afrique. Il s'étend sur près d'un million de kilomètres carrés. On y trouve des buissons épineux de petite taille, et d'énormes baobabs dont le tronc boursouflé retient l'eau absorbée au cours de pluies trop rares. Ailleurs, de petites collines rocheuses hérissent le paysage. Beaucoup de rivières sont flanquées de longues bandes forestières, car l'eau détrempe le sol de part et d'autre de leur lit, ce qui permet aux arbres d'y pousser. Et puis il y a les herbes, pratiquement partout. Par endroits, leur hauteur dépasse la taille d'un homme. Ailleurs, elles sont si rases et si rares que l'on aperçoit de larges surfaces de terre rouge et poussiéreuse entre les touffes.

Ce pays aux multiples facettes est peuplé d'une grande variété d'animaux. Les rapports chasseur/chassé y sont les mêmes que dans d'autres milieux similaires. Mais les espèces elles-mêmes sont, dans la plupart des cas, propres à l'Afrique. Les termites et les fourmis récoltent les herbes. Ils sont mangés par des insectivores spécialisés, les pangolins et les oryctéropes, mais aussi par des omnivores comme les

mangoustes et par une multitude d'oiseaux. Les petits prédateurs, genettes et chacals, s'attaquent aux rongeurs végétariens : rats géants, lièvres et rats palmistes. Les grands carnivores, lions, lycaons, guépards et hyènes, se nourrissent aux dépens des grands herbivores, presque tous des ruminants : les seigneurs de la plaine africaine.

Parmi eux il en est de petits tels que la gazelle de Thompson et l'impala, et de plus grands tels que l'élan, l'antilope-cheval et le topi. Certains sont spécialisés comme la girafe, capable de mordiller des branches épineuses hors de portée de tout autre grignoteur, et le situtounga qui vit dans les marais et ne s'aventure dans les plaines qu'en cas d'inondations. Et il y a les géants : le rhinocéros et l'éléphant. Aujourd'hui encore, leurs troupeaux rassemblent un nombre d'individus rappelant les contes des voyageurs qui traversèrent le ''veldt'' et la ''prairie'', il y a 150 ans. Certaines espèces continuent à migrer en masse pour trouver de meilleurs pâturages aux changements de saisons, tout comme le faisaient autrefois les saïgas, les springboks et les bisons. La plus célèbre de ces pérégrinations est celle du gnou. Les pluies ne tombent pas uniformément sur le Serengeti en Afrique orientale : la région sud s'assèche plus vite que le nord-ouest. Vers le mois de mai, quand l'herbe se fait rare, ses habitants doivent donc migrer. Des millions de gnous accompagnés de zèbres et de gazelles se lancent dans un long trek[1], cheminant pesamment en colonnes de plusieurs kilomètres de long en direction du nord-ouest. Lorsqu'ils ont à plonger dans les rivières, c'est la débandade générale. Ils sont si nombreux et si serrés les uns contre les autres que beaucoup se noient. Les autres continuent à se jeter à l'eau, pressés par la multitude qui les pousse. Les lions s'embusquent et attrapent facilement les voyageurs fourbus. Jour après jour, les bêtes poursuivent leur marche. Enfin, après avoir parcouru près de 200 kilomètres, elles atteignent les pâturages encore luxuriants du Mara, dans le sud du Kénya. Elles s'y installent et se mettent à brouter. En novembre, lorsque l'herbe commence à manquer alors que, dans le Serengeti, les pluies ont recommencé à tomber, les gnous reprennent leur long voyage en sens inverse.

Il existe une autre migration que l'on connaît moins : celle des cobes à oreilles blanches, qui a lieu à travers le Soudan. Les cobes migrent non pas à cause de la sécheresse, mais à cause des inondations. Environ un million de ces jolies antilopes, dont les mâles arborent de gracieuses cornes en forme de lyre, vivent dans les plaines herbeuses du sud du pays. Les femelles y mettent bas à la saison des pluies. Quand les pluies se tarissent et que les plaines commencent à s'assécher, ces animaux remontent vers le nord, en suivant l'apparition de la nouvelle pousse, là où les eaux se sont retirées. Leur territoire est flanqué des deux côtés par des rivières gonflées par les pluies. Ces cours d'eau se rejoignent non loin de la frontière éthiopienne et les cobes, forcés de se rapprocher les uns des autres, sont finalement obligés de tenter la traversée. C'est là que les peuplades Murles les attendent chaque année. En quelques jours seulement, 5 000 cobes peuvent être tués. Pour les chasseurs, ils constituent un don providentiel qui leur permet, tous les ans, d'assurer leur subsistance et celle de leurs

1 Déplacement massif d'une population de mammifères ayant souvent l'allure d'une migration.

familles pendant plusieurs mois. Pour les cobes, c'est la dernière épreuve avant d'atteindre les terres marécageuses du nord et les riches pâturages qui leur permettront de survivre aux mois critiques de la saison sèche.

Parmi les grands herbivores, les ruminants sont, à notre époque, ceux qui ont le mieux réussi. Ils ont de loin surpassé leurs uniques rivaux, les chevaux, tant sur le plan de la variété des espèces que du nombre absolu, même depuis que leurs populations ont été si fortement décimées par l'homme. La forme de leur corps est en grande partie déterminée par la nature particulière de l'herbe. L'aspect découvert des plaines exige en effet que ceux qui y vivent soient capables de courir vite pour échapper aux prédateurs. Au fil de l'évolution, les ancêtres des ruminants ont acquis cette aptitude. Ils se sont soulevés sur leurs doigts et leurs pattes se sont allongées. Les doigts latéraux se sont atrophiés, ceux du milieu se sont renforcés, et leurs ongles se sont épaissis pour devenir des sabots résistants, amortissant les chocs. Le caractère saisonnier des herbes, dû à l'irrégularité des chutes de pluies, les a obligés à entreprendre de longs voyages pour trouver leur pâture tout au long de l'année. Pour pouvoir survivre à ces voyages, les animaux devaient être suffisamment bien bâtis. Leur estomac a évolué pour devenir un vaste appareil composé de plusieurs poches capables de bien digérer l'herbe. Même leurs dents se sont modifiées. Comme l'herbe pousse près du sol, les ruminants peuvent difficilement éviter qu'un peu de gravier et de sable ne pénètre dans leur bouche. Ce phénomène, auquel vient s'ajouter la dureté propre aux feuilles d'herbes, use fortement les dents. Les ruminants ont désormais d'énormes molaires broyeuses qui poussent au fur et à mesure qu'elles s'usent, pendant toute la vie de l'animal.

Les ruminants ont eu, eux aussi, une influence sur la dynamique des peuplements de graminées. Si un incendie détruit une forêt dans une région bien arrosée ou si l'homme abat des arbres, l'herbe s'empresse de prendre possession des lieux. Or, les jeunes plants d'arbres qui repoussent également risquent de faire de l'ombre ; c'est la seule chose que l'herbe ne puisse tolérer, car les arbres auraient vite fait de l'étouffer. Voilà où interviennent les jeunes ruminants : en broutant et en piétinant les jeunes plants d'arbres, ils finissent par les faire mourir. Seule l'herbe est assez résistante pour survivre à un tel traitement.

Elle a toutefois besoin d'eau. Mais plus on remonte vers le nord à travers les savanes africaines, plus la pluviosité diminue et plus les terres se font arides. Les buissons d'épineux se raréfient alors et l'herbe devient clairsemée. Plus question de grands troupeaux d'antilopes. Les pistes d'animaux se font rares dans le sable sec auquel la terre cède progressivement le pas. Nous abordons un nouveau monde : le désert.

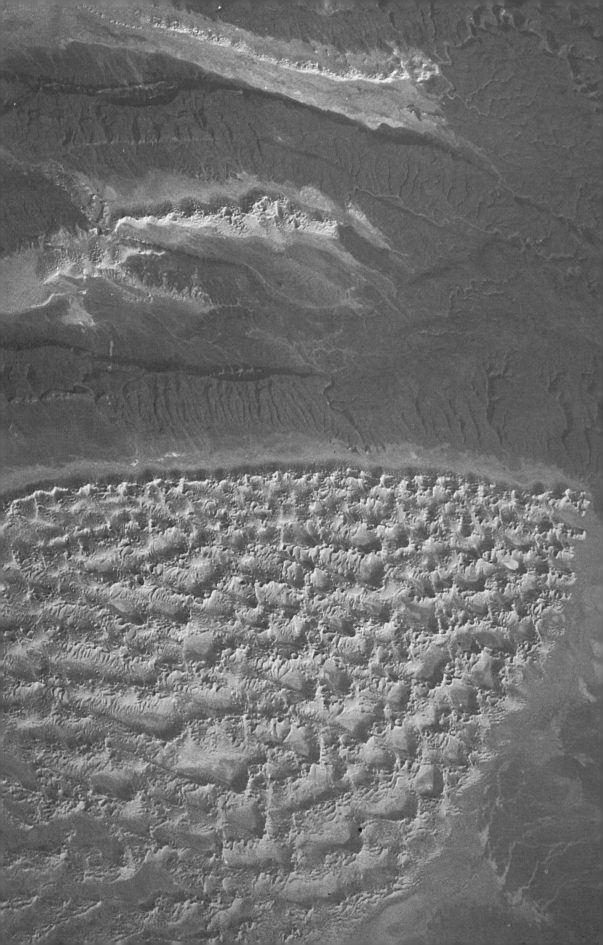

LES DÉSERTS TORRIDES

Le Sahara est le plus vaste désert de la planète. Il s'étend des régions stériles du nord du Soudan et du Mali aux côtes méditerranéennes, où ses sables engloutissent les ruines des anciennes cités romaines. Il traverse le Nil à l'est et atteint les rives de la Mer Rouge. Cinq mille kilomètres plus à l'ouest, il rejoint l'Océan atlantique. Le Sahara n'est traversé par aucune rivière et des années peuvent s'écouler avant que la pluie n'arrose les plus privilégiés des territoires. C'est là qu'ont été enregistrés les plus hauts records de chaleur du monde : 58° à l'ombre. Une partie de ce désert est recouverte par le sable, et le reste se présente comme une plaine aride et caillouteuse où alternent graviers et éboulis et que les vents fouettent. En son centre se dressent d'étranges chaînes de montagnes.

Ces montagnes, qui s'élèvent verticalement à partir du plateau du Tassili n'Ajjer, forment un incroyable enchevêtrement de précipices, d'aiguilles branlantes et d'arcades. Elles ressemblent plus à des tours qu'à des montagnes, et leur base est souvent creusée de crevasses superficielles. Certaines colonnes de roches semblent grossièrement sculptées en forme de champignons. Cet univers étrange a été façonné par le vent qui, balayant le gravier et le sable, en a criblé la surface de la roche, la marquant de stries en jouant sur les différences de résistance des couches successives. Dépourvus de toute végétation, les rochers bruts éclatent sous l'effet de la chaleur. Ils finissent par s'effriter pour former du sable dont le vent criblera à nouveau les falaises avant de le balayer au loin dans le désert.

Le vent n'a pas forgé à lui seul ce paysage tourmenté. Selon toute probabilité, les défilés à la base des tours ont été creusés par le lit d'un fleuve et les ravines affluentes ont pu voir couler des torrents impétueux. L'hypothèse selon laquelle cette région était parfois gorgée d'eau repose sur des observations répétées dont la roche porte la trace. Sur les parois des cavernes ont été gravées des peintures rupestres teintées d'ocre jaune et de rouille et représentant des animaux : gazelles, rhinocéros, hippopotames, antilopes de sables et girafes. Des animaux domestiques sont également représentés et l'on peut admirer des troupeaux de bovins aux cornes élégamment recourbées, parfois munis d'un collier. Les artistes ont aussi exécuté leur propre portrait, debout au milieu de leur bétail, assis dans leur hutte, chassant à l'arc ou encore dansant, coiffés de masques.

Nous ne savons pas exactement qui ces hommes étaient. Peut-être ont-ils été les ancêtres des populations nomades qui, aujourd'hui encore, accompagnent dans leur errance les troupeaux de bétail demi-sauvage qui cheminent à travers les broussailles

◀ *Les dunes du Sahara, vues par satellite*

de la frange sud du désert. Il n'a pas non plus été possible de dater ces fresques. Plusieurs styles distincts y sont représentés et il semble que leur réalisation s'étale sur une longue période. Aux dires des experts, les premières de ces peintures dateraient d'environ 5 000 ans. Il est incontestable que les scènes représentées appartiennent à une époque révolue puisque aujourd'hui tout n'est que désert et qu'aucun des animaux si bien croqués par les artistes rupestres ne pourrait survivre à la fournaise et à l'aridité sahariennes.

Fait surprenant, quelques arbres ont traversé les millénaires et réussi à survivre : au fond d'une gorge étroite pousse un bouquet de cyprès qui, au nombre des anneaux de leurs troncs, ont entre 2 000 et 3 000 ans. Ils n'étaient encore que de jeunes arbres à l'époque des peintures les plus récentes. Leurs grosses racines noueuses se sont développées à travers les rochers fendus par le soleil, s'insinuant dans les fissures et déplaçant des blocs de pierre pour atteindre enfin l'humidité souterraine. Leurs aiguilles poussiéreuses parviennent à égayer d'une touche de vert ce paysage minéral brun et rouille. Les branches de ces cyprès portent encore des pommes qui renferment des graines viables, mais aucune ne germe, faute d'humidité.

Le changement climatique qui a transformé le plateau du Tassili et le Sahara en désert a débuté il y a environ un million d'années, lorsque la grande glaciation commença à desserrer son emprise. Les glaciers, descendus de l'Arctique jusqu'en Angleterre et en Allemagne et qui recouvraient de leurs glaces la mer du Nord, ont alors commencé à se retirer. Au début, cela produisit des conditions climatiques plus humides dans cette partie de l'Afrique et le Tassili devint relativement verdoyant, mais, il y a 5 000 ans, les pluies se sont décalées vers le sud et le Sahara s'est peu à peu desséché. Ses étendues herbeuses et broussailleuses ont végété avant de disparaître. L'eau de ses lacs s'est évaporée, et les populations animales et humaines entamèrent une migration vers le sud, en quête d'eau et de pâturages. Le sol fut peu à peu emporté. Enfin, la vaste plaine autrefois fertile se transforma en une immensité désertique de roches et de sables mouvants.

Ce phénomène de désertification s'était déjà produit à plusieurs reprises. Au cours des phases d'expansion et de contraction de la calotte glaciaire qui recouvrait l'Europe du Nord, les plaines sahariennes ont connu l'alternance de périodes de fertilité et de sécheresse. D'ailleurs, ce vaste district de l'Afrique, de même que toutes les régions se trouvant à de telles latitudes au nord comme au sud de l'équateur, a toujours été soumis à des menaces de sécheresse.

Les différences du régime des pluies d'une région du globe à l'autre sont finalement dues aux variations d'intensité du rayonnement solaire faible aux pôles et important à l'équateur. Les courants d'air chaud qui naissent à l'équateur se dirigent vers les latitudes plus froides en direction du nord et du sud, où ils descendent. Les masses d'air chaud étant plus chargées d'humidité que les masses d'air froid, les courants ascendants des zones équatoriales sont très humides à l'origine. En s'élevant, ils se refroidissent et l'humidité qu'ils contiennent se condense pour former des nuages qui se transforment en pluie. L'air de haute altitude, ayant éliminé toute humidité, reprend la direction des tropiques, à 1 500 kilomètres de chaque côté de l'équateur. Il entame alors sa descente, mais il n'a plus une goutte d'eau à déverser et n'apporte donc aucune pluie. Bien plus, il se réchauffe en se rapprochant de la surface de la terre, où il absorbe un maximum d'humidité avant de repartir en direction de l'équateur. Cette circulation de masses d'air entraîne la formation de zones désertiques au voisinage du tropique du Cancer au nord, et du tropique du Capricorne au sud. Celles-ci ne sont pas symétriquement réparties, car la rotation de la terre à l'intérieur de son enveloppe atmosphérique provoque dans les masses d'air extérieures de vastes mouvements tourbillonnants que vient encore perturber la répartition inégale entre les terres et les mers, les montagnes et les plaines. Pourtant, le schéma d'ensemble demeure valable. Partout où des masses continentales sont à cheval sur l'équateur, il se trouve des déserts de part et d'autre. Le Sahara a son symétrique au Kalahari et au Namilo, situés au sud des forêts humides de l'Afrique centrale. Les déserts de Mojave et de Sonora, dans le sud-est des Etats-Unis, ont leur double en Amérique du Sud : le désert d'Atacama. En Asie, les immensités désertiques du Turkestan et du centre de l'Inde correspondent aux vastes déserts australiens, au-delà des forêts tropicales du sud-est asiatique.

L'absence de nuages au-dessus des déserts a une double incidence. Non seulement il ne peut pas pleuvoir mais les écarts de température journaliers sont démesurés. Il n'y a aucune protection contre le soleil pendant le jour, et aucune protection contre la déperdition de chaleur pendant la nuit. Le jour, le désert est la zone la plus brûlante de la planète, alors que les températures nocturnes peuvent y être inférieures à 0° C. Une telle amplitude entre les températures diurnes et nocturnes pose de sérieux problèmes d'adaptation aux animaux du désert.

La plupart d'entre eux les ont résolus en évitant les températures extrêmes. Les petits mammifères disparaissent pendant la journée et cherchent l'ombre des pierres ou l'obscurité de leurs terriers, où la température est sensiblement plus fraîche qu'en surface, en plein soleil ; de même, le degré d'humidité lié en grande partie à la respiration de l'occupant y est nettement plus élevé, ce qui lui évite la déshydratation. Les animaux y passent le plus clair de leur temps et ne sortent qu'au crépuscule.

Au Sahara, les gerbilles, qui ressemblent à des souris, et les gerboises, qui ont l'air de minuscules kangourous, se risquent timidement hors de leurs trous dès la nuit tombée. Ces petits herbivores doivent se contenter de rares touffes d'herbe, de quelques graines portées par le vent. Les geckos parcourent fébrilement les rochers encore tièdes à la recherche de coléoptères et d'autres insectes. Les mammifères prédateurs font alors leur apparition. Les fennecs, leurs grandes oreilles pointues en alerte permanente, flairent silencieusement les rochers sur les traces d'éventuelles proies. Les caracals, apparentés aux chats, surgissent de la nuit en compagnie d'hyènes rayées. Les déserts du Moyen-Orient abritent aussi des loups, plus petits, au pelage plus clair et plus clairsemé que leurs cousins du nord. Dans les déserts du Nouveau Monde, chasse et cueillette se déroulent dans les mêmes conditions, seuls les acteurs changent : ce sont des rats-kangourous qui glanent les graines, traqués par des renards et des coyotes.

Une fois rassasiés, les animaux ralentissent leur activité. La température continue à baisser et les geckos, gagnés par le froid, se réfugient dans les fissures des rochers. Quant aux mammifères, ils produisent leur propre chaleur et peuvent donc poursuivre leurs activités nourricières malgré le froid nocturne ; ils regagnent néanmoins leurs tanières ou leurs terriers bien avant l'aube.

Le lever du soleil amène une nouvelle faune. C'est l'heure où le monstre de Gila part en chasse dans les déserts de l'ouest américain. Seul lézard venimeux au monde à part une espèce voisine du Mexique, il mesure environ 30 cm de long et porte une courte queue ; les écailles luisantes de son corps sont autant de perles corail et noires. Aux premières heures du jour, il se meut au ralenti, mais devient plus actif au fur et à mesure que son corps se réchauffe au soleil. Il gobe alors les insectes, les œufs d'oiseaux et les oisillons. Il n'hésite pas non plus à piller les nids des souris du désert, engloutissant les souriceaux et leurs parents. En Australie, le petit lézard Moloch, long de quelques centimètres seulement, sort de son trou pour se régaler de fourmis. Il se place sur leur passage et les avale méthodiquement à coups de langue, sans qu'elles modifient leur trajectoire pour autant. C'est le moment où les tortues du désert émergent lentement des trous où elles ont passé la nuit à l'abri de leur carapace. Ce regain d'activité n'est que passager. Au bout de quelques heures, le soleil est si haut que le désert redevient fournaise. Les reptiles craignent autant l'insolation que les mammifères et, 4 ou 5 heures après le lever du soleil, la chaleur devient intenable. L'air commence à onduler au-dessus des pierres. Les rochers brûlent et l'air est si torride qu'un être humain peut perdre 1 litre de liquide par heure, en transpirant sans s'en apercevoir. S'il reste sans boire pendant une journée, c'est la mort. Le moindre mouvement musculaire produit de la chaleur et le soleil darde ses rayons de feu sans relâche.

Les plantes aussi redoutent la chaleur, car elles meurent de soif si elles éliminent trop d'eau par évaporation. Le houx du désert parvient pourtant à pousser sans ombre dans les déserts américains. Ses feuilles, inclinées à 70°, lui permettent de limiter la quantité de lumière qui les frappe et les rayons du soleil n'atteignent que leur pourtour. Elles ne reçoivent la lumière directement que le matin, lorsque le soleil est bas et faible, et c'est alors qu'elles utilisent son énergie pour synthétiser la matière organique. Un sel que la plante extrait du sol et transporte dans sa sève forme une fine pellicule blanche à la surface des feuilles et réfléchit une partie de la chaleur, comme le font les vêtements blancs d'un athlète.

Quelques animaux pourtant arrivent à affronter l'écrasant soleil de midi. L'écureuil terrestre du Kalahari, par exemple, se sert de sa queue touffue comme d'un parasol qu'il dresse au-dessus de sa tête.

Quant au lapin d'Amérique, au hérisson du désert du Gobi et au fennec du Sahara, ce sont leurs grandes oreilles qui les tirent d'affaire. Elles leur sont évidemment fort utiles pour capter le moindre bruit, mais leur taille excède les simples besoins de l'acoustique. Elles sont parcourues par un réseau de minuscules vaisseaux sanguins à fleur de peau qui, au contact de l'air, refroidit le sang qui y circule, fonctionnant comme des radiateurs.

D'autres animaux accentuent les propriétés rafraîchissantes du vent en utilisant le phénomène physique suivant : quand un liquide entre en phase gazeuse, il absorbe de la chaleur. En s'évaporant, l'eau atténue donc la chaleur ambiante. C'est pourquoi la transpiration permet aux mammifères de se rafraîchir. Le halètement produit le même effet. L'air, alternativement aspiré et expulsé par la bouche humide de l'animal, fait évaporer la salive et refroidit le sang contenu dans les tissus superficiels. Lorsque les tortues ont vraiment trop chaud, à partir de 40,5° C, elles humidifient leur cou et leur tête avec leur salive. Il leur arrive aussi de vider leur vessie pour en répandre le contenu sur leurs pattes arrière. Quant aux kangourous australiens, ils possèdent un réseau de capillaires à fleur de peau sur la face interne des pattes antérieures. Lorsque la chaleur devient intenable, ils enduisent leur pelage de salive pour couvrir leur corps d'une écume qui, en s'évaporant, libère la chaleur sanguine. Les oiseaux sont les animaux les mieux adaptés à la lutte contre la chaleur. Le plumage leur sert notamment à maintenir leur corps à bonne température, et à l'isoler de la chaleur comme du froid ; le rôle calorifuge des plumes réduit la transmission de chaleur dans les deux sens. Grâce à cette protection, de nombreux oiseaux supportent parfaitement les expositions prolongées au soleil du désert. Il leur arrive cependant de se rafraîchir en utilisant un système plus efficace que le halètement des mammifères : ils font vibrer leur gosier. Cette technique évite tout effort musculaire lors de l'inspiration, et produit néanmoins une circulation d'air sur les parois humides de la bouche.

Transpiration, halètement, vibration du gosier, léchage et évacuation des réserves d'urine sont des méthodes de refroidissement très efficaces, mais qui épuisent une denrée rare dans le désert : l'eau. Or, toutes les espèces animales et végétales du désert exploitent jusqu'à la dernière goutte le liquide contenu dans leur corps. Leurs excréments sont généralement ultrasecs. La bouse du chameau peut être utilisée immédiatement comme combustible et les excréments de certains reptiles ne sont que poussière. Les animaux réduisent même le volume de liquide consacré à l'élimination des déchets toxiques solubles tel que l'acide urique ; l'urine de l'homme contient par exemple 92 % d'eau, tandis que celle du kangourou n'en contient que 70 %. Une espèce de lézard saharien parvient même à éliminer son excès de sel grâce à une glande nasale.

La vie de nombreux animaux est essentiellement axée sur la recherche de l'eau. Quelques rares espèces ont réduit leurs besoins au point de se satisfaire du liquide qu'elles extraient de leur nourriture et elles peuvent se passer de boire. Les fennecs et les chacals absorbent les liquides contenus dans le corps de leurs proies, les gazelles dorcas les extraient du suc des feuilles et les kangourous des graines. Bien des espèces réussissent même à convertir en eau leurs réserves de graisse, en cas d'extrême urgence. Mais la majorité des grands mammifères, tels que l'oryx et le kangourou, sont condamnés à ne jamais s'éloigner de plus d'une journée des rares trous d'eau existants.

Les oiseaux du désert obéissent généralement au même rythme. La situation devient critique lors de la reproduction, car les oisillons ont les mêmes besoins en eau que les oiseaux adultes. Si la nourriture qu'ils absorbent n'est pas assez juteuse, il doit

▲ *Peintures rupestres : scènes pastorales, Tassili*   *Lièvre à grandes oreilles, Amérique du Nord* ▶

y avoir complément de liquide. Le ganga niche souvent à plus de 40 km du point d'eau le plus proche et le mâle doit régulièrement parcourir cette distance pour apporter à boire à ses poussins. Pour ce faire, une seule solution : après s'être abreuvé, il entre dans l'eau jusqu'au ventre et attend que ses plumes soient bien imbibées. Leur structure particulière leur confère une capacité d'absorption semblable à celle d'une éponge. Il regagne ensuite son nid et, tel une nourrice, fait téter à sa progéniture piaillante ses plumes gorgées d'eau.

Le chemineau, ce parent des coucous, chasseur de serpents qui arpente du haut de ses longues pattes les déserts de l'Arizona et du Mexique, a adopté une méthode différente pour abreuver ses poussins. Le couple niche dans un cactus ou un buisson épineux où naissent des couvées de 2 ou 3 oisillons. Ces derniers, étonnamment précoces, sont capables d'ingérer des lézards et des insectes. Lorsque l'un des parents revient au nid un lézard mort dans le bec, il ne le donne pas directement à ses petits. L'un des poussins, criant famine, ouvre grand son bec et l'adulte y enfourne le lézard, sans pour autant le lui abandonner. Ils demeurent ainsi figés, dans une lutte apparente pour la conquête de la proie ; c'est alors que l'adulte dégorge du liquide qui goutte de son bec dans celui du poussin. Il s'agit en fait du suc sécrété par l'estomac de l'animal au cours du processus de digestion et non d'eau stockée dans son jabot. Une fois que l'oisillon a, bon gré, mal gré, ingurgité sa dose de liquide, il peut passer à la viande.

Les plantes aussi doivent résoudre le problème crucial de l'approvisionnement en eau dans les zones qui en sont dépourvues. Peu d'espèces s'en accommodent aussi bien que le buisson-créosote, qui pousse dans les déserts du sud-ouest américain. Il ne s'approvisionne pas dans les réserves souterraines, généralement inaccessibles, mais utilise la fine pellicule d'humidité laissée par la rosée ou, plus rarement, par une averse de pluie. La plante absorbe cette humidité grâce à un réseau inextricable de radicelles, qu'elle développe si profondément dans le sol que la moindre molécule d'eau est piégée. Chaque buisson doit pouvoir disposer d'une aire de pousse suffisamment vaste pour lui fournir l'humidité nécessaire ; une fois établi dans une région particulièrement aride, il draine l'eau sur un rayon d'un mètre, empêchant tout autre peuplement y compris ses propres rejets. Ce type de buisson ne colonise donc pas le sol en produisant des graines et en donnant naissance à d'autres buissons, mais en développant de nouvelles tiges autour de sa base et en étendant son réseau de racines. Au fur et à mesure qu'il croît vers l'extérieur, les branches de son centre meurent et le buisson prend une forme annulaire. S'il ne rencontre aucun obstacle il continue son expansion et peut former un anneau de 25 mètres de diamètre. Les rameaux qui constituent le buisson ne sont pas très anciens, mais le végétal lui-même peut être installé sur le site depuis 10 000 ou 12 000 ans. C'est d'ailleurs le buisson-créosote qui détient le record de longévité de tous les organismes vivants de la planète.

D'autres espèces végétales vivant dans le désert ont adopté une stratégie différente pour se procurer de l'eau : elles n'absorbent pas de petites quantités régulières, mais préfèrent stocker un volume maximal d'eau lors des déluges qui s'abattent occasionnellement. Les cactus sont passés maîtres dans cet art. Il en existe 2 000 espèces différentes et toutes les espèces terrestres ne poussent à l'état naturel que sur le continent américain. Le saguaro est l'un des plus grands. Il peut atteindre 15 mètres de haut et former une colonne lisse, ou porter plusieurs ramifications verticales, semblables à des doigts pointés vers le ciel. Il est strié de rainures profondes qui courent le long du tronc, telles un plissé. Lorsque s'abat une averse, le saguaro aspire l'eau de pluie sur le sol détrempé et, ce faisant, ouvre ses plis et augmente considérablement sa circonférence. En un jour, un grand saguaro peut absorber jusqu'à une tonne d'eau. Encore faut-il arriver à la retenir.

L'ennemi numéro un, c'est l'évaporation. Les stomates des feuilles laissent inévitablement échapper de la vapeur d'eau ; c'est pourquoi les plantes du désert, soumises à la sécheresse et à la chaleur torride, possèdent des feuilles minuscules portant peu de stomates, à l'image des plantes arctiques dans leur protection contre le gel. Le saguaro, ainsi que d'autres cactus, a franchi un stade supplémentaire de l'évolution en changeant ses feuilles en épines. Les stomates se sont alors développés sur le tronc gonflé, qui s'est chargé de chlorophylle assurant la photosynthèse à ce niveau. Les épines, outre leur rôle de protection contre les mammifères herbivores, d'ailleurs peu nombreux, brisent les courants d'air ; le saguaro est ainsi en permanence environné d'air immobile. Les stomates sont d'autant mieux protégés des courants d'air qu'ils sont placés au fond des cannelures du tronc, un peu comme dans les aiguilles de pin. Enfin les cactus ont développé un processus chimique original qui leur permet de transpirer en échangeant du gaz carbonique pour de l'oxygène pendant la nuit, quand il fait plus frais. Par ailleurs les stomates restent clos pendant la majeure partie de la journée. Grâce à tous ces dispositifs, le saguaro est en mesure de réduire au minimum les pertes par évaporation et parvient ainsi à stocker, pendant des années, un impressionnant volume d'eau qu'il utilise régulièrement pour renouveler ses tissus jusqu'au prochain orage ; il pourra alors reconstituer ses immenses réserves.

Le voyageur assoiffé qui parcourt le pays où pousse le saguaro peut être tenté d'étancher sa soif en utilisant ces réserves d'eau. Il aurait tort de s'y risquer, car la sève du saguaro contient un poison violent qui le tuerait. Ce n'est heureusement pas le cas de toutes les plantes qui stockent l'eau de la même façon et que les aborigènes d'Australie, comme les Boschimans du Kalahari, utilisent en période de sécheresse. Ces peuplades du désert sont de véritables experts-botanistes.

Les aborigènes qui parcourent les rouges déserts d'Australie à la recherche d'un point d'eau progressent avec une agilité et une sûreté étonnantes. Ils semblent pouvoir déceler le moindre détail du paysage d'un seul regard : une trace dans le sable, à demi effacée, la forme d'un rocher, le dessin d'une feuille. Lorsqu'ils atteignent la plante recherchée, apparemment identique à beaucoup d'autres, ils s'agenouillent et creusent le sol à son pied à l'aide d'une baguette pour dégager une racine sphérique, grosse comme un ballon. Ils la détaillent en morceaux, qu'ils pressent entre leurs mains pour en extraire le liquide. Cette plante a pu sauver bien des vies.

Les Boschimans du Kalahari, dans le sud-ouest africain, connaissent aussi les vertus des plantes. Il existe sur leurs territoires de nombreuses espèces de plantes à réserve d'eau, mais toutes ne procurent pas une boisson aussi agréable. Le liquide extrait

des racines est parfois si amer que les Boschimans eux-mêmes renoncent à le boire et l'utilisent uniquement pour se rafraîchir et s'humidifier le visage et le corps. Ils semblent être les seuls êtres humains à avoir réalisé l'adaptation physiologique à la vie dans le désert. En effet, tous les êtres stockent des réserves alimentaires sous forme de graisse. Mais, dans le désert, la couche de graisse abdominale et les bourrelets constituent un handicap car ils ne permettent pas au corps d'éliminer sa chaleur à travers la peau et le marcheur, dont les mouvements musculaires produisent de la chaleur, ne parvient plus à se rafraîchir. Les Boschimans, surtout les femmes, pallient cet inconvénient en stockant leur graisse dans la région fessière d'où leur énorme postérieur, qui contraste avec le reste de leur corps, long et décharné. Leur silhouette peut sembler pour le moins étrange ; en fait, elle devrait plutôt faire envie au voyageur d'une autre race, bien gras et suant, qui serait venu s'aventurer dans le désert des Boschimans.

Le problème de la lutte contre la chaleur et la rétention d'eau concerne toutes les espèces vivant dans les régions désertiques. Mais tous les déserts ne sont pas uniformes et certaines zones présentent des caractéristiques qui leur sont propres.

La Namibie, située au nord du Kalahari, bénéficie d'une source d'humidité peu commune dans les régions désertiques, car elle borde la côte. Plusieurs nuits par an, la brume maritime qui envahit les terres se condense en gouttelettes en passant au-dessus du désert. Elle assure ainsi la survie de nombreuses espèces peuplant le désert de Namibie. Ces soirs de brume, des insectes nocturnes aux longues pattes noires s'alignent sur les crêtes des dunes, face à la mer, la tête en bas. Le brouillard dépose sur leurs corps des gouttes d'humidité ; ils lèvent alors leurs pattes et l'eau s'égoutte le long de leur abdomen jusqu'à leur bouche.

La brume fournit aussi l'humidité nécessaire au développement de l'une des rares plantes de Namibie, et certainement la plus extraordinaire : le Welwitschia. Ce végétal possède une grosse racine boursouflée, semblable à un navet géant. Celle des individus centenaires peut atteindre un mètre de diamètre à la base et s'enraciner à plusieurs mètres sous terre. A son extrémité, crevassée et tourmentée, poussent deux énormes feuilles, les seules de la plante, qui s'enrubannent. A leur base, sur l'extrémité de la racine, elles sont vertes, larges et lisses et s'enroulent en copeaux géants et rainurés, avant de retomber en serpentins vrillés. Les extrémités, effilochées et flétries, ont été rabotées sur le sol caillouteux par le vent. Sans cette abrasion, les feuilles de l'étonnant végétal seraient les plus longues du monde ; elles poussent certes lentement, mais la plante peut être plus que centenaire.

Si elles ne subissaient pas une telle usure, les feuilles du Welwitschia devraient théoriquement mesurer quelques centaines de mètres de long. A première vue, leur longueur est anormale, car la plupart des plantes du désert portent de petites feuilles afin de réduire les pertes en eau. Pourtant, loin d'en perdre, celles de ce végétal en absorbent, car elles sont parcourues longitudinalement, sous la surface vernissée, par des faisceaux de fibres ténues ayant un pouvoir absorbant très développé. Lorsque la rosée se dépose, les molécules d'eau sont absorbées dans un premier temps par la cuticule, avant d'être entraînées par les fibres au cœur de la feuille. D'autres gouttes de rosée s'écoulent le long de la feuille en lambeaux, puis sont "bues" par les racines.

Dans certaines régions désertiques, la fréquence des pluies diluviennes est suffisamment élevée chaque année pour permettre le développement de communautés animales dont la vie active est rythmée par l'eau à disposition. Pendant la majeure partie de l'année, et parfois pendant plusieurs années consécutives, ces animaux se terrent et vivent dans l'inertie la plus totale. Personne ne pourrait alors soupçonner que le désert abrite une vie aussi riche.

Les premières gouttes de pluie raniment cette vie en sommeil. Des bouquets de plantes flétries, aux feuilles noircies tombant en poussière et aux graines desséchées et cassantes, reprennent vie tout à coup et, pleins d'une nouvelle vigueur, ouvrent les cosses brunes de leurs fruits et en libèrent les graines. D'autres projettent leurs graines en l'air à plusieurs mètres. Mais cette explosion de vie est trompeuse, car les phénomènes observés sont purement mécaniques ; en effet, l'eau de pluie n'est pas uniformément absorbée par tous les tissus morts et des tensions apparaissent, tordant certains de ces tissus et en forçant d'autres à libérer leurs graines en une succession de mini-explosions. C'est alors au tour des graines, répandues sur le sol, de se développer. L'eau absorbée par les graines fait pousser dru les poils qui les recouvrent, ce qui les dresse verticalement ; dans cette position, la première de leurs radicelles s'enracinera directement dans la terre.

Ce développement accéléré n'est pas sans danger. Si ces premières gouttes de pluie ne constituent qu'une averse isolée ou une promesse, non tenue, des déluges tant attendus, les graines en germination succomberont à la sécheresse. Très astucieusement, certaines espèces ont paré à cette éventualité. Les cosses de leurs graines contiennent une substance inhibitrice qui stoppe le processus germinatif. Seule une pluie abondante et durable, capable d'imbiber la terre, dissoudra cette substance et permettra la germination.

Au fur et à mesure que la pluie imprègne le sol et que les graines commencent à germer, la terre même se met à vivre. La surface du sol se craquelle et de petits crapauds s'en extraient. Ce sont des pélobates qui, depuis une dizaine de mois, vivent sous un mètre de terre. La pluie, qui a lavé à grande eau le sol du désert, s'est accumulée en flaques profondes, dans lesquelles les crapauds mâles s'empressent de plonger. Une fois dans l'eau, ils commencent à chanter. En quelques heures, les femelles, attirées par leurs chants pressants, les rejoignent et l'accouplement a lieu presque immédiatement.

Tous les processus s'accélèrent alors. Les retardataires ne survivent pas car si un crapaud ne trouve pas de mare de boue et ne s'accouple pas dès sa première nuit de sortie, il est condamné. Pondus et fécondés en l'espace de quelques heures seulement, les œufs se trouvent agglutinés dans les eaux tièdes. Les pélobates adultes se sont ainsi acquittés de leur devoir envers la prochaine génération. Désormais, ils ne se préoccupent plus ni de leur progéniture, ni de leurs congénères et se consacrent exclusivement à leur alimentation ; ils se gavent le plus vite possible en prévision des longs mois de privations qui les attendent.

▲ *Coléoptère collectant des gouttes d'humidité, désert de Namibie*   *Welwitschia, désert de Namibie* ▶

Entre-temps, les œufs se développent à une vitesse extraordinaire. Le lendemain de la ponte, les mares grouillent de têtards. Ce ne sont d'ailleurs pas les seuls occupants de ces eaux tièdes et boueuses. De petites crevettes, minuscules crustacés longs de quelques millimètres, y nagent en bancs. Elles ont éclos d'œufs qui ont pu parcourir des centaines de kilomètres portés par les vents de sable, depuis le lieu où ils ont été pondus il y a une cinquantaine d'années ou plus. La poussière de sable a aussi entraîné avec elle des spores microscopiques qui, dans l'eau, sont devenues de longs filaments d'algues.

Les têtards se nourrissent avec frénésie. Les algues suffisent à assurer leur subsistance mais, étant donné la présence des crevettes, ils vont se différencier en deux catégories : les mangeurs de crevettes, qui développent une tête énorme et une bouche beaucoup plus large, et les mangeurs d'algues ; les têtards qui commencent à se nourrir de crevettes se mettent aussi à dévorer leurs congénères herbivores. Peu à peu, la mare s'assèche et se rétrécit, l'espace vital se restreint et l'oxygène diminue. Au fur et à mesure que l'eau est moins profonde, elle se réchauffe et l'oxygène qu'elle contient se raréfie, entraînant une privation supplémentaire pour les occupants de la mare.

Avec deux types de têtards cohabitant dans la même flaque de boue, les crapauds pélobates ont paré à toute éventualité. S'il tombe une seconde averse, le niveau de la mare s'élève et la cadence folle du développement des têtards peut alors se ralentir. La nouvelle chute de pluie remue la vase de la mare dont les eaux deviennent opaques et boueuses. Les têtards carnivores ont de la peine à voir leurs proies, donc à assurer leur subsistance. Par contre, les têtards herbivores continuent à se nourrir d'algues et à grossir, comme si de rien n'était. Ils finissent par se transformer en petits crapauds et, avec un peu de chance, parviennent à quitter la mare en nombre.

En revanche, si la pluie n'arrive pas, il devient urgent pour une partie des têtards d'achever leur croissance au plus vite. Dans la fange de la mare à moitié asséchée, les têtards cannibales dévorent leurs congénères dans une lutte fratricide pour la possession de l'endroit le plus profond de la flaque. Très rapidement, les têtards rejetés sur les bords se retrouvent à sec et le soleil ne tarde pas à les griller. Le centre de la mare n'est plus que boue liquide, où grandissent les têtards carnivores les plus agressifs. Les plus chanceux d'entre eux développeront des pattes et pourront sauter hors de la mare et chercher, dans le désert, quelque crevasse ou anfractuosité dans laquelle s'abriter de la chaleur croissante. La plupart seront victimes des lézards et des oiseaux du désert. De leur côté, les crapauds déjà adultes se mettront à creuser leur trou en s'aidant de leurs pattes postérieures. Dès qu'ils sont enterrés, la couche supérieure de leur peau se durcit et forme une sorte de carapace imperméable et complètement isolante, à l'exception de deux orifices ménagés au niveau des narines pour permettre la respiration.

Aucune crevette ne survit à l'assèchement progressif de la flaque, mais le vent se charge d'en disperser les œufs qui écloront à la prochaine pluie. Bien des têtards n'ont, eux aussi, pas le temps d'achever leur croissance avant que la sécheresse ne s'installe. Leurs corps agglutinés finissent par former une masse informe que le soleil fige, puis ratatine. Leur décomposition produit une substance qui, imprégnant le sable du fond de la mare asséchée, servira d'engrais organique et accélérera le développement de la prochaine génération d'algues.

Avant que les bienfaits du dernier orage ne soient complètement effacés, les graines qui ont commencé à germer à la première pluie ont poussé très rapidement et sont maintenant en fleurs. Le désert tout entier se pare d'une palette de couleurs éclatantes. Bleues, jaunes, roses et blanches, les fleurs émaillent de vastes prairies éphémères et les déserts du centre de l'Australie, du Namib, de Namaqualand, de l'Arizona et du Nouveau-Mexique resplendissent de taches de couleurs vives. Dès que l'humidité est absorbée, les plantes se flétrissent et meurent, abandonnant de nouveau la place au sable.

On se représente généralement le désert comme une mer de sable aux dunes innombrables. C'est oublier une grande partie des paysages qui le composent : les vastes étendues cailouteuses et les chaînes de montagnes sculptées par le vent. Si les dunes représentent l'image la plus typique des régions désertiques de la planète, elles n'occupent en réalité qu'une surface réduite des déserts. Le sable dont elles sont formées est tout ce qu'il reste des anciens rochers après des milliers d'années d'alternance de journées torrides et de nuits glaciales. Soumis à des conditions aussi extrêmes, le granit le plus dur finit par se fendre et s'effriter. Sa lente désintégration restitue les composants minéraux qui le constituent. Chaque particule, à force d'être criblée par le vent contre les falaises et de subir l'abrasion du sol cailouteux, finit par s'arrondir et se recouvrir d'un joli rouge d'oxyde de fer. Le vent qui souffle sur le désert en rafales tourbillonnantes amasse les grains en énorme tas que l'on qualifie de dunes ; certaines mesurent 200 mètres de haut sur un kilomètre de long. Sous l'effet des vents changeants, ces montagnes de sable peuvent présenter une structure étoilée, avec une demi-douzaine de crêtes menant à un sommet central. Ces dunes sont pratiquement statiques durant des siècles et les noms qui leur sont attribués en font des points de repère utiles au voyageur égaré. En revanche, quand le vent du désert conserve pratiquement toujours la même orientation, les dunes deviennent mouvantes. Elles forment des crêtes semblables aux ondulations du plancher sous-marin et progressent lentement à travers le désert. Poussé par le vent, le sable remonte la pente douce de la dune jusqu'à la crête, puis redescend le long de la face la plus abrupte, en une succession de mini-avalanches qui font progresser la dune millimètre par millimètre au fil du temps.

Les dunes de sable posent plus d'un problème au développement des diverses formes de vie qui s'efforcent d'y subsister. En effet, il est extrêmement difficile de marcher sur une surface aussi brûlante et mouvante et c'est pourquoi certains animaux ont développé des pattes spécialement adaptées à ce type de terrain. Le gecko de Namibie possède par exemple des pattes palmées un peu comme celles d'une grenouille. Un autre porte autour de ses pattes une longue frange velue qui répartit le poids de son corps et lui permet de se mouvoir sur le sable sans trop s'enfoncer. Quand la surface est stable, on le voit lever alternativement ses pattes antérieures et postérieures, en rythme, dans un exercice de gymnastique d'un genre particulier ; pour

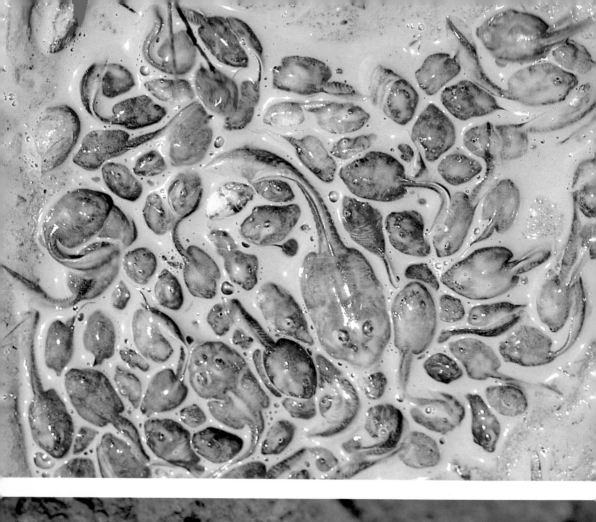

◀ *En haut : Têtards du crapaud pélobate*
◀ *En bas : Crapaud pélobate en train de s'enterrer*

Touaregs, Sahara central ▲

l'animal, il s'agit en fait de se rafraîchir les pattes et de permettre à l'air de circuler le long de son corps.

Après quelques heures d'ensoleillement, la surface des dunes est absolument brûlante, mais le sable est frais à quelques centimètres de profondeur seulement. La plupart des animaux ont remarqué ce phénomène et enfoncent leurs pattes dans le sable pour ne pas en sentir la brûlure.

La vie sous le sable est certes plus fraîche, mais elle pose d'autres problèmes. Les grains de sable sont si lisses et secs qu'ils ne peuvent s'agglomérer. Impossible donc d'y creuser une galerie comme dans le sol, car elle s'écroulerait aussitôt. Les animaux ont donc adopté une tactique adéquate : ils ne marchent plus, "ils nagent". La plupart des lézards qui "plongent" régulièrement poussent le sable avec leurs pattes ; néanmoins, la meilleure façon de nager dans le sable est encore de se tortiller. Ce mode de déplacement a d'ailleurs été adopté par les lézards de la famille des scinques. Leurs pattes, de taille très réduite, leur suffisent à se mouvoir en surface, mais ils les ramènent contre leur corps lorsqu'ils se déplacent dans le sable. Les quelques espèces qui vivent presque en permanence dans le sable sont même complètement dépourvues de pattes. Le scinque sans pattes de Namibie ne mesure qu'une dizaine de centimètres et ressemble à une minuscule anguille aux écailles souples. Ses yeux sont protégés des grains de sable par des écailles transparentes et son museau pointu l'aide dans sa progression. Ce scinque se nourrit d'insectes et de larves qu'il repère aux secousses produites dans le sable par leur déplacement. Il ne lui reste plus qu'à se jeter sur sa proie sans défense.

Le scinque apode est lui-même la proie d'un mammifère des sables, la taupe dorée. Son extrême discrétion en fait l'un des mammifères les moins connus au monde. Elle ne signale généralement sa présence que par une trace vagabonde imprimée dans le sable lors de ses sorties nocturnes, ou par une dépression marquant l'endroit de son enfouissement. Cette taupe fait preuve de tels talents de terrassier qu'elle est presque impossible à piéger, à moins qu'elle ne soit pas loin de la surface.

La taupe dorée a pratiquement la même taille que la taupe d'Europe et lui ressemble à plus d'un titre, même si leur parenté est assez lointaine. En réalité, leur ressemblance est due au fait qu'elles s'adonnent toutes les deux, sur leurs continents respectifs, à la même activité souterraine et qu'elles ont développé les mêmes adaptations à ce mode de vie. Le pelage de la taupe dorée varie d'une espèce à l'autre ; chez certaines, il est gris, parfois doré aux reflets argentés. L'animal n'a pas d'oreilles externes et ses yeux, recouverts de poils, n'ont aucune fonction. Son nez dépourvu de poils lui permet de se frayer un chemin dans le sable. Les os de ses articulations sont soudés à son corps et seules les pattes, pas complètement atrophiées, font saillie sur les flancs. La taupe monte parfois en surface chasser les insectes, mais sa proie favorite est le petit scinque sans pattes qu'elle traque en creusant frénétiquement la terre.

L'homme est rare dans ces déserts de sable où il ne peut trouver ni gibier, ni végétaux pour assurer sa subsistance. Mais certaines populations parcourent ces étendues désertiques. Les Touaregs, originaires du nord du Sahara, mènent leurs caravanes de chameaux à travers le désert, chargés de lingots de bronze, de gâteaux de dattes et de ballots de vêtements qu'ils transportent vers les anciennes cités marchandes de Tombouctou et de Mopti, sur le fleuve Niger, pour les échanger contre des pains de sel rectangulaires. Ils se protègent des rayons ultraviolets en s'enveloppant le corps dans des sortes de houppelandes et en enroulant une longue bande d'étoffe autour de leur tête.

Sans l'aide d'un animal — le chameau, au demeurant — les Touaregs ne réussiraient pas à traverser le désert. Les origines de cet animal sont mal connues. On trouve certes de petits groupes de chameaux sauvages dans les régions retirées des déserts d'Asie Centrale, mais il n'existe nulle part de traces de dromadaires, chameaux à bosse unique, vivant à l'état sauvage. Quoi qu'il en soit, il y a de fortes chances pour que l'animal sauvage, s'il existe, ressemble comme un frère à la bête de somme des Touaregs.

Les chameaux sont extraordinairement bien adaptés à la marche dans le désert. Lorsqu'ils progressent dans le sable, les deux seuls sabots de leurs pattes s'étalent, mais comme ils sont reliés par une membrane, l'animal ne s'enfonce pas. Pendant les violentes tempêtes de sable, ils se servent des muscles de leurs narines pour en fermer les orifices. Quant à leur corps, il est recouvert d'une laine épaisse et rugueuse, plus dense aux endroits exposés au soleil et plus clairsemée, voire inexistante, sur le reste du corps, ce qui permet au chameau d'éliminer plus facilement la chaleur excédentaire. Ces animaux broutent avec une étonnante facilité les plantes les plus épineuses. Comme chez la plupart des mammifères, leurs réserves sont stockées sous forme de graisse, mais elles ne sont pas réparties uniformément sur l'ensemble du corps, car elles empêcheraient l'animal d'être rafraîchi par le vent. Elles sont donc concentrées en un point précis : les bosses de son dos. Ces réserves lui permettent de survivre pendant des jours. Après une longue période de jeûne, elles pendent comme des baudruches dégonflées.

Outre ses bosses si caractéristiques, c'est essentiellement sa capacité de supporter, sans boire, les longues randonnées dans le désert qui a rendu le chameau célèbre. Comment cet animal peut-il se passer de boire ? Il a deux atouts non négligeables : le premier est le considérable volume d'eau qu'il est capable de stocker dans son estomac avant de se mettre en route ; le second est sa faculté de convertir une partie de sa graisse en liquide. C'est ainsi qu'il peut rester sans boire quatre fois plus longtemps qu'un âne et dix fois plus qu'un homme.

Pourtant, sans l'aide des hommes, les chameaux seraient incapables de "tenir" dans les dunes du Sahara. Si les Touaregs ne se chargeaient pas de tirer l'eau des puits et de la déverser dans les abreuvoirs, les animaux ne pourraient pas la puiser eux-mêmes, bien sûr, et la traversée du désert serait au-dessus de leurs forces.

Étapes essentielles des traversées sahariennes, les oasis sont alimentées en eau par des nappes souterraines. Les villageois qui utilisent cette eau pour arroser leurs jardins apportent la preuve éclatante que l'irrigation pourrait rendre fertile le désert tout entier. Sur des lopins minutieusement entretenus, ils réussissent à faire pousser des céréales et des pêchers. Les libellules patrouillent au-dessus des canaux

Le désert en fleurs, Australie centrale ▶

d'irrigation, tandis que les oiseaux gazouillent dans les palmiers-dattiers. Au loin pourtant, les dunes de sable étendent leur menace. Une violente tempête de sable, ou l'orientation fixe des vents pendant une saison suffiraient à balayer l'oasis et à la rayer de la carte. Telle est, à l'échelle réduite, l'histoire du Sahara depuis des millions d'années.

Les fresques mises à jour dans le désert du Tassili témoignent du caractère récent du changement climatique qui transforma ces contrées fertiles en déserts et donna naissance au Sahara. Selon toute vraisemblance, les déserts de la planète se sont tous formés vers la même époque. La faune et la flore furent victimes de ce processus de désertification, et peu d'espèces survécurent.

Certaines réussirent néanmoins à demeurer sur leurs territoires ancestraux en modifiant leur comportement. Habitués à la vie facile des prairies et des savanes, loups, hyènes, gerboises et certains rats parvinrent à se maintenir en vie en limitant leurs activités aux heures fraîches de la nuit. D'autres espèces furent l'objet d'une évolution anatomique qui leur permit de mieux résister aux tortures de la chaleur et de la soif. Ils modifièrent certains processus physiologiques et les proportions de leurs corps changèrent. Certains individus perdirent l'usage de leurs membres, d'autres les développèrent différemment.

L'échelle temporelle de l'évolution est infiniment longue. C'est en millions d'années qu'elle se mesure. A cet égard, les animaux et les végétaux qui peuplent les déserts du globe ont fait preuve de facultés d'adaptation remarquables.

LE MONDE AÉRIEN

Le moindre suintement d'eau permanent qui surgit dans le désert est aussitôt colonisé par divers êtres vivants, apparemment venus de nulle part. Les grains de sable qui tapissent le lit de ce filet d'eau se voilent d'une pellicule d'algues vertes où barbotent de petites crevettes et d'autres crustacés. Des mousses et des plantes à fleurs poussent sur les bords et des moustiques virevoltent à la surface, poursuivis par le vol zigzaguant des libellules. Toute cette faune s'est fixée là sans l'aide de l'homme et même semble-t-il, sans le moindre effort. La seule condition nécessaire à l'expansion de ses représentants est leur poids infinitésimal, qui lui a permis de parcourir des centaines de kilomètres, portée par les ailes du vent. Le périple dure parfois des années.

Les espèces terrestres utilisent depuis près de 400 millions d'années ce moyen de transport universel : le vent. Bien avant que le premier animal ne quitte le milieu aquatique pour la terre ferme, les mousses avaient déjà commencé à coloniser la terre. Dès leur émergence, elles se servirent du vent pour s'implanter dans de nouveaux sites. Leur descendance actuelle procède, aujourd'hui encore, de la même manière.

Les spores des mousses sont enfermées dans de petites capsules situées à l'extrémité de leurs tiges. Arrivées à maturité, ces capsules sèchent et font sauter l'opercule qui les coiffe, révélant des dentelures qui couvrent leur ''bouche''. Si la chaleur persiste, les dentelures se dessèchent et s'écartent pour permettre à la capsule de s'ouvrir et aux spores, libérées, d'être transportées par le vent. En revanche, si l'humidité s'installe, les spores restent prisonnières : les petites dentelures absorbent l'humidité ambiante, ce qui les fait se redresser et clore la capsule pour empêcher l'envol des spores. Imbibées d'eau, celles-ci ne pourraient en effet pas être transportées très loin.

Le nombre de spores qui produisent les mousses est considérable, mais il demeure réduit comparé aux quantités astronomiques que libèrent les champignons. Un champignon des prés arrivé à maturité laisse échapper de ses lamelles 100 millions de spores à l'heure et peut en avoir produit 16 000 millions avant de se décomposer. Une vesse de loup géante ou lycoperdon dépasse même ce chiffre. Selon un botaniste, un spécimen moyen de 30 cm de diamètre peut atteindre une production de 7 billions de spores. Dès qu'il reçoit le moindre choc ou que le vent l'effleure, il les projette en l'air, milliard par milliard.

Les plantes ordinaires ne sont pas les seules à exploiter les pouvoirs du vent. D'autres organismes plus complexes et plus sophistiqués font de même. Les orchidées, par exemple. En une floraison, elles peuvent produire jusqu'à 3 millions de graines. Aussi

◀ *Emission de spores d'une vesse de loup*

Bourdon en vol ▲

fines que de la poussière, celles-ci ne peuvent pas emporter de réserves alimentaires, comme le font les graine , vrais embryons déjà, d'autres plantes. Pour se développer, les graines de l'orchidée doivent absolument être déposées par le vent sur un champignon semblable à ceux qui entourent les racines de certains arbres, et qui leur assurera un apport nutritif pendant les premiers stades de leur croissance.

Les plantes de plus grande taille procurent généralement des réserves alimentaires à chacune de leurs graines. Le poids de la graine s'en trouve accru et le vent ne pourrait les emporter dans les airs si elles ne possédaient un dispositif augmentant leur surface portante. Le chardon, le jonc des marais et le saule équipent leurs graines de minuscules touffes de duvet. Le pissenlit tisse un parachute filamenteux pour chacune de ses graines, lesquelles sont ainsi en mesure de parcourir aisément 10 km à partir de la plante mère, voire davantage, en vol plané.

C'est ainsi que l'air entourant la planète est chargé de micro-particules organiques, parfois invisibles, qui renferment les germes de la vie. Certaines ne germeront jamais. Elles seront mangées par des insectes, pourriront sur un sol stérile, ou encore voyageront si longtemps qu'elles se désintégreront. Mais un ou deux individus sur des millions parviendront à survivre et donneront naissance à une plante verte ou à un champignon dès qu'ils trouveront un endroit adéquat : une feuille morte ou une parcelle de terre inculte, un filet d'eau suintant sur un rocher ou une flaque en plein désert. On trouve des mousses dans les oasis sahariennes comme dans les îles volcaniques perdues au milieu des océans antarctiques. Des graines de kapok germent dans les forêts d'Amérique du Sud et des épilobes en fleurs couvrent déjà les champs de cendre du mont St-Helen.

Quelques espèces animales sont de taille assez réduite pour adopter la même méthode. Les minuscules crevettes des bourbiers du désert sont issues de poussières d'œufs soufflées par le vent qui transporte aussi, sur des kilomètres et bon gré, mal gré, moustiques, pucerons et autres petits petits insectes volants. Les jeunes araignées prennent leur envol volontairement. Dès leur sortie du cocon, elles escaladent un brin d'herbe ou un caillou, se tournent face au vent et soulèvent leur abdomen. Les filières situées à l'extrémité de leurs corps sécrètent alors un fil de soie, que la brise la plus légère déroule ; plus le fil est long, plus le vent a prise sur lui. Les jeunes araignées résistent à la traction initiale en s'agrippant fermement, puis se laissent aller et décollent. Certaines, pendues au bout de leur fil, atterrissent sur des bateaux en plein milieu de l'océan, à des centaines de kilomètres des terres, d'autres sur des sommets enneigés, à plusieurs milliers de mètres d'altitude. Lorsque le vent les dépose finalement à terre, elles détachent leur fil et s'installent sur leur nouveau territoire. A certaines époques de l'année, quand le temps s'y prête, ces araignées peuvent atterir en masse, sur une surface réduite, déposées par le vent tourbillonnant. Leurs fils abandonnés s'entrelacent et forment le tissage mystérieux, appelé autrefois "fils de la vierge".

D'autres insectes, à peine plus gros, utilisent aussi les voies aériennes, mais déploient leur propre énergie. Les thrips sont de minuscules insectes suceurs de sève qui vivent sur les fleurs, les feuilles et les bourgeons. Pour se déplacer d'une plante à l'autre, les thrips volent ; mais leur taille et leur poids réduits, ainsi que leurs muscles microscopiques les empêchent de battre facilement des ailes. Celles-ci se réduisent d'ailleurs à de simples bâtonnets duveteux. Un battement descendant augmente la pression de l'air qui porte le thrips et diminue la pression de l'air au-dessus de lui. Il est alors aspiré vers le haut et décolle, semblable à un flocon duveteux de chardon.

La création de haute pression sous l'aile et de basse pression au-dessus provoque un mouvement ascendant, l'une des forces qui permet au thrips de voler. Le bourdon, plusieurs fois plus lourd et plus vigoureux qu'un thrips, possède de larges ailes qui lui assurent une portance suffisante. Son thorax est essentiellement constitué de muscles, sans lesquels il ne pourrait mouvoir ses lourdes structures voilières. L'échauffement est nécessaire pour que les muscles fonctionnent à plein rendement et fournissent l'énergie nécessaire au décollage du bourdon. Celui-ci, comme tous les insectes, ne maintient pas son corps à une température constante, contrairement à ce que font les mammifères et les oiseaux. Il tire normalement sa chaleur du soleil. Les jours où la température avoisine 0° C, le bourdon parvient à voler en agitant frénétiquement ses ailes avant l'envol pour produire de la chaleur et échauffer ses muscles. Il peut même se passer de battre des ailes et mettre en marche son moteur interne tant que la température de ses muscles n'a pas atteint celle du sang humain. Le bourdon, pour qui la chaleur est si précieuse, possède, à l'instar de tant d'autres insectes, un corps velu qui lui évite toute déperdition de chaleur excessive. Pour assurer leur isolation thermique, les libellules utilisent les poches d'air situées dans les parois de leur thorax. Disposant de moteurs si puissants, les insectes sont passés maîtres dans l'art de l'aéronautique. Une abeille peut ainsi effectuer 15 000 battements d'ailes en une minute, et une libellule vole à plus de 30 km à l'heure.

Les insectes ont été rejoints dans les airs par deux autres types d'animaux. Il y a 140 millions d'années environ, certains reptiles ont acquis la faculté de voler. Plus tard, il y a environ 60 millions d'années, quelques mammifères insectivores donnèrent naissance aux chauves-souris. L'évolution des oiseaux s'est faite comme celle des chauves-souris : par la transformation de leurs membres antérieurs. La chauve-souris porte une membrane élastique tendue entre quatre phalanges démesurément longues ; le pouce, qui est libre, lui sert à la fois de crampon et d'ergot pour s'accrocher à son perchoir. Quant à l'oiseau, il n'a gardé en fait qu'un seul doigt, devenu trop long, robuste et bordé de plumes empennées. Il a aussi conservé de ses ancêtres un semblant de pouce, une sorte de petite excroissance emplumée située à la frange de ses ailes.

Les chauves-souris, accrochées à leur perchoir la tête en bas, n'ont aucune peine à se lancer dans les airs ; il leur suffit de lâcher prise et de se laisser aller. Certaines espèces de chauves-souris frugivores effectuent un ou deux battements d'ailes pour placer leur corps en position de vol, mais cet exercice requiert peu d'efforts. Pour les oiseaux, à la fois coureurs et voiliers, l'effort est en revanche plus grand ; il leur faut en effet surmonter la loi de la pesanteur et prendre leur envol ''départ arrêté''. L'énergie motrice est fournie par les puissants faisceaux de muscles qui relient l'articulation de l'aile au bréchet. L'énergie nécessaire à l'activité musculaire est fournie

généreusement par un cœur énorme, d'une taille exceptionnelle : le cœur d'un moineau est deux fois plus gros que celui d'une souris. Le corps de l'oiseau est enveloppé dans le meilleur isolant qui soit, la plume, qui maintient une température constante, de plusieurs degrés supérieure à celle du corps humain ; le "moteur" peut ainsi entrer en action dès qu'il est sollicité. Grâce à l'énergie qui alimente le mouvement des ailes, il suffit généralement à la plupart des oiseaux d'une flexion de leurs pattes pour se lancer dans les airs sans la moindre difficulté.

Plus un oiseau est lourd, plus ses ailes doivent être assez puissantes pour pouvoir le porter dans les airs, d'où un effort musculaire accru et soutenu au moment du décollage qui demande de vigoureux et rapides battements d'aile. Il existe cependant un autre moyen de produire un mouvement ascendant. Si la surface supérieure de l'aile possède une courbure adéquate, les courants d'air qui l'environnent engendrent la différence de pression nécessaire, haute en-dessous, basse au-dessus de l'aile. Ces courants sont créés soit par le déplacement du vent sur l'aile, soit par des battements d'ailes rapides. La solution idéale est de combiner ces deux facteurs en volant au vent.

De tous les oiseaux, l'albatros hurleur est celui qui a la plus grande envergure : 3,50 mètres. Impossible pour lui de battre rapidement des ailes. Pour prendre son envol, il doit donc utiliser au maximum la seconde méthode qui lui fournira la force ascensionnelle indispensable. L'albatros niche fréquemment sur les parois de falaises abruptes et n'a qu'à se jeter dans le vide pour s'envoler. Mais certaines espèces vivent en colonies sur des îles océaniques plates et surpeuplées. Malgré la densité de leur population, elles ménagent une bande de terre dégagée le long de la colonie, voire en plein milieu : véritable piste de décollage orientée en fonction du vent dominant. Les oiseaux font la queue en bout de piste, nez au vent, comme des avions en attente sur un aéroport surchargé. Lorsque vient leur tour, ils se mettent à courir le plus vite possible, piétinant le sol de leurs larges pattes palmées ; penchés en avant, ils battent frénétiquement l'air de leurs grandes ailes. Au terme de leurs efforts, ils s'envolent enfin, à condition que le vent balaie la surface de leurs ailes déployées ; sous l'effet de la force ascensionnelle, ils vont planer avec une grâce infinie au-dessus des flots. En revanche, si le vent tombe, ils ont le plus grand mal à quitter le sol.

L'albatros sait utiliser le vent pour voler le plus "économiquement "possible à la surface de l'océan. Les courants d'air étant freinés par les vagues, l'albatros choisit donc de voler un peu plus haut, à quelque 20 m d'altitude, pour profiter des vents forts. Lorsqu'il perd progressivement de l'altitude, il se laisse glisser dans les courants et rentre dans le vent ; là, il utilise la vitesse acquise pour se faire hisser par la force ascensionnelle dans les courants d'air rapides et regagner ainsi de l'altitude. Ses ailes longues et étroites et si difficiles à agiter lors du décollage prouvent ici leur efficacité. L'oiseau peut prolonger son vol plané pendant des heures sans un seul coup d'aile. Plusieurs espèces d'albatros peuplent les mers froides et tumultueuses des régions antarctiques, où les vents sont perpétuellement orientés à l'est.

Les albatros se laissent porter par ces courants d'air et planent tout autour du globe, ne descendant en piqué que pour pêcher le poisson ou l'encornet. Année après année, ils mènent ainsi une vie vagabonde, jusqu'à l'âge de sept ans, quand ils atteignent leur maturité sexuelle. Ils atterrissent alors sur l'un des îlots qui parsèment leur route et, durant des semaines, passent l'essentiel de leur temps sur la terre ferme. Ouvrant les ailes et claquant du bec, les albatros exécutent des danses nuptiales, puis s'accouplent et élèvent leur unique poussin avant de s'élancer pour un nouveau vol autour du monde.

Les vautours d'Afrique, eux aussi planeurs accomplis, ne bénéficient pas de vents aussi stables et favorables, susceptibles de les assister dans leur vol. Ils utilisent donc une autre forme de courants aériens. La surface de la terre ne réagit pas de façon uniforme à la chaleur du rayonnement solaire. Les étendues d'eau et de végétation absorbent la chaleur ; l'air qui les environne garde une certaine fraîcheur. En revanche, la moindre parcelle de roche ou de terre nue réfléchit la chaleur et il se forme, à sa surface, une colonne d'air chaud ascendant. Tous les matins, perchés sur les arbres épineux où ils ont passé la nuit, les vautours attendent que le soleil se lève et réchauffe la terre. Dès qu'un courant ascendant commence à se former, ils volent lourdement jusqu'à sa base, sans chercher à prendre de l'altitude ; une fois arrivés au niveau de la colonne d'air ascendant, ils se laissent soulever et en quelque sorte aspirer. Leurs ailes sont courtes mais larges, contrairement à celles des albatros. Leur profil permet aux vautours de virer court et de s'élever en spirale sans quitter l'étroite colonne d'air chaud ascendant.

Une fois au sommet de l'ascendance thermique, à quelques centaines de mètres au-dessus de la savane, ils planent sans effort, décrivant des cercles concentriques et scrutant la plaine à la recherche d'une proie morte, blessée ou malade. Il leur arrive bien sûr de changer de courant thermique et de planer sur une dizaine de kilomètres avant de se laisser aspirer à nouveau et de reprendre un autre poste d'observation. Ils peuvent ainsi parcourir 100 km par jour, survolant les savanes en quête de nourriture. Lorsqu'ils aperçoivent une proie, ils fondent sur elle en piqué et atterrissent en freinant leur chute à l'aide de leurs ailes et de leur queue. Après s'être disputé leur proie à coups de bec, ils se repaissent de charogne jusqu'à en être gavés ; alors, alourdis par leur festin, ils s'abattent sur l'arbre le plus proche pour y digérer avant de reprendre le chemin des airs.

Peu d'oiseaux sont à même d'utiliser les courants d'air pour se déplacer comme les albatros et les vautours. La plupart adoptent le vol ramé, qui fait intervenir la partie antérieure de leurs ailes. Leur queue est formée de plumes en éventail orientables à volonté, donc utiles pour se diriger dans les airs. Ce système est si efficace qu'il a permis aux oiseaux de devenir les plus gros des animaux volants. Le condor des Andes pèse jusqu'à 11 kg.

Les déplacements dans l'espace aérien exigent un équipement de navigation de haute précision pour éviter les obstacles, capturer des proies au vol et surtout apprécier les distances garantissant un atterrissage sans risques.

La plupart des oiseaux sont des espèces diurnes pour lesquelles la vue est capitale. En fait, les oiseaux ont les yeux les plus perçants de tout le règne animal. L'œil du faucon, est par exemple, plus gros que l'œil humain, malgré la différence de corpulence, et sa perception des détails à distance est huit fois supérieure à la nôtre. Les

chouettes, qui au contraire chassent de nuit, ont sacrifié l'acuité visuelle à la sensibilité aux faibles éclairages. Leurs yeux immenses paraissent encore plus grands qu'ils ne sont en réalité, mais seul le centre de la cornée est exposé, le reste de l'œil étant recouvert de peau. La surface qu'ils occupent sur le crâne du hibou ne laisse pratiquement pas de place aux muscles oculaires et les yeux sont fixes au fond de leurs orbites. Lorsqu'une chouette veut regarder de côté, elle doit tourner la tête, aidée en cela par un cou particulièrement mobile. Les grandes dimensions de la cornée et du cristallin permettent à la chouette de capter un maximum de lumière et de posséder une sensibilité visuelle dix fois supérieure à celle de l'homme dans l'obscurité presque complète.

Les chouettes ont néanmoins besoin d'un minimum de lumière, car aucun œil, si perçant soit-il, n'est capable de fonctionner dans l'obscurité totale. Deux espèces d'oiseaux ont résolu le problème en mettant au point des techniques de repérage originales. Toutes deux vivent dans des cavernes. C'est le cas du guacharo, oiseau apparenté aux engoulevents, dont la plus célèbre colonie se trouve à Caripe, au Vénézuéla. A une centaine de mètres de l'entrée, la caverne décrit un coude et se trouve plongée dans la nuit noire, coupée de toute lumière extérieure. A l'aide d'une torche électrique, le promeneur peut découvrir les guacharos perchés dans les anfractuosités des parois, entre les draperies et les piliers des stalactites. Ils ont la taille d'un pigeon et leurs yeux rougeoient dans le faisceau lumineux. Leurs nids sont de piètres amas de nourriture régurgitée et d'excréments. Sur le sol rocheux, des graines de fruits abandonnés ont germé au pied des parois. Elles poussent en hautes touffes, pâles et effilées.

La lumière d'une torche provoque généralement l'envol des guacharos. Ils tournoient en poussant des cris stridents que répercutent les parois de la caverne. Le retour de l'obscurité marque la fin de l'alerte et le vacarme cesse. Les guacharos n'en continuent pas moins à voler ; le bruissement de leurs ailes est accompagné de cliquètements, signaux qu'ils émettent pour se déplacer. Ils se repèrent d'après l'écho renvoyé par les parois et les stalactites, ainsi que d'après les autres guacharos en vol. La fréquence de ces cliquètements s'intensifie à l'approche d'un obstacle. Si, grâce à cette technique, les guacharos sont capables de détecter des objets aussi gros qu'eux, ils ne perçoivent toutefois pas les obstacles plus petits. En fait, il leur suffit de trouver le chemin de la sortie : une fois dehors, l'extrême sensibilité de leurs yeux immenses leur permet de cueillir, malgré la faible clarté nocturne, les fruits de la forêt dont ils ont l'habitude de se nourrir.

Les salanganes qui vivent dans les cavernes du sud-est asiatique utilisent la même technique d'''écholocation''. Nullement apparentés au guacharo, mais proches des martinets, ils émettent les mêmes séquences de cliquètement, beaucoup plus aigus, ce qui leur permet de détecter des objets plus petits.

Ce mode de localisation, pour complexe et perfectionné qu'il soit, n'est rien en comparaison de la technique de pointe utilisée par les chauves-souris, qui volent de nuit. Les sons qu'elles émettent ne peuvent pas être perçus par l'oreille humaine. Seuls les petits couics qu'elles poussent les nuits d'été sont audibles. La plupart des signaux utilisés par les chauves-souris sont beaucoup plus aigus, faisant partie du domaine des ultrasons. Émis en séquences ultra-rapides, de l'ordre de 200 à la seconde, ils permettent à la chauve-souris non seulement de s'orienter, mais également de détecter le moindre insecte volant.

La maîtrise de l'air est d'une valeur inappréciable pour tous ceux qui l'ont acquise. Les chauves-souris sont ainsi capables de voler sans fatigue sur de longues distances pour aller puiser chaque nuit à la source de diverses nourritures. Elles peuvent happer des insectes en vol, planer à la hauteur des fleurs pour en aspirer le nectar ; quelques-unes réussissent même à pêcher le poisson à la surface des eaux. Mais en dépit de leurs performances, les chauves-souris n'ont pas atteint le stade de perfection des oiseaux. Le gypaète barbu, parent des vautours, détache les gros os d'une charogne dilacérée et les emporte dans son bec à haute altitude ; il les laisse alors tomber sur un rocher afin de prélever parmi les éclats, la moelle dont il est friand. Les rapaces de petite taille, tels que le faucon crécerelle et l'épervier, sont capables de mouvoir leurs ailes, largement déployées, de manière à voler sur place, dans le vent, tout en scrutant du haut du ciel le moindre mouvement qui trahirait, par exemple, la présence d'une souris ou d'un lézard. Le plus rapide de tous les rapaces chasseurs d'oiseaux, le faucon pèlerin, patrouille en altitude. Lorsqu'il a pris pour cible un petit oiseau, il fond sur lui les ailes collées au corps pour offrir le moins de résistance possible à l'air. Sa vitesse en piqué peut atteindre 130 km/h et plus. Il tue sa proie d'un coup de bec foudroyant à la base du cou, sans toucher terre. Sa vitesse et sa puissance sont telles que, en cas de fausse manœuvre, proie et prédateur ont toutes les chances d'être pulvérisés.

Certains oiseaux sont de véritables acrobates et semblent s'adonner à ce sport pour le plaisir. Les corbeaux virevoltent au vent, apparemment par jeu. D'autres espèces étalent leurs talents d'acrobates lors de leur parade amoureuse. Le chevalier aboyeur s'élève à 600 mètres et pique soudain en vrille, du haut du ciel, sans cesser de chanter à tue-tête. Certains oiseaux, comme les vanneaux et les bécassines, portent des plumes spéciales qui vibrent pendant leur piqué et émettent des sons lors des amours. Les pygargues à tête blanche et les milans sillonnent les airs au cours de leur parade amoureuse. L'un des oiseaux se retourne ensuite sur le dos et le couple s'enlace dans le ciel, en plein numéro d'acrobatie.

Le principal avantage du vol réside avant tout dans la possibilité de parcourir de longues distances sans rencontrer les obstacles qui entravent le déplacement des animaux terrestres. Les oiseaux peuvent en effet effectuer des vols intercontinentaux pour fuir les rigueurs hivernales ou pour participer à des festins saisonniers de fruits ou d'insectes. L'homme n'est pas encore en mesure d'expliquer certains des mécanismes des migrations. On peut supposer que ce processus met en œuvre l'orientation grâce aux astres, grâce à la configuration des terres survolées et grâce au champ magnétique terrestre. La migration des chauves-souris est notamment l'une des plus complexes.

A l'automne, lorsque les essaims d'insectes s'envolent avec l'été et que le froid gagne leurs petits corps, les chauves-souris partent à la recherche de cavernes où hiberner.

◀ *Gypaète barbu*   *Guacharos* ▲

Les critères de sélection sont très rigoureux. L'endroit doit être sec, la température supportable et constante. Le nombre de sites appropriés est restreint. De nombreuses espèces de chauves-souris qui se sont répandues pendant l'été pour se nourrir parcourent des centaines de kilomètres à la recherche d'une caverne adéquate. D'autres s'assemblent pour diverses raisons. A Bracken Cave, au Texas, 20 millions de chauves-souris molosses se rassemblent chaque été. Il s'agit d'une concentration de femelles qui ont laissé les mâles à 1 500 km au sud, au Mexique, pour venir donner naissance à leur progéniture dans ce site précis. Leur migration s'explique peut-être par le fait que, dépourvues de poils, les jeunes chauves-souris apprécient la chaleur dégagée dans la caverne par une telle concentration. Pure supposition, car nous ignorons encore la véritable raison qui pousse toutes ces femelles à former ces immenses pouponnières.

Les insectes effectuent également de longs périples aériens, mais les naturalistes ont tardé à s'y intéresser, estimant que leurs déplacements étaient le fruit du hasard. Les papillons que l'on voit voltiger en été dans les prés et les bois semblent si fragiles qu'on les suppose incapables d'aller bien loin. C'est bien sûr le cas de certaines espèces qui se nourrissent, s'accouplent, pondent et meurent là où elles sont nées.

En revanche, d'autres papillons sont de grands voyageurs. La piéride du chou, par exemple, qui naît au printemps en Europe, s'envole ensuite en direction du nord-ouest. Elle ne voyage que de jour, à condition qu'il fasse chaud, et s'attarde en chemin lorsque la végétation lui convient. Elle peut faire halte pendant plusieurs heures et en profiter pour butiner, s'accoupler, ou pondre ses œufs avant de repartir. Sa vie est brève — trois à quatre semaines seulement — ce qui ne l'empêche pas de parcourir jusqu'à 300 km à partir de son lieu d'origine.

Nombre de piérides du chou éclosent à la fin de l'été seulement. Elles font aussi de grands voyages, mais migrent dans la direction opposée, s'envolant en direction du nord-ouest, avant de changer de cap au bout d'une semaine pour s'orienter définitivement au sud-est. La date précise du changement d'orientation dépend du lieu géographique et de l'espèce, mais elle est fixe d'année en année pour une même espèce. Il semble que ce soient la longueur et la température de la nuit qui déclenchent ce processus.

Ces papillons s'orientent par rapport au soleil et font peu de cas de sa course journalière ; leur trajectoire migratoire est donc assez vague, ce qui leur convient, puisque le but de leurs pérégrinations n'est pas défini. Il ne s'agit que de trouver de nouvelles zones d'approvisionnement, de s'accoupler et de pondre.

Certaines espèces de papillons ont un comportement migratoire très différent. Le plus célèbre d'entre eux, le monarque, peuple les forêts américaines de la région des Grands Lacs. Sa durée de vie peut atteindre une année. Les monarques qui éclosent au printemps passent leur existence dans les mêmes parages. Dès l'automne leur succède une nouvelle génération, dont une partie se sédentarise : après s'être copieusement alimentés, les individus cherchent refuge dans les arbres creux ou se glissent sous l'écorce des arbres morts pour hiberner. Néanmoins, les deux tiers de cette génération automnale ont un comportement très différent. Ces monarques prennent la direction du sud et suivent un itinéraire précis, n'interrompant leur vol que pour se nourrir ou s'accoupler. Chaque nuit, ils se posent sur des arbres où les ont précédés des générations de monarques. Ils s'orientent également par rapport au soleil, mais semblent savoir compenser son déplacement au cours de la journée. Leur trajectoire migratoire est donc rectiligne, contrairement aux zigzags que décrit le vol des fourrageurs tels que la piéride du chou. Au terme d'un périple de quelque 3 000 km, les monarques arrivent enfin en vue du sud du Texas ou du nord du Mexique. Du côté mexicain, les monarques se concentrent dans une ou deux vallées bien définies et se perchent sur certains conifères, utilisés depuis des générations. Ils s'agglutinent sur les troncs en rangs si serrés que leurs ailes ouvertes habillent les arbres d'une véritable fourrure. D'autres s'installent dans la ramure et s'accrochent à la moindre aiguille. La forêt ruisselle alors de guirlandes de papillons.

Lorsque la température est tiède, quelques individus sur des millions volètent brièvement et se nourrissent de façon désordonnée ; en dehors de ces rares sorties, les monarques prennent du repos jusqu'au printemps où ils sortent de leur torpeur. Ils s'empressent aussitôt de s'accoupler car, bien qu'ils aient atteint l'âge adulte, leur activité sexuelle a été jusque-là inexistante. Après l'accouplement, ils s'envolent par nuées en direction du nord. Les monarques ont réduit leur vitesse de déplacement à quelque 15 km par jour. Chemin faisant, ils se nourrissent et égrènent leurs œufs. Rares seront les papillons qui survivront à cette migration et qui retourneront dans les forêts du nord où ils sont nés. Ils auront néanmoins essaimé leur progéniture tout au long de leur itinéraire et une nouvelle génération de monarques reprendra le long vol vers le sud.

L'altitude à laquelle les insectes migrent est très variable. Par grand vent, les papillons volent à basse altitude, à l'abri derrière les lignées d'arbres, les haies et les murs qui leur évitent d'être déviés de leur route. Par beau temps calme, en revanche, ils s'élèvent jusqu'à 1 500 mètres. Les aéronautes involontaires que sont les jeunes araignées sont emportés par les courants d'air à des altitudes supérieures. Dans leur course, elles sont souvent la proie d'oiseaux insectivores. mais celles qui survivent atteignent des altitudes voisines de 5 000 m.

La nature de ce monde aérien est difficile à apprécier de la cabine d'un avion de ligne, pressurisée, chauffée et alimentée en oxygène. Il faut donc effectuer l'ascension dans la nacelle suspendue à un ballon. En prenant de l'altitude, les bruits de la vie terrestre s'estompent et le silence s'installe. L'atmosphère se rafraîchit progressivement et l'oxygène se raréfie. Le monde dans lequel on pénètre est d'une merveilleuse beauté. Bien en dessous, un léger voile de nuages ombre la surface de la planète. Des montagnes en émergent, telles des îles sur une mer immaculée. Alentour naviguent de grands nuages. Leur base est plate et horizontale, tandis que leur voilure mouvante se gonfle en panache. Les turbulences qui les environnent se déplacent à une vitesse terrifiante car les ascendances thermiques qui les alimentent sont d'une violence extrême. Au-dessus de ces nuages, à très haute altitude, ne traînent plus que quelques filaments nuageux. Au-delà, on plonge dans le bleu profond de l'espace.

Même à cette altitude, on peut encore rencontrer des êtres vivants. Des vols de pinsons ont été signalés à 1 500 mètres, et des petits échassiers ont été détectés par radar à l'incroyable altitude de 6 000 mètres. Il s'agit d'oiseaux migrateurs qui profitent des vents plus forts et plus stables qu'aux altitudes inférieures, ou qui cherchent à mieux repérer les astres d'après lesquels ils orientent leurs vols nocturnes. Néanmoins ces rencontres sont rares. On trouve plus couramment certains autres êtres vivants : une recherche poussée, utilisant des lamelles enduites d'une pellicule de graisse, révèle la présence de quelques pucerons, araignées microscopiques, ainsi que des traces de vie végétale sous forme de grains de pollen et de spores.

Là prend fin la vie. Aucun des millions d'organismes vivants qui prolifèrent dans l'atmosphère terrestre ne franchit cette limite — si ce n'est l'homme. A environ 1 km au-dessus, la quasi-totalité des gaz atmosphériques s'épuisent. Au-delà règne le vide de la nuit sidérale.

Si l'atmosphère gazeuse qui entoure la planète est impalpable, elle constitue néanmoins un précieux bouclier, qui protège la terre des bombardements sidéraux. La couche gazeuse absorbe les rayons cosmiques, les rayons X, ainsi que les radiations nuisibles. Les météorites, fragments de roche et de métal tombés du ciel, sont réduits à l'état de fines poussières au contact des gaz. Leur vie éphémère visible de la terre, est illustrée par les étoiles filantes. Rares sont les météorites assez grosses pour traverser l'atmosphère et venir percuter la planète. De plus, l'atmosphère protège la terre des écarts extrêmes de température. En revanche, la lune, dépourvue de protection gazeuse, est soumise à des conditions climatiques intenables : les surfaces exposées au rayonnement solaire sont brûlantes, tandis que les températures enregistrées à l'ombre sont de loin inférieures au record de froid établi dans l'Antarctique. Sur terre, l'atmosphère absorbe une grande part de l'énergie rayonnée ; elle la filtre, rendant ainsi supportables les températures diurnes et, la nuit, elle retient la chaleur de la terre.

L'atmosphère est composée à 80 % environ d'azote, un gaz totalement inerte. Il a probablement été dégagé par les éruptions volcaniques qui ont dévasté la surface de la planète aux premiers temps de sa formation. Depuis, l'azote est retenu par la force de gravitation. L'oxygène, qui entre pour 20 % environ dans la composition de l'atmosphère, est un gaz plus récent. Il dérive de la réaction de la photosynthèse effectuée par les végétaux qui se sont différenciés sur la terre. Le reste de l'atmosphère (1 %) est composé de gaz carbonique et d'infimes traces de gaz rares, tels que l'argon et le néon.

Outre les gaz, l'atmosphère contient également de l'eau, dont une partie en phase vapeur, et l'autre en phase liquide sous forme de gouttelettes en suspension. Les nuages ainsi constitués, aussi importants soient-ils, ne représentent qu'une infime fraction du volume d'eau contenu dans les glaces et les neiges, les lacs et les océans. C'est d'ailleurs de la terre que provient l'eau atmosphérique. Une faible partie est produite par les feuilles des végétaux, et l'essentiel résulte de l'évaporation de l'eau des océans et des lacs. Tantôt le processus se déroule de façon uniforme à grande échelle, produisant des nuages en strates horizontales, tantôt la vapeur est aspirée dans des

◄ *Papillons monarques en hibernation, Mexique*

turbulences d'air chaud qui se prolongent en ascendances thermiques et se condensent en cumulus.

Ces énormes masses de particules d'eau en suspension sont balayées autour de la planète par les vents, résultant de deux facteurs bien connus : la rotation de la terre et les variations thermiques du rayonnement solaire. La première de ces causes imprime à l'air un mouvement est-ouest, la seconde un déplacement nord-sud, au fur et à mesure que l'air chaud s'élève à l'équateur et redescend vers les pôles. L'interaction de ces deux phénomènes donne naissance à de vastes turbulences, et les nuages qui se développent au-dessus des eaux chaudes des océans se transforment en masses tourbillonnantes, qui peuvent atteindre 400 km de long et être assez denses, pour occuper toute l'épaisseur de l'atmosphère. Les vents qui les environnent soufflent parfois à 300 km/h. Ces énormes tempêtes sont des cyclones, le plus terrible cataclysme que puissent provoquer les perturbations atmosphériques. Les vents se déchaînent et les pluies diluviennes cinglent la terre et la mer. Les bourrasques creusent l'océan et soulèvent des murailles liquides qui submergent les côtes. La furie des vents arrache les arbres et souffle les habitations, tandis que du ciel d'encre s'abattent des pluies torrentielles.

En règle générale, l'eau du ciel tombe moins brutalement. Il arrive que les cumulus atteignent une telle altitude que leurs gouttes se transforment en glace. Certains mesurent 4 km, depuis la base jusqu'à la crête ; l'air ascendant peut transporter les particules glacées jusqu'au sommet du cumulus. Ce faisant, elles subissent une nouvelle congélation qui accroît leur poids ; elles retombent alors, avant d'être à nouveau aspirées par un courant ascendant. Ce va-et-vient peut se répéter plusieurs fois jusqu'à ce que les gouttes de glace, trop lourdes, finissent par tomber en grêle. Les nuages moins volumineux déversent sans attendre leurs particules de glace, qui fondent et se transforment en pluie. Au contact de masses d'air plus froid et plus dense, les nuages en strates se refroidissent en s'élevant et perdent alors leur humidité. D'autres nuages enfin, plaqués contre le relief et sur les flancs des montagnes, crèvent en pluie. C'est ainsi que l'eau douce, source de vie pour toute créature terrestre, retrouve la planète d'où elle a jailli.

◀ *Etude de nuages*

Tornade vue par satellite ▲

L'EAU VIVE

Les flocons de neige qui tombent avec douceur sur les montagnes du globe sont en fait des agents destructeurs. Ils ensevelissent les sommets sous des mètres de neige dont les couches inférieures, comprimées par le poids de cette masse, se transforment en glace. Elle emprisonne les pierres en s'insinuant dans les crevasses et les fissures. Tandis qu'en surface la neige continue à tomber, la glace vive, mue par son propre poids, entame une lente descente le long des pentes et entraîne sur son passage des fragments de roche. Généralement, cette progression est extrêmement lente et ne peut être décelée qu'à l'écartement progressif des crevasses ouvertes sur le champ de neige. Mais il arrive que la masse toute entière se détache brusquement et que ses milliers de tonnes de glace, de neige et de rochers dévalent la montagne.

Toute cette eau gelée s'amasse dans les couloirs qui séparent les crêtes et converge pour former un fleuve de glace que l'on appelle tout simplement glacier. La destruction commence. En glissant le long de la pente, le glacier arrache les flancs de la vallée qu'il occupe. En profondeur, les pierres emprisonnées dans la glace rabotent son lit, telles les dents d'une râpe géante. Le glacier pousse devant lui un énorme chaos de rochers et continue sa lente progression en dessous du niveau des neiges éternelles, jusqu'à ce que la chaleur le fasse fondre. De sa langue ruisselle alors un amalgame d'eau et de roche réduite en poudre.

La pluie qui tombe en montagne, à basse altitude, est tout aussi destructrice. Pendant le jour, ses gouttes ruissellent sur la roche nue et s'infiltrent dans les fissures sans grand dommage ; la nuit, cette eau va geler et faire éclater la roche, dont les fragments s'entassent en éboulis au pied des escarpements. Les rigoles confluent en ruisseaux et se mêlent à l'eau de ruissellement du glacier. Toute cette eau dévale ensuite les pentes en un torrent bouillonnant et impétueux.

En règle générale, l'eau douce est rare à la surface du globe ; en effet, 97 % des réserves d'eau de la planète sont salées. Cette eau est chimiquement très pure, bien qu'elle transporte de nombreuses particules de roche en suspension. N'ayant absorbé que de l'acide carbonique et de l'oxygène, elle ne risque pas de dissoudre les minéraux des roches nouvellement exposées aux intempéries. L'eau de ruissellement accumule progressivement les particules organiques des plantes qui poussent entre les cailloux. Elle finit ainsi par se charger des éléments nutritifs nécessaires à la vie animale.

Tout animal désireux d'élire domicile dans ces eaux tumultueuses doit mettre au point des processus qui lui évitent d'être emporté par le courant. La larve des simulies, un groupe particulier de diptères, s'arrime aux pierres à l'aide des crampons dont est munie son extrémité postérieure. Il arrive qu'une larve s'aventure plus avant dans le torrent ; arc-boutée pour mieux s'agripper à un caillou à l'aide d'une ventouse antérieure, elle se tortille pour assurer l'adhérence de ses crampons et déroule un soyeux filin de sécurité qu'elle fixe aussitôt à un caillou.

Si le débit du torrent pose quelques problèmes évidents, il assure le passage rapide des particules nutritives charriées par le courant. Il ne reste plus à la larve de la simulie qu'à les filtrer. Pour ce faire, elle possède une paire de cribles plumeux disposés en éventail de chaque côté de sa bouche. La larve les rabat alternativement et en détache ses prises au moyen de ses mandibules poilues. Avant de réutiliser ses cribles, elle les enduit d'un mucus sécrété par ses glandes buccales, pour que les particules engluées restent mieux fixées aux filaments.

Les larves de plusieurs espèces de trichoptères vivent elles aussi en eau douce. En aval de la rivière, là où l'eau est plus calme, elles construisent des tunnels avec des brindilles et des grains de sable ; elles grignotent les feuilles et les algues dans les cours d'eau paisibles et les lacs. Mais en amont, les larves de trichoptères, privées de plantes aquatiques, deviennent carnivores et piègent leurs proies dans des filets. Certaines tissent un entonnoir soyeux sous une pierre et s'y introduisent pour happer au passage une larve minuscule ou un petit crustacé. D'autres construisent un filet tubulaire de quelque 5 cm de long, à la maille si serrée qu'elle retient la moindre particule fut-elle microscopique. La larve vit au fond du filet dont elle époussette les parois avec les poils raides de sa lève supérieure. Une autre espèce édifie une structure ovale faite de fils de soie tendus entre des cailloux. Elle se met alors à tisser un filet très fin en balançant sa tête de part et d'autre. L'opération ne dure que 7 à 8 minutes. Si le filet est endommagé, la larve le reprise immédiatement. Au fur et à mesure que l'insecte croît et se fortifie, il s'aventure plus loin dans le torrent, construit des filets plus solides et attrape des proies de plus en plus grosses. Grâce aux pièges qu'elles tendent, les larves de trichoptères et de divers autres insectes - coléoptères, cousins, éphémères et moucherons - sont parvenues à coloniser les torrents de montagne. De ce fait, elles ont permis à d'autres espèces de taille supérieure d'y vivre également, mais à leurs dépens.

Les torrents des hautes vallées andines sont habités par de superbes canards qui se perchent sur les rochers environnés d'écume. Le mâle a une tête grise striée de blanc, un bec pointu rouge cerise et un plumage gris. La femelle, à tête grise elle aussi, porte des plumes rougeâtres de chaque côté de la tête et sur la gorge. Le contraste entre leurs plumages n'est pas seulement apparent pendant la saison des amours, contrairement à la plupart des canards, mais persiste toute l'année. Leurs mœurs sont dignes d'intérêt. Quand on les observe, on voit soudain un des canards plonger et disparaître. Il va rester sous l'eau à contre-courant, arrimé à un rocher à l'aide de sa queue rigide. Utilisant les jointures de ses ailes pour s'arc-bouter, il inserre son bec effilé et ayant quelque peu la consistance d'une matière plastique sous les pierres pour dénicher les larves. Au bout d'une minute, il émerge du torrent sans difficulté apparente et regagne son rocher pour s'y reposer un instant. Durant une demi-heure ensuite, les canards remontent en couple le courant, de rocher en rocher, battant

végétal qui borde les rives : mousses, linaigrettes, bruyères et roseaux. L'immersion prolongée des roches, ainsi que l'action corrosive des lichens et autres plantes transforment les minéraux en leurs éléments chimiques plus ou moins solubles dans l'eau. Les fragments de roche pris dans les tourbillons des rapides sont réduits en poussière et s'accumulent pour former un fond sablonneux et bientôt vaseux.

Des plantes à fleurs très variées peuvent alors prendre racine dans le torrent. Néanmoins, le courant encore très fort risque de les emporter. Diverses espèces minimisent ce risque en développant sous l'eau des feuilles divisées en épis et en n'exposant leurs grandes feuilles qu'en surface.

L'eau est ici beaucoup moins riche en oxygène qu'à plus haute altitude, lorsque sa température avoisinait 0° C. Cet appauvrissement est compensé en grande partie par l'activité végétale, dont la photosynthèse produit un dégagement de bulles gazeuses.

Les eaux du torrent sont désormais chaudes et riches en oxygène comme en substances nutritives. Elles peuvent donc offrir aux poissons une alimentation riche et diversifiée, sous forme d'algues et d'autres plantes aquatiques, de larves, de vers, de petits crustacés et d'animaux unicellulaires.

Le flux incessant du torrent pose néanmoins des problèmes aussi bien aux poissons qu'aux aux plus petits organismes.

Certains poissons, comme la truite de torrent, ont adopté une solution radicale : ils ne cessent pas de nager. La truite se meut à contre-courant et proportionne sa vitesse de déplacement à celle du torrent, en utilisant sa nageoire caudale. Cette vitesse peut atteindre 1 m/seconde. La truite choisit un endroit où la nourriture est particulièrement abondante et fait du surplace avec une aisance remarquable. En cas de danger, elle se propulse d'un coup de queue, en amont, pour changer de place.

D'autres poissons s'arrangent pour s'abriter du courant derrière les pierres du lit. Dans les rivières tropicales, deux espèces bien distinctes, le poisson-chat et la loche, ont converti leurs nageoires abdominales en ventouses. Ils peuvent ainsi se fixer fermement à la roche. Le poisson-chat des Andes et la loche de Bornéo ont cependant mis au point l'un de l'autre, séparément, une méthode différente : au lieu de s'ancrer au rocher au moyen d'une ventouse, ils s'arriment par leur bouche munie de grosses lèvres charnues. L'inconvénient de cette technique réside dans l'impossibilité d'avaler l'eau riche en oxygène dont les branchies ont besoin. Les deux poissons l'ont aussi surmonté grâce à une bande de peau qui traverse l'opercule et la divise en deux. La partie supérieure absorbe l'eau que filtrent les branchies, avant de l'expulser par la partie inférieure.

Les poissons, au même titre que d'autres animaux, ont le choix entre deux stratégies de la reproduction. Les uns ne prennent aucun soin de leurs œufs mais en pondent une telle quantité qu'un petit nombre d'entre eux, au moins, survivra à coup sûr. Une morue femelle peut ainsi déposer 6,5 millions d'œufs en une seule ponte. Les autres ne pondent qu'une centaine d'œufs mais consacrent beaucoup de temps et d'énergie à les protéger.

La présence d'un courant fort, coulant perpétuellement dans le même sens, a une influence indéniable sur les avantages relatifs que présentent les deux stratégies de

la reproduction. On peut en effet penser que l'abandon des œufs par un poisson de rivière, à l'instar de ce que fait la morue en mer, serait impensable car les alevins sans défense seraient emportés par le courant et ne survivraient pas, étant donné l'impossible remontée de la rivière vers leur lieu d'éclosion. C'est pourtant ce que font le saumon et la truite. Les femelles déposent leurs œufs au fond de trous ménagés dans le lit du torrent et les recouvrent de sable, afin de les isoler du courant. Une seule femelle peut pondre jusqu'à 14 000 œufs qui incuberont pendant tout l'hiver. Les alevins éclosent au printemps suivant et ne restent sur place que quelques semaines pour s'alimenter. Ils descendent ensuite la rivière, franchissant ses chutes d'eau et ses rapides. Dès qu'elle atteint un lac, la truite fait halte dans ses eaux calmes, alors que le jeune saumon poursuit sa route vers la mer. Tous deux, une fois gavés et devenus adultes, se rassemblent en bancs et entament la remontée de la rivière qu'ils ont descendue ; capables d'identifier l'eau où ils ont éclos d'après sa teneur exacte en minéraux et en substances organiques, ils finissent par regagner les sites ancestraux où ils se reproduisent avant de mourir, pour la plupart. Les survivants referont le long périple vers les eaux plus calmes, y reprendront des forces et recommenceront le cycle.

Rares sont les poissons d'eau douce qui entreprennent le voyage épuisant du saumon. La plupart préfèrent la seconde stratégie de la reproduction. Certains soustraient leur progéniture aux remous du courant en déposant leurs œufs dans les fissures de la roche ou dans des coquilles vides ; le mâle monte ensuite la garde auprès du frai qu'il défend vaillamment contre tout intrus. Un autre poisson d'Europe, la bouvière, choisit de frayer dans une coquille occupée par un mollusque vivant. Au moment de la reproduction, la femelle différencie un oviposteur de 6 à 7 cm de long, presque aussi long qu'elle. Elle l'introduit, avec précaution, à l'intérieur du siphon par lequel le mollusque expulse l'eau qu'il a aspirée. Elle dépose une centaine d'œufs à l'intérieur du manteau, tandis que le mâle surveille les opérations. Dès que la ponte est terminée, ce dernier libère sa semence qui, emportée par l'eau aspirée par le mollusque, ce dernier fertilise les œufs situés au-delà du siphon. Les œufs fécondés sont oxygénés en permanence par le flux incessant que le mollusque crée pour ses propres besoins. Après l'éclosion, les jeunes bouvières s'attardent dans leur abri vivant et en profitent même pour grignoter la chair tendre du manteau de l'animal. Elles finissent par lâcher prise et sont expulsées, à travers le siphon du mollusque, vers le monde extérieur.

Le mollusque profite autant de la situation que les bouvières qu'il héberge. Il se reproduit en effet au moment où ces poissons fraient, et ses larves minuscules quittent la coquille maternelle pour se fixer sur les ouies et les nageoires des bouvières adultes. Elles y restent jusqu'à leur maturité et s'installent alors au fond du lit de la rivière.

Un petit poisson amazonien de la famille des characidés réussit à soustraire ses œufs à toute menace aquatique grâce à une technique de la reproduction des plus acrobatiques : le mâle et la femelle jaillissent hors de l'eau, toutes nageoires jointes, et se collent pendant une fraction de seconde à une feuille suspendue au-dessus de l'élément liquide. La longue nageoire abdominale dont ils sont dotés leur permet d'adhérer un instant à la feuille, pendant qu'ils déposent leurs œufs fécondés et agglutinés. Ils retombent ensuite dans la rivière. Pendant les jours qui suivent la ponte, le mâle monte la garde depuis la rivière et asperge le frai en battant l'eau de sa queue pour empêcher toute déshydratation.

Beaucoup de poissons de la famille des cichlidés, non contents de veiller sur le frai, se chargent également des alevins. Plus d'un millier d'espèces différentes peuplent les lacs et les rivières d'Afrique et d'Amérique du Sud. Certains déposent leurs œufs au fond de trous qu'ils creusent dans le sable, d'autres placent le frai gluant sur des feuilles ou des pierres soigneusement nettoyées. A l'aide de son oviposteur, la femelle dispose avec grande minutie les œufs en rangs serrés, tandis que le mâle, toutes nageoires déployées et paré de ses plus belles couleurs, féconde les œufs de sa semence.

Pendant les jours qui suivent, ces poissons ne cessent pas de tournoyer autour des œufs, à grands coups de nageoires, afin d'assurer une meilleure circulation de l'eau et, ainsi, de les oxygéner. Les intrus sont chassés, voire attaqués et mordus par les parents vigilants. A l'éclosion, certaines espèces creusent des "pouponnières" dans le sable dans lesquelles elles disposent les alevins après les avoir précautionneusement "essorés" dans leur bouche pour les nettoyer. En grandissant, les alevins deviennent plus remuants ; les parents continuent à prendre soin d'eux en surveillant leurs déplacements ; ils ferment la marche du cortège et, prenant les retardataires dans leur bouche, les propulsent en tête du banc.

D'autres espèces, encore plus attentionnées, ne courent pas le risque de laisser leurs œufs dans un nid. Dès la fécondation, l'un des parents prend tout le frai dans sa bouche et l'y garde, pratiquant 10 jours de jeûne forcé. L'adulte actionne délicatement ses mâchoires, afin de nettoyer les œufs en incubation et de les protéger contre toute infection bactérienne. Après l'éclosion, les alevins restent encore quelque temps dans la bouche du poisson avant de prendre le large, mais les parents les aspirent à nouveau en cas de danger. Une semaine après l'éclosion, les alevins continuent à venir chercher refuge dans la bouche de l'adulte, tantôt en réponse à des signaux parentaux, tantôt de leur propre initiative ; le cas échéant, ils mordillent les lèvres paternelles pour pénétrer dans la bouche et se mettre à l'abri.

Certaines espèces africaines ont encore perfectionné davantage ce comportement déjà complexe. Après la ponte, la femelle rassemble tout le frai avant qu'il ne soit fécondé. Le mâle qui nage à proximité porte sur sa nageoire caudale une ligne de points jaunes soulignés de noir, tout à fait semblables aux œufs. La femelle s'en approche, ouvre la bouche comme pour les gober et leur faire rejoindre les œufs véritables ; le mâle en profite pour féconder les œufs directement dans la bouche de la femelle.

D'autres membres de la famille des cichlidés, les discus, fournissent à leur progéniture une nourriture très spéciale. Comme leur nom l'indique, ils ont la forme d'un disque pouvant atteindre 15 cm de diamètre. Leurs flancs vert olive sont artistiquement striés de bandes scintillantes de couleur rouge, verte ou bleue. La femelle dépose ses œufs sur des feuilles ou des pierres. Dès l'éclosion, les parents les suspendent

◀ *Un cichlidé qui abrite ses alevins dans sa bouche*   *Poisson discus et ses jeunes* ▲

délicatement à une autre feuille, au bout d'un fin filament. Les flancs des adultes sécrètent alors un mucus, pellicule qui recouvre tout leur corps et voilant même leurs yeux. Lorsque les alevins se détachent des feuilles, ils se tortillent jusqu'à l'un des parents et, plusieurs jours durant, absorbent sur son dos les sécrétions visqueuses et riches en protéines.

La meilleure protection qu'un animal puisse offrir à sa progéniture est de faire éclore les œufs à l'intérieur du corps de la femelle, d'où ils ne sortent qu'une fois arrivés à un certain stade de développement. Ils sont alors beaucoup moins vulnérables. Cette technique est utilisée par tous les mammifères, à l'exception des marsupiaux, et a très certainement contribué au succès de ces animaux. Les poissons employaient déjà une méthode semblable, bien avant l'apparition des mammifères. Les espèces marines, comme le requin et la raie, se reproduisent de cette façon et plusieurs types de poissons d'eau douce font de même. Le guppy appartient à une grande famille de vivipares qui pullulent dans les rivières et les lacs tropicaux. L'extrémité de la nageoire caudale du guppy mâle se prolonge en un appendice appelé gonopode, à travers lequel le mâle déverse sa semence dans le ventre de sa partenaire pour féconder les œufs. Ces derniers éclosent dans la matrice de la femelle. Les petits qu'elle porte sont peu à peu visibles à la tache noire triangulaire qu'ils forment à l'arrière de son corps. Lorsqu'ils émergent enfin, un à un, ils sont déjà capables de nager assez vigoureusement pour échapper au danger.

Une des nombreuses espèces de vairon qui peuple les rivières du sud du Brésil fait un usage original de son appareil génital. Son gonopode est constitué de rayons osseux, mais également de peau, ce qui réduit sensiblement sa mobilité. Le vairon mâle ne peut orienter son gonopode que dans une seule direction, vers la gauche ou vers la droite, selon les individus. De même, l'orifice de la femelle du vairon est disposé asymétriquement ; ainsi seule une femelle droitière peut s'accoupler à un mâle gaucher...

Ces populations nombreuses et variées de poissons attirent inévitablement des prédateurs. Les poissons ont d'ailleurs engendré les plus féroces de tous : les piranhas des rivières d'Amérique du Sud. Il s'agit de poissons de petite taille - le plus grand ne dépasse pas 60 cm de long - mais ils sont dotés de dents incroyablement acérées, de forme triangulaire, que les Indiens d'Amazonie utilisent d'ailleurs comme ciseaux. Les piranhas dévorent en général d'autres poissons, blessés ou malades de préférence, mais n'hésitent pas à s'attaquer à des animaux de taille nettement supérieure, tels que le tapir, le capybara et le cheval, lorsqu'ils traversent une rivière à la nage. Les piranhas donnent toujours l'assaut par bancs entiers. Lorsqu'ils se repaissent d'une proie morte ou vive, leur excitation atteint son paroxysme à la vue du sang et ils se disputent farouchement les derniers lambeaux de chair du squelette. Néanmoins, le danger que constituent les piranhas pour l'homme a souvent été sujet à exagération. En fait, c'est la présence du sang qui déclenche leur offensive, mais ils ne s'aventurent pas près des rapides où le voyageur est susceptible de passer à gué ou de tomber à l'eau.

Les poissons de rivière sont également la proie d'autres prédateurs parmi lesquels les tortues qui se tapissent au fond du lit et attendent leur passage. Trop lentes à la nage, elles piègent leurs victimes par surprise. La matamata, espèce sud-américaine, se dissimule sous les lambeaux de peau flasque de sa tête et de son cou. Sa carapace elle-même disparaît par endroits sous un tapis d'algues et l'animal se confond parfaitement avec les débris de feuilles et de branchages qui reposent dans le lit de la rivière.

La tortue alligator, longue de quelque 75 cm, est l'une des espèces de grande taille propre aux eaux douces. Elle pratique la pêche de façon très active. Sa cavité buccale porte une petite excroissance qui se prolonge en un filament rouge vif, semblable à un ver. La tortue agite cet appât de temps à autre, jusqu'à ce qu'un poisson trop curieux s'en approche ; il ne lui reste plus qu'à refermer ses mâchoires pour ingurgiter sa proie.

Les crocodiles, ainsi que leurs cousins d'Amérique, les caïmans et les alligators, pêchent pendant leurs jeunes années, mais changent de régime alimentaire à l'âge adulte. Seul le gavial, représentant de la branche indienne de la famille, se nourrit exclusivement de poissons tout au long de sa vie. Ses mâchoires longues et étroites claquent bien plus facilement sous l'eau que la gueule large et puissante du crocodile. Le gavial chasse en tournant la tête de tous côtés. Ce reptile énorme mesure jusqu'à 6 mètres, mais possède une musculature étonnamment peu puissante par rapport à celle du crocodile. Les muscles sollicités par la pêche diffèrent de ceux mis à contribution par le crocodile pour arracher les membres du cadavre d'une antilope. C'est pourquoi le gavial n'a pas les mâchoires d'acier du crocodile. On n'a d'ailleurs jamais noté une quelconque attaque de gavial vis-à-vis de l'homme.

La rivière est maintenant arrivée à mi-parcours et a laissé en amont les chutes et les rapides, témoins de son impétuosité juvénile. Elle a également renoncé à éroder, en les arrachant, les terres qu'elle traverse et s'est finalement assagie. Son cours désormais plus calme s'est élargi et ses eaux troubles charrient des sédiments. La terre descendue en coulées des forêts et des prés jusqu'à ses berges rend son eau plus fertile. Des tapis de plantes rampantes ondulent doucement au fil de l'eau, tandis que les joncs et les roseaux, alignés sur les rives, obstruent des bras d'eaux stagnantes. La faune très diversifiée qui vient s'y abreuver traque les espèces aquatiques.

La famille de la belette se compose de chasseurs redoutables et remarquablement doués. L'un de ses membres, la loutre, s'est spécialisée dans la pêche. Elle est dotée de pieds palmés, d'oreilles qui s'obturent en plongée, ainsi que d'un pelage imperméable. La loutre chasse le poisson sous l'eau, et sa progression sinueuse est si rapide que bien peu lui échappent. Parfois, elle frappe l'eau du plat de la queue, semant la panique chez les poissons qui se réfugient par bancs entiers dans des trous d'eau… où la loutre n'a ensuite aucune peine à les pêcher.

En surface, le martin-pêcheur surveille la rivière du haut de son perchoir. Certains restent dans l'air, en point fixe, avec l'élégance de l'épervier. Lorsqu'un poisson téméraire pointe son museau hors de l'eau, le martin-pêcheur fond sur lui et l'emporte dans son bec aigu vers son perchoir. Il l'assomme alors et le retourne dans son bec avant de le lancer en l'air une dernière fois pour l'avaler ; le poisson descend ainsi

◄ *Piranhas et autres poissons, Amérique du Sud*

Tortue alligator ▲

dans son tube digestif la tête la première et les épines de ses nageoires, rabattues en arrière, ne risquent pas d'écorcher le gosier de l'oiseau.

Lorsque la nuit descend sur le sud-est asiatique et l'Afrique, certaines chouettes viennent pêcher à la rivière. Leurs pattes sont dépourvues de plumes pour une meilleure progression dans l'eau et la plante de leurs pieds est dotée de pointes qui leur permettent de mieux tenir dans leurs serres leurs proies glissantes. Leur vol et leur atterrissage sont étonnamment bruyants pour qui connaît le vol silencieux des chouettes des bois. Ces dernières possèdent des ailes spécialement équipées de silencieux, formés par les franges duveteuses des pennes. Les chouettes pêcheuses ne s'embarrassent pas d'un tel dispositif car, contrairement aux campagnols et aux rats, les poissons ne sont pas sensibles aux bruits de surface.

Les chouettes du continent américain ne pratiquent pas la pêche. Les ombres qui rasent les eaux des rivières appartiennent en fait à des chauves-souris. Il semble que la cohabitation de deux types d'animaux pêcheurs soit impossible. Les chauves-souris du Nouveau Monde ont inauguré la technique et semblent avoir acquis les droits sur la pêche nocturne.

Certains animaux terrestres descendent à la rivière pour s'y repaître de plantes aquatiques. En Europe, les campagnols aquatiques replets, à la queue touffue, mâchonnent consciencieusement l'herbe des rives et tranchent les joncs. En dépit de leurs talents de nageurs et de plongeurs, ils ne sont dotés d'aucun dispositif physique particulièrement adapté à la vie dans l'eau. En revanche, les castors sont, eux remarquablement équipés. Ces rongeurs, qui peuplent une bonne part de l'Amérique du Nord, étaient autrefois très nombreux en Europe. Le castor possède des pattes palmées, ainsi qu'une fourrure très dense et imperméable ; il peut clore hermétiquement ses narines et ses oreilles dès qu'il plonge et utilise sa queue plate et dépourvue de poils comme une véritable rame. Il déterre les racines des plantes aquatiques, dont il est friand, et grignote les tiges du jonc des marais. Mais son alimentation se compose principalement des plantes terrestres qui poussent sur les rives. Les castors épluchent non seulement l'écorce des arbres, mais rongent les arbres mêmes et les feuilles des trembles, des bouleaux et des saules. Véritables bûcherons, ils abattent des fûts dont le diamètre peut atteindre 50 cm et tractent les troncs en amont vers des lieux plus profonds. Là, ils empilent pêle-mêle terre, cailloux et branchages en travers de la rivière, afin d'en contrarier le cours et de former un barrage de retenue. Sur les rives du lac ainsi créé, ces infatigables bâtisseurs édifient leur hutte ; cette construction en forme de dôme comporte au moins un accès immergé et abrite toute la famille castor. Le lac de retenue fait office de garde-manger. Les castors immergent dans ses eaux divers branchages et buissons qui constitueront des réserves dans lesquelles ils puiseront une fois l'hiver venu, quand le lac sera pris par les glaces. En effet, les accès sub-aquatiques ménagés dans leurs huttes permettent aux castors de se glisser sous la glace la plus épaisse. Le lac leur assure une sécurité totale contre les intrusions extérieures, à condition que les castors entretiennent le barrage et que le niveau du lac ne baisse pas.

L'hippopotame d'Afrique est sans conteste l'hôte le plus volumineux des fleuves et des rivières, où il vient chercher un abri sûr plutôt qu'un lieu de pâture. Pendant la journée, il n'est pas rare de voir des troupeaux d'hippopotames s'ébrouer, bailler bruyamment et parfois s'affronter, la gueule grande ouverte. Portée par les eaux, leur masse imposante évolue sans peine dans la rivière, dont ils effleurent le fond du bout des pattes. Presque toujours dans l'eau, l'hippopotame a fini par être considéré, à tort, comme un occupant naturel des rivières. Or, on oublie que l'essentiel de ses activités se déroule hors de l'eau et pendant la nuit. Au crépuscule, les troupeaux d'hippopotames sortent de l'eau et arpentent pesamment les berges du fleuve, en suivant des pistes ancestrales. Ils passent la nuit à brouter l'herbe, chaque animal pouvant ingurgiter une ration quotidienne de quelque 20 kg. A l'aube, ils regagnent le fleuve, où ils règnent en maîtres absolus, sans crainte des crocodiles. Leur va-et-vient entre la terre ferme et l'eau a une importance capitale pour la faune aquatique, car les hippopotames défèquent dans le fleuve et y déversent chaque jour une quantité importante de matières nutritives synthétisées par les plantes terrestres. C'est pourquoi ils sont constamment environnés de bancs de poissons, dont ils assurent l'alimentation.

Dans sa course vers l'océan, le fleuve se heurte parfois à une barre rocheuse si dure que les assauts cinglants des graviers qu'il charrie ne parviennent pas à l'entamer. La pente commence à s'adoucir et la rivière s'élargit progressivement, jusqu'à atteindre le niveau supérieur de la roche. Elle déborde alors au-dessus de la barre rocheuse et entreprend son travail d'érosion. Ce phénomène produit une rupture dans la course du fleuve et donne naissance à des chutes célèbres, comme celles du lac Victoria au Zambèze, d'Iguazu en Amérique du Sud, les fameuses chutes du Niagara dans la région des Grands Lacs nord-américains. Parmi elles, les ''Angel Falls'' sont incontestablement les plus hautes, mais leur débit et leur largeur nettement inférieurs.

Les chutes ne sont pas en mesure d'éroder la partie supérieure de la barre rocheuse qui leur a donné naissance, mais elles l'attaquent à la base. L'eau qui se déverse en cascade du haut de la marche rocheuse rebondit sur les roches tendres de la base, qu'elle arrache. Sous ses coups de boutoir, la couche dure finit par se fendre et des blocs de pierre dégringolent du haut des chutes. Ces cascades géantes creusent ainsi progressivement leur lit, laissant derrière elles de profondes gorges. Le fleuve Niagara gagne actuellement plus d'un mètre par an.

Ces gigantesques chutes d'eau ont engendré leur propre microclimat. La brume vaporeuse qui monte de chaque côté de la gorge baigne les abords de la chute dans une atmosphère saturée d'humidité. Les chutes Victoria sont entourées d'une forêt tropicale miniature, qui contraste avec les savanes brûlées des environs, et où fleurissent l'orchidée, le palmier et la fougère, au milieu du grondement de la cascade, du coassement des grenouilles et du bourdonnement des insectes.

A Iguazu, la paroi rocheuse masquée par le rideau de la cascade sert de sanctuaire aux martinets. Le jour, ils chassent en plein ciel, presque invisibles. Au crépuscule, ils s'assemblent en altitude pour former d'immenses bandes qui s'abattent à toute

vitesse au coucher du soleil. Les martinets piquent droit sur la muraille liquide de la cascade qu'ils traversent les ailes repliées. Sur leur lancée, ils arrivent face à la paroi, à laquelle ils s'agrippent au sortir d'un looping. Ils prennent apparemment plaisir à la baignade et en profitent pour lisser leurs plumes ou s'abreuver. Les acrobaties auxquelles ils se livrent en traversant le rideau liquide semblent insensées, mais leur maîtrise aérienne témoigne du contraire.

Les fleuves arrivent maintenant au terme de leur long voyage. Lents et paresseux, ils déposent au hasard les sédiments qu'ils continuent à charrier. Lorsque leur cours s'incurve, le flux extérieur, qui parcourt une plus grande distance, se déplace nécessairement plus vite que le fux situé à l'intérieur de la courbe. Les sédiments restent donc en suspension à l'extérieur du méandre, tandis qu'ils se déposent à l'intérieur en bacs de vase et de galets. Le fleuve vieillissant se fraie un chemin à travers les plaines. Parfois, il se tord en méandres si serrés que la langue de terre qui sépare les berges finit par s'effondrer. Le fleuve coupe au plus court et le méandre devient lac.

Les eaux y sont dormantes. Les contraintes du courant, qui déterminaient en grande partie le comportement et la structure de la faune des rivières, ont désormais disparu. La vie aquatique peut revêtir des formes nouvelles. Les plantes ne se collent plus aux berges, ni ne s'arriment aux rochers. Elles peuvent laisser flotter leurs feuilles au fil de l'eau et capter le maximum de lumière. Les nénuphars, enracinés dans le limon fertile du fond, étirent leurs pousses et déroulent leurs feuilles rondes. Les célèbres nénuphars de la reine Victoria sont les plus grands de tous. Ils sont si envahissants qu'ils évincent de leur territoire toute autre espèce. Leurs feuilles immenses sont renforcées par des nervures gonflées d'air et portent des épines sur leur face postérieure. Elles sont cerclées d'un haut bord, qui repousse toutes les autres plantes aquatiques au cours de la croissance du nénuphar, dont le diamètre peut atteindre 2 mètres. Les fleurs sont de couleur blanche lorsqu'elles s'épanouissent. Le parfum qu'elles dégagent attire particulièrement les coléoptères qui viennent, de leur vol lourd, se gaver de sucre au cœur de l'inflorescence. Une seule fleur épanouie peut attirer une quarantaine d'insectes. La plupart des coléoptères apportent avec eux le pollen qu'ils ont prélevé sur d'autres fleurs et qu'ils répandent sur les organes femelles de l'inflorescence. Le soir venu, le nénuphar clot lentement ses pétales, retenant prisonniers les insectes gloutons. Il ne les relâche que le jour suivant, tout saupoudrés de pollen qu'ils iront répandre sur d'autres plantes. La fleur, une fois fécondée, devient violacée et se fane.

Sur les feuilles de ces nénuphars évoluent de gracieux oiseaux, de la taille d'un pluvier. Ce sont des jacanas. Leurs doigts et leurs griffes démesurés leur permettent de bien répartir leur faible poids lorsqu'ils se déplacent sur le tapis végétal flottant. Les jacanas nichent d'ailleurs sur l'eau, sur un radeau de feuilles amarré aux roseaux. Leur alimentation se compose en partie de végétaux, mais ils passent le plus clair de leur temps à chasser les petits insectes à la surface de l'eau.

En raison d'une force comparable au magnétisme qui attire l'une vers l'autre ses molécules composantes, l'eau demeure un élément liquide, et non une masse composée de goutelettes en dispersion. Les molécules de surface sont en contact avec des molécules de gaz, situées au-dessus, dont l'attraction est nettement moins forte. C'est pourquoi elles concentrent leurs forces sur les molécules d'eau qui les entourent. Les liaisons extrêmement cohérentes ainsi formées confèrent à l'élément liquide une sorte de film élastique, sur lequel les insectes peuvent évoluer. Toute une faune peuple cette surface souple et en exploite les extraordinaires propriétés.

Les animaux dont le poids est supporté par le film moléculaire doivent évidemment veiller à ne pas le rompre. Ils utilisent à cet effet des substances cireuses et huileuses dont l'une des propriétés physiques est de repousser les molécules d'eau. C'est ainsi que les gyrins sont capables de marcher sur l'eau grâce à leurs six pattes enduites d'une sorte de cire, qu'ils étalent largement. Les podures, pas plus gros qu'une tête d'épingle, sont entièrement recouverts de cire. En fait, leur poids infinitésimal ne risque pas de déchirer le voile de surface ; le seul danger qui les menace est d'être balayés par le vent. C'est pourquoi le dessous de leur corps porte une minuscule attache dépourvue de cire qui transperce la pellicule superficielle et s'y fixe. Enfin leurs pattes se terminent par des griffes non enduites de cire, dont l'adhérence leur assure un déplacement aisé à la surface de l'eau.

Les podures se nourrissent des grains de pollen et des spores d'algues portés par les eaux. L'alimentation des autres insectes de surface se compose essentiellement des cadavres de petits insectes, apportés là par le vent. Leurs corps minuscules ne coulent pas en raison de la poussée produite par l'élément liquide ; les molécules d'eau de la surface se combinent avec celles qui imprègnent les corps des insectes, créant une tension superficielle qui agit comme une glu. Les efforts désespérés qu'ils produisent pour se libérer engendrent des vibrations immédiatement perçues par les insectes aquatiques prédateurs. Le premier arrivé s'empresse d'entraîner sa proie afin que les vibrations n'attirent pas d'autres convives. Les araignées des marais se postent sur les berges en gardant leurs pattes antérieures en contact avec l'eau pour enregistrer les éventuelles vibrations, à l'instar de leurs congénères terrestres au centre de leur toile. A la moindre ride, elles déplient leurs huit pattes et glissent à la surface de l'eau, reliées à la rive par un fil de soie qu'elles dévident de leur filière ; ce filin servira à les haler avec leur proie.

Les gyrins captent un autre type d'informations. Leurs incessants mouvements giratoires impriment à la surface de l'eau des ondulations qui, en leur revenant, leur permettent de détecter la présence d'obstacles éventuels. Ces insectes ont perfectionné ce système de détection : leurs mouvements frénétiques produisent des fréquences caractéristiques qui indiquent à des partenaires potentiels qu'ils sont prêts pour l'accouplement.

C'est au stenus que revient la palme de l'utilisation la plus spectaculaire de la tension superficielle. Cet insecte se tient généralement au sec, au bord de l'eau. Lorsqu'il vient à tomber à l'eau, il échappe aux gyrins et aux argyronètes en sécrétant une substance chimique qui réduit l'attraction entre les molécules d'eau. La tension de surface ne retient plus ses pattes arrière, mais continue à exercer une traction sur ses membres antérieurs ; ces forces antagonistes propulsent l'insecte à la surface de l'eau, comme s'il était équipé d'un moteur de hors bord. Il peut même infléchir sa

Feuilles du nénuphar de la reine Victoria et jacanas, Brésil

Punaise d'eau ▲

trajectoire en balançant l'abdomen à droite ou à gauche et parvient généralement à regagner la terre ferme après avoir semé ses poursuivants.

Les lacs que sont devenus les bras morts du cours sinueux d'une rivière sont habituellement peu étendus. En revanche, ceux qui se sont formés dans les vallées comblées par les avalanches, les moraines d'un glacier en progression, ou suite à l'intervention de l'homme, atteignent des dimensions bien supérieures. Le lac Baïkal en Asie centrale et les lacs d'Afrique orientale ont noyé les immenses fosses que les mouvements de l'écorce terrestre ont ouvertes dans les continents. Quant aux Grands Lacs nord-américains, ils occupent une dépression créée à l'ère glaciaire par le retrait de la calotte de glace qui recouvrait alors le continent américain. Les glaciers qui la prolongeaient ont profondément creusé les vallées au cours de leur progression ; en outre, le poids de la glace a enfoncé les couches de basalte, créant une immense dépression. En dépit de la fonte des glaces, le continent n'a pas encore retrouvé son niveau originel.

Dans les marécages qui bordent les grands lacs, la vie revêt les mêmes formes que dans les plus petits réservoirs d'eau douce. Libellules, zygoptères, moucherons et moustiques se reproduisent au milieu de la végétation, tandis que les escargots et les autres mollusques élisent domicile dans la vase. Brochets et autres carnassiers patrouillent en quête d'une proie. Carpes et cichlidés se nourrissent de plantes aquatiques. Ces conditions changent radicalement à l'endroit où le fond du lac plonge vers les profondeurs.

Le lac Baïkal détient le record de profondeur, avec 1 500 m en son point le plus bas. Cela n'a rien d'exceptionnel si l'on considère la profondeur des océans. Toutefois, les courants qui sillonnent les fonds sous-marins n'existent pas dans les grands lacs d'eau douce, dont rien ne vient troubler l'immobilité. L'eau des rivières qui s'y déversent est relativement chaude ; elle flotte donc au-dessus des eaux froides du fond. De violentes tempêtes brassent occasionnellement les eaux chaudes et froides jusqu'à une certaine profondeur ; les eaux du fond n'en restent pas moins très froides, pauvres en oxygène et inhabitées, n'en déplaise aux monstres légendaires.

Ces lacs sont néanmoins très intéressants du point de vue biologique. Les communautés animales qui peuplent ces milieux aquatiques fermés ont reçu peu d'apports extérieurs. Les seules voies de migration ouvertes à la faune aquatique sont les rivières. Peu d'espèces choisissent de les remonter à contre-courant à travers lacs et cascades. La plupart des occupants actuels des lacs descendent donc d'espèces vivant en amont. Ces communautés animales réduites sont relativement bien préservées des modifications génétiques. La faune des lacs est ainsi composée d'espèces très particulières. Le lac Tanganyika date d'environ un million et demi d'années et abrite 130 espèces de cichlidés et 50 espèces d'autres poissons, tous uniques au monde et strictement endémiques, de même que la plupart des petits crustacés et des mollusques qu'on y trouve. Il s'agit entre autres de vers plats géants, de couleur rouge et orange, rayés et tachetés.

Les mollusques du lac possèdent des coquilles plus fines que leurs congénères marins, en raison de la moindre richesse des eaux douces en calcium. Enfin, on y trouve un mammifère unique en son genre, le phoque du Baïkal. Celui-ci ressemble beaucoup au phoque à collier des régions arctiques, auquel il est très certainement apparenté. Pourtant, 2 000 km séparent le lac Baïkal de l'Arctique et le voyage passe forcément par un nombre incalculable de rapides et de chutes auxquels un phoque ne résisterait pas dans les circonstances actuelles. Il y a tout lieu de croire que les phoques ont entrepris leur migration à l'ère glaciaire, alors que l'accès au lac était plus aisé et plus court. Actuellement, le phoque du Baïkal est l'unique représentant de son espèce vivant en eau douce. Il est en même temps le plus petit des phoques.

Vus à l'échelle géologique, les lacs sont des ''accidents'' transitoires de la surface de la terre. En quelques décennies, les méandres se seront effacés et les plus grands lacs finiront par s'assécher en quelques milliers d'années. En pénétrant leurs eaux paisibles, les rivières affluentes déposent les sédiments qu'elles charrient, formant des deltas qui les envasent progressivement. Les limons des berges sont lessivés par les cours d'eau et se déposent sur les bords du plan d'eau, d'où une diminution de profondeur. Au fur et à mesure que le fond se ''rapproche'' de la surface, les plantes aquatiques prennent racine et envahissent les eaux ; leurs feuilles mortes achèvent, en pourrissant, de combler le fond. C'est ainsi qu'un lac devient marais, puis marécage, avant de finir en plaine sédimentaire fertile, toujours traversée par la rivière qui lui a donné naissance.

Au milieu des plaines qui mènent à l'océan, les rivières achèvent lentement leur interminable course. La déclivité est faible et le courant insignifiant, si bien que les eaux déposent les particules qu'elles transportent. Les bancs de vase et de sable les divisent en multiples ramifications, formant un véritable labyrinthe.

A des centaines de kilomètres de là, dans les hautes montagnes où les rivières ont pris leur source, les pluies d'orage se déversent dans les affluents. Quelques jours après, les cours d'eau anémiés enflent soudain, débordent et noient les plaines qu'ils recouvrent d'un fin dépôt de limon. Ces crues périodiques peuvent faire naître des bandes de verdure en plein désert. C'est le cas du Nil, en Égypte. Dans les régions tempérées, ces crues fertilisent les plaines et sont à l'origine de récoltes abondantes, comme celle du coton dans le delta du Mississipi. La plaine fluviale de l'Amazone couvre tout le nord du Brésil. Elle est en majeure partie envahie par la forêt et les arbres géants profitent des bienfaits du fleuve. En période de crue, les poissons sortent du lit du fleuve et se laissent porter par le flot au milieu des terres immergées où ils se gavent des fruits tombés des arbres.

Ce festin ne doit rien au hasard : les poissons constituent des réserves qui leur permettront de survivre aux privations de la saison sèche. Les poissons-chats ont développé une bouche particulièrement large afin de mordre dans les fruits et certaines espèces de piranhas sont devenues fructivores. Les arbres tirent également profit du passage des poissons. Leurs graines, qui ne sont pas assimilées par les sucs digestifs sécrétés par les poissons, sont déposées avec leurs excréments dans les endroits faiblement immergés. Certains arbres amazoniens confient ainsi aux poissons le soin de disperser de leurs graines, comme le font les arbres de la forêt utilisant les services des oiseaux. Les eaux de crues charrient d'importantes quantités de déchets végétaux et de substances organiques microscopiques ; c'est pourquoi nombre de

▲ *Argyronète capturant une épinoche*

poissons s'y reproduisent, pour faire profiter leur progéniture de cette abondante nourriture.

Lorsque fleuves et rivières débouchent enfin dans les océans, certains ont parcouru plusieurs dizaines de kilomètres, d'autres ont roulé leurs eaux des mois durant à travers un continent.

Avec ses 6 000 km, l'Amazone est le plus long de tous les fleuves. Son embouchure, constituée d'un inextricable réseau de canaux et d'îlots, est à elle seule aussi vaste que la Suisse. En outre, l'Amazone se prolonge bien au delà des côtes. C'est le capitaine d'un vaisseau espagnol qui fit cette découverte en 1499. Il longeait de loin les côtes d'Amérique du Sud, lorsqu'il s'aperçut que les eaux dans lesquelles il naviguait n'étaient pas salées. Il mit le cap à l'ouest et fut le premier Européen à découvrir cet immense fleuve. Ce n'est en effet qu'à 180 km au large des côtes que les eaux de l'Amazone se mêlent aux eaux salines de l'océan.

LES CONFINS DES TERRES

Qu'il s'agisse de l'Amazone, du Zambèze, de la Seine ou de la Tamise, les eaux de tous les grands cours d'eau, comme celles des rivières plus modestes, sont troublées par la présence de sédiments aux abords de leur estuaire. Même les eaux les plus limpides en apparence sont chargées de particules microscopiques faites de minéraux ou de matières organiques en décomposition. Dès que ces corps se mélangent avec les sels dissous dans l'eau de mer, ils s'agglomèrent et tombent vers le fond, où ils forment de vastes bancs de boue.

La boue des estuaires présente une finesse, une viscosité et une fétidité très particulières. Lorsque l'on y marche, elle s'agglutine sur les bottes de façon si tenace que, par un effet de ventouse, elle arrive à vous déchausser. Son grain est si fin que l'air ne peut s'y infiltrer. Les gaz issus de la décomposition des débris organiques qu'elle contient y restent prisonniers jusqu'à ce que les pas qu'on y imprime les libèrent, dégageant un relent d'œuf pourri.

Les eaux qui baignent les fonds boueux voient leur nature se modifier du tout au tout, deux fois par jour, par suite du jeu de la marée. Au reflux, et notamment si des pluies viennent gonfler les cours d'eau, on y trouve essentiellement de l'eau douce ; mais à marée montante, les eaux d'un estuaire deviennent parfois aussi salées que celles de la mer elle-même. Chaque jour aussi, à deux reprises, une vaste étendue de boue n'est pas recouverte par l'eau, mais reste exposée à l'air. De toute évidence, les organismes qui vivent dans de tels milieux se doivent d'être capables de supporter des variations physico-chimiques, de grande amplitude, de leur milieu ambiant. Ils y réussissent parfaitement et en sont largement récompensés puisque la mer et la terre leur apportent, deux fois par jour, chacune à son tour, leurs substances nutritives.

Les eaux des estuaires possèdent en effet un potentiel nutritif supérieur à celui de presque toutes les autres eaux salines ou douces. Aussi les quelques rares espèces qui y vivent s'y perpétuent-elles en multitudes innombrables.

Dans la partie de l'estuaire située en amont, là où les eaux ne sont que légèrement saumâtres, vivent des vers de vase filiformes, la tête enfouie dans la surface boueuse. Ils y creusent un passage tout en s'en nourrissant, et agitent la queue dans l'eau sous-jacente pour créer un courant qui leur apportera l'oxygène. On a pu en dénombrer jusqu'à 25 000, vivant dans un seul mètre carré de boue. Ils en recouvrent la surface d'une fine peluche rougeâtre. Plus bas, en direction de la mer, là où les eaux sont plus salines, une multitude de minuscules crevettes, parfois d'un centimètre de long seulement, se creusent des trous où elles s'enfouissent. Elles s'y tiennent pour happer au passage les particules dont elles se nourrissent grâce à leurs antennes en crochet. Les hydrobies, à peine plus grosses qu'un grain de blé, se frayent un passage dans la couche crémeuse que forment les boues récemment déposées, afin d'en extraire toutes les bonnes choses qu'elles contiennent. Elles y prolifèrent tellement qu'on a pu en retirer jusqu'à 42 000 sur un seul mètre carré.

Plus près de la ligne des basses eaux, notamment là où le sable se mélange à la boue, s'enfouissent les arénicoles. Elles aussi se nourrissent de boue, mais elles l'enrichissent avant de la consommer. Chaque arénicole, qui mesure environ 40 centimètres et dont l'épaisseur est celle d'un crayon, creuse un tube en forme de U. Elles en tapissent les parois de mucus pour les renforcer et remplissent l'une de ses branches de grains de sable légèrement tassés. Puis, s'agrippant aux parois grâce aux cils de leurs flancs, elles montent et descendent vers le fond du tube, tel le piston d'une pompe. Elles aspirent l'eau à travers le bouchon de sable. Les particules en suspension dans l'eau s'en trouvent prisonnières. Au bout d'un certain temps, le ver arrête de pomper et commence à manger le sable. Il digère les morceaux comestibles et excrète le reste dans la seconde branche du tube. Tous les trois-quarts d'heure environ, il repousse le sable ainsi traité hors du tube. Ce rejet prend la forme d'une pièce moulée. Les coques vivent elles aussi enfouies dans cette zone, juste en dessous de la surface. Elles ne disputent pas la boue aux arénicoles, mais brandissent deux petits siphons de chair pour aspirer directement les particules en suspension dans l'eau.

Quand la mer se retire, tous ces êtres vivants doivent cesser de se nourrir et prendre les dispositions qui s'imposent pour éviter la dessication. La boue qui entoure les hydrobies est si peu tassée qu'elle est en grande partie entraînée par le reflux. Les minuscules coquillages gisent alors en couches parfois épaisses de plusieurs centimètres. Chacun scelle l'entrée de sa coquille au moyen d'un petit disque, fixé à l'extrémité du pied. Les coques bloquent les deux moitiés de leur coquille pour obtenir un joint parfaitement étanche. Les arénicoles se contentent de se réfugier dans leurs tubes, si profondément enfouis qu'ils restent gorgés d'eau en permanence.

A ce stade pourtant, d'autres dangers que la dessication les menacent. Toutes ces espèces sont en effet vulnérables aux attaques venues des airs. Dès que la mer se retire, d'immenses nuées d'oiseaux affamés s'abattent sur l'estuaire. La nourriture qu'ils recherchent est essentiellement fonction de la taille et de la nature de leur bec. Les morillons et les fuligules barbotent dans la vase pour en extraire les vers. Les pluviers à collier, au bec court et tranchant, se repaissent d'hydrobies, dont ils dépècent d'un coup de bec chaque petit tortillon de chair. Les bécasseaux et les chevaliers, qui disposent d'un bec deux fois plus long, sondent la couche superficielle de boue, à la recherche de crevettes et de vers. Avec leur puissant bec écarlate, les huîtriers font la chasse aux coques : ils impriment à leur bec un mouvement de levier pour écarter les valves, d'autres montrent une nette préférence pour les coques plus petites et à coquille plus mince qu'il leur suffit de marteler pour la réduire en morceaux. Quant aux oiseaux dont le bec dépasse tous les autres en longueur, les courlis et les barges, ils fouissent assez profondément pour atteindre les arénicoles et les extirper de leur trou.

Les apports successifs de sédiments haussent progressivement le niveau des bas-fonds boueux des fleuves. Il s'y forme peu à peu une pellicule d'algues vertes qui agglomère les particules de boue. Une fois ce processus enclenché, d'autres plantes vont prendre racine. Les bancs de boue vont dès lors acquérir de plus en plus d'importance, car les particules de boue apportées par le batillage ne sont plus entraînées vers le large. Elles se prennent dans les racines et les tiges des plantes et, finalement, émergent suffisamment pour que leur surface soit hors d'atteinte des marées quotidiennes. Lorsque, peu à peu, les bancs de boue deviennent rives, les êtres vivants qui vivaient jusqu'alors dans l'estuaire doivent céder la place aux animaux terrestres.

Le long des rivages d'Europe, c'est une petite plante qui permet à la terre de gagner ainsi du terrain sur les eaux. Cette plante porte le nom de salicorne. Ses petites feuilles écailleuses, ainsi que ses tiges translucides et boursouflées lui donnent l'aspect d'une de ces extraordinaires plantes du désert qui fixent l'eau. La comparaison est d'ailleurs fort appropriée : les plantes à fleurs se sont développées sur la terre et les processus chimiques qui régissent leur vie sont tous basés sur l'eau douce. L'eau de mer leur cause de graves problèmes : comme sa concentration en sel est plus forte que celle de la sève, l'eau tend à s'échapper des tissus végétaux par la racine, et non à s'y fixer. Il est donc aussi important de retenir l'eau pour les plantes qui vivent dans un environnement salin que pour les cactus qui vivent dans le désert.

Dans les estuaires des pays tropicaux, ce sont les palétuviers qui se chargent d'ancrer les bancs de boue. Il en existe de nombreuses espèces dont certaines ne sont pas plus volumineuses que de grands buissons. D'autres donnent de grands arbres de 25 mètres de haut. Issus de plusieurs familles de plantes différentes, la nécessité de survivre dans des marais saumâtres leur confère une très grande similitude de caractères.

Quand une plante est aussi grande qu'un arbre, prendre appui sur une boue glutineuse et mouvante présente une difficulté majeure. Pas question de lancer des racines en profondeur, car la boue tiède ne contient pas d'oxygène. En outre son acidité est source de corrosion. Aussi les palétuviers ont-ils des racines qui croissent en vastes plates-formes horizontales, reposant, tel un radeau, sur la surface de la boue. Certaines des espèces les plus grandes trouvent un appui supplémentaire dans les racines aériennes incurvées qui jaillissent de leur tronc à hauteur respectable et leur servent d'étançons. Les racines doivent assurer non seulement la stabilité de l'arbre, mais aussi sa subsistance. Le réseau peu profond des racines des palétuviers est particulièrement bien adapté à cette fonction. En effet, les éléments nutritifs que recherche l'arbre ne se trouvent pas dans les profondeurs de la boue acide, mais à la surface où ils ont été déposés par les marées.

Les racines des arbres sont aussi les voies par lesquelles s'échappent le gaz carbonique engendré par les processus vitaux et l'oxygène. Encore une fois, on ne trouve pas d'oxygène dans la boue. Les palétuviers le prélèvent directement dans l'atmosphère, grâce à de petites plaques de tissu spongieux qui se développent sur l'écorce. On retrouve ces plaques sur leurs racines aériennes.

Les palétuviers dépourvus de racines aériennes présentent ces plaques sur les larges pneumatophores en saillie sur leurs racines horizontales. Le palétuvier poussant

le plus près de la mer, là où la boue se dépose le plus rapidement, produit des rangées de racines coniques qui fixent l'air. Ces racines ne poussent pas vers le bas, comme des racines normales, mais vers le haut, à la verticale. La boue ne peut donc jamais les recouvrir et, autour de l'arbre, se forme un matelas d'aiguillons pointus évoquant quelque fantastique système de défense moyenâgeux.

Pour les palétuviers comme pour les salicornes, le sel pose un problème physiologique : comment leurs tissus peuvent-ils fixer l'eau ? Pour empêcher l'évaporation par les feuilles, ils ont recours aux mêmes artifices que les plantes du désert : la formation d'une épaisse pellicule cireuse et de stomates qui se nichent au fond de petits creux. Ils doivent en revanche lutter contre une forte concentration de sel dans leurs tissus car elle serait susceptible d'affecter gravement leur vie, sur le plan chimique. Certains parviennent à l'extraire des eaux saumâtres qu'ils absorbent grâce à une membrane spéciale qui recouvre leurs racines, à l'image des salicornes. D'autres, n'ont pas cette capacité ; ils laissent pénétrer le sel dans leurs racines, mais s'en débarrassent avant que la concentration ne devienne trop forte et par conséquent dangereuse. Pour ce faire, leurs feuilles sont munies de glandes spéciales qui exsudent la saumure concentrée. Ils peuvent aussi charrier le sel dans leur sève et l'accumuler dans de vieilles feuilles. En temps voulu, c'est-à-dire à la chute des feuilles, ils évacuent ainsi le sel importun.

A mesure que la boue s'accumule sur la rive littorale du marais, les palétuviers avancent et gagnent sur elle. Ils disposent à cet effet de graines spéciales qui germent encore suspendues aux branches. Une jeune pousse verte et bien dodue jaillit, tel un éperon. Chez certaines espèces, elle peut mesurer jusqu'à 40 centimètres. Une partie de ces pousses tombent directement parmi les racines entremêlées qui courent au-dessous d'elles et s'y implantent. Leur extrémité inférieure pousse en radicules et l'extrémité supérieure donne une tige et des feuilles. D'autres, tombant à marée haute, s'éloignent en flottant. D'abord, dans les eaux saumâtres de l'estuaire, elles pendent à la verticale. Mais, si la marée descendante les emporte vers le large, l'eau de mer leur confère une meilleure flottabilité. Mieux soutenues, elles culbutent et flottent à l'horizontale. Dès lors, le phénomène de photosynthèse qui se produit dans les cellules vertes de leur enveloppe va assurer la nourriture de la jeune plante. Le délicat bourgeon de son extrémité, d'où vont plus tard éclore les feuilles, est maintenu au frais et à l'humidité, protégé des rayons ardents du soleil. Dans cet état, le petit palétuvier peut rester en vie pendant environ un an. Durant cette période, il peut dériver sur des centaines de kilomètres. Si, ultérieurement, les courants le portent jusque dans un autre estuaire aux eaux saumâtres, il reprendra automatiquement sa position initiale, bien droit, racine en bas. L'extrémité de la racine profitera du reflux pour se prendre dans la boue molle, où elle s'installera et se développera très rapidement. C'est ainsi que naît un nouveau palétuvier.

Il arrive que des chenaux se frayent un passage dans une mangrove, mais les arbres qui les surplombent forment une barrière si épaisse qu'il n'est même pas possible d'y faire passer la moindre embarcation. La seule façon d'explorer une mangrove est d'y aller à pied, à marée basse. A vrai dire, l'endroit n'est guère hospitalier. La

◀ *Racines des palétuviers absorbant l'air en surface, Bangladesh*

voûte dense des racines aériennes n'est généralement pas assez résistante pour supporter le poids d'un homme sans plier. La marche est donc très pénible, car on glisse sans arrêt. Les racines aériennes sont en outre souvent recouvertes d'une "croûte" de coquillages aux bords horriblement tranchants. On s'y taillade les jambes en glissant, et l'on s'y écorche les mains quand on essaie d'agripper une racine pour éviter de tomber la tête la première.

La mangrove baigne dans une suffocante odeur de pourriture. L'atmosphère lourde résonne de bruits et de clapotis étranges. Ce sont les mollusques et les crustacés qui remuent dans leur trou, font claquer leurs pinces et referment bruyamment leur coquille. Les moustiques qui bourdonnent autour de nos têtes nous piquent sans relâche. La voûte du feuillage est si luxuriante que même la brise la plus légère ne parvient pas à dissiper la chaleur. L'air est humide, pesant et moite.

Nous progressons lentement, harrassés, ruisselants de sueur... mais éblouis. Car la mangrove possède une indéniable beauté. L'eau qui délave les racines donne à l'envers des feuilles un reflet argenté. La voûte des branches qui s'entrecroisent et les courbes des racines qui jaillissent de la boue pour aspirer l'air créent un univers étrange, fascinant et grouillant de vie. Les animaux sont partout.

Une véritable armée de minuscules créatures s'affaire à recueillir la nouvelle ration de nourriture laissée par le reflux. De petits escargots de mer, rappelant les bigorneaux, cheminent lentement sur la boue et mangent des fragments d'algues. Des crabes-fantômes de 5 cm de diamètre font la course sur la boue, à la recherche de déchets organiques, toujours sur le qui-vive grâce à leurs yeux qui ne sont pas situés au bout de longs pédoncules, mais les entourent, ce qui leur assure un champ de vision de 360°. Les ucas — on les appelle "crabe-c'est-ma-faute" dans les Antilles françaises, car le mouvement de leurs pinces rappelle le geste des pénitents se frappant la poitrine — émergent de leur trou avec précaution et commencent à se frayer un chemin à travers les couches superficielles. Ils en recueillent un petit morceau à l'aide de leurs pinces et l'amènent jusqu'au jeu de lames frangées de cils qui vont et viennent comme des ciseaux devant leur bouche. Les grains de sable non consommables s'accumulent au fond de leurs mâchoires, où ils se consolident pour former une petite boulette, reprise par une pince et rejetée à mesure que le crabe avance de quelques pas, pour prendre une nouvelle pincée.

Les crabes femelles se servent de leurs deux pinces pour exécuter cette opération. Par contre, le mâle doit se contenter d'une seule pince : en effet, alors qu'une de ses pinces est semblable à celles des femelles, l'autre est beaucoup plus volumineuse et de couleur très voyante : rose, bleue, violette ou blanche. Il ne s'en sert pas comme d'une fourchette mais comme d'un fanion de signalisation. Le mâle fait des signes à la femelle tout en se livrant à une gymnastique. La combinaison exacte de la chorégraphie et des signaux varie d'une espèce à l'autre. Certains crabes se haussent sur la pointe des pattes et agitent leurs pinces en formant des cercles. D'autres les balancent d'avant en arrière avec frénésie. D'autres encore gardent leurs pinces immobiles et sautent sur place. Pourtant les messages sont tous les mêmes : le mâle est prêt à s'accoupler. Reconnaissant les signes particuliers propres à son espèce, la femelle réagit

▲ *Crabe chevalier, Australie*

Gobies près de leur bassin, Malaisie ▲

en trottant vers le mâle et en le suivant jusqu'à son antre où ils s'accoupleront.

Les crabes sont originaires de la mer. La plupart des espèces y vivent encore. Ils respirent en faisant circuler l'eau chargée d'oxygène à travers des opercules s'ouvrant dans leur carapace. Toutefois, les crabes ucas doivent pouvoir respirer hors de l'eau. Ils s'y prennent très simplement, en retenant l'eau dans leurs opercules même s'ils sont eux-mêmes hors de l'eau. Naturellement, dans un si faible volume d'eau, l'oxygène s'épuise rapidement. Mais le crabe le renouvelle, en faisant circuler l'eau entre ses mâchoires et en la fouettant pour former une mousse. Après avoir fixé un surplus d'oxygène de l'air, cette mousse est renvoyée dans les opercules.

On voit aussi sortir de l'eau des poissons qui se tortillent pour traverser les étendues de boue qui séparent deux mangroves. Ce sont les périophtalmes. Le plus gros mesure presque 20 centimètres de long. Ils ont mis au point la même technique que les crabes pour respirer : ils gardent leurs ouies pleines d'eau. Mais, n'ayant pas la possibilité de la faire circuler pour renouveler l'oxygène, ils doivent retourner régulièrement en bordure de l'eau pour reprendre une nouvelle gorgée rafraîchissante. Ils disposent pourtant d'une surface d'absorption dont les crabes sont dépourvus : leur peau. C'est par là qu'ils absorbent la plus grande partie de l'oxygène dont ils ont besoin, exactement comme le font les grenouilles. Toutefois, leur peau doit rester humide pour pouvoir jouer ce rôle. Et c'est la raison pour laquelle ces curieux poissons se déplacent en roulant sur eux-mêmes, d'un mouvement rapide qui leur permet d'humidifier leurs flancs.

S'ils veulent se déplacer à vive allure pour attraper un crabe ou échapper à un danger, ils enroulent leur queue de côté et s'en servent comme d'un fouet pour se propulser à travers la vase. Sinon, leur comportement est beaucoup plus digne : ils avancent posément en prenant appui sur leurs nageoires antérieures comme sur des béquilles. Ces nageoires sont renforcées par des arêtes placées en entretoises. Elles sont bien musclées et possèdent une articulation à mi-hauteur. C'est ce qui donne l'impression que ces poissons se soulèvent sur la boue en s'appuyant sur leurs "coudes". Certaines espèces sont dotées d'une deuxième paire de nageoires, située légèrement en retrait de la première, sur le ventre. Ces deux nageoires sont réunies pour former une ventouse grâce à laquelle les poissons peuvent s'accrocher aux racines des palétuviers.

Les périophtalmes peuplent les mangroves de nombreuses régions du monde. La plus petite des espèces reste dans l'eau le plus longtemps possible et ne s'aventure hors de l'eau qu'à marée basse. Ces poissons se faufilent alors, par bancs entiers, à travers la boue liquide en bordure de l'eau. Ils la filtrent pour attraper vers et petits crustacés.

La zone située plus à l'intérieur des terres par rapport à l'espace balayé par les marées est le domaine d'une espèce de périophtalmes nettement plus grosse. Il s'agit en réalité d'une espèce végétarienne qui se nourrit d'algues, ainsi que d'autres plantes monocellulaires. Ces poissons, qui font preuve d'un caractère très individualiste, sont particulièrement attachés à leur territoire. Ils y creusent un trou et patrouillent dans la vase environnante. Il leur arrive de bâtir des contreforts de faible hauteur, longs de plusieurs mètres, pour empêcher les voisins d'entrer et, dans une certaine mesure, pour éviter que la vase ne s'assèche. En cas de forte concentration de population, les territoires sont contigus et les bancs de vase ne sont séparés que par des murets qui délimitent des domaines de forme polygonale. Dans chaque polygone, le propriétaire fait la loi comme un taureau dans son enclos.

La troisième espèce de périophtalmes occupe la partie supérieure de la zone intercotidale. Carnivores, ces poissons ont pour proies de petits crabes. Ils s'enfouissent également, mais leur instinct de propriété est moins développé à l'égard des territoires environnants. Ils partagent donc leur terrain de chasse avec leurs voisins, sans que cela donne lieu à des conflits.

L'espace aérien n'est pas seulement le lieu où les périophtalmes trouvent leur nourriture. Il est aussi le théâtre de leurs parades nuptiales. Comme la plupart des poissons, ils paradent en déployant leurs nageoires, agitées de frémissements. Les deux paires de nageoires jumelées servant au déplacement, il leur faut se faire remarquer grâce aux deux longues autres nageoires qui courent le long de leur épine dorsale. En temps normal, ces nageoires sont posées à plat. Mais dès le début de la parade le mâle les redresse, ce qui fait apparaître leur vive coloration. En soi, ceci n'est pas suffisant pour attirer une partenaire de loin, car une étendue de vase est parfaitement plate et un petit poisson placé à son niveau n'est visible que de ses proches voisins. Le périophtalme mâle, désireux de diffuser son message au loin, contracte sa queue et saute en l'air, toutes bannières déployées.

L'espèce propre à la zone des basses marées, pour autant qu'on le sache, ne prend pas soin de sa progéniture quand elle éclot. Ces êtres minuscules se trouvent balayés par le flot et se mêlent à la communauté de larves et d'alevins qui flottent dans les couches superficielles des eaux marines. En grande majorité, ils vont être dévorés par des prédateurs ou entraînés loin de la zone balayée par les marées, sans espoir de survie.

L'espèce propre à la zone intermédiaire donne à sa progéniture une meilleure protection. Le mâle creuse une sorte de terrier au milieu du territoire qu'il a entouré de minuscules murailles et construit un rempart de boue autour de son entrée. La surface de la boue est si proche du niveau de l'eau qu'il se forme rapidement une petite mare entourée de murets. Le mâle se tapit alors contre l'une des parois de sa ''piscine'', et la femelle l'y rejoint. L'accouplement a lieu dans la stricte intimité du trou situé au fond de la mare. C'est là aussi qu'a lieu la ponte. Les jeunes restent au fond du trou, même à marée haute, jusqu'à ce que leur croissance soit assez avancée et qu'ils ne soient plus totalement dépourvus de défenses face à leurs ennemis.

L'espèce qui vit dans la zone la plus haute n'aménage pas de mare de ce genre. Il serait d'ailleurs très difficile d'y maintenir de l'eau, étant donné la hauteur du terrain. Les périophtalmes creusent donc des trous très profonds par rapport à leur propre taille, puisqu'ils descendent parfois jusqu'à un mètre au milieu de la boue. A cette profondeur, il reste toujours un peu d'eau stagnante où les jeunes seront protégés pendant les premiers stades de leur existence.

Comme les crabes ucas et les huîtres, les périophtalmes sont des animaux marins

▲ *Falaises et rochers, Port Campbell, Australie*   *Bandes de végétation, côte nord-ouest des Etats-Unis* ▶

qui ont réussi à s'adapter à une vie les obligeant à subsister en partie dans l'eau et en partie hors de l'eau. Certains animaux terrestres, parvenus aux marais en provenance de la direction opposée, ont fait plus ou moins la même chose.

En Asie du sud-est, existe un petit serpent qui s'aventure dans les marais à la recherche de périophtalmes. Il les chasse à travers les bancs de boue et va même jusqu'à les poursuivre dans leur trou. Il s'est parfaitement adapté à la vie aquatique, grâce à ses narines qu'il peut obturer et à une valve, située à l'arrière de sa gorge, qu'il peut refermer s'il ouvre la gueule pour attraper un poisson. Un autre serpent, appartenant à une expèce très proche, chasse non pas les poissons, mais les crabes. Il a mis au point un venin particulièrement efficace contre les crustacés. Un troisième type de serpent a connu une évolution tout à fait extraordinaire : son nez est pourvu de deux tentacules mobiles dont il peut s'aider pour se frayer un chemin dans les eaux boueuses. Par ailleurs, dans ces marais, vit également une grenouille exceptionnelle : la seule au monde dont la peau tolère l'eau salée. Elle se nourrit d'insectes et de petites crevettes.

Le plus hardi de tous les visiteurs est un singe omnivore d'une curiosité insatiable : le macaque à longue queue. En appui sur ses pattes postérieures, il patauge sans crainte, immergé jusqu'à la taille si besoin est. Dans un premier temps, le crabe est généralement trop rapide pour le singe. Il détale et s'enfouit dans son trou. Mais le singe va s'installer près du trou et attendre patiemment que le crabe se risque enfin à sortir. C'est à ce moment que le singe l'attrape. Mais il lui faut s'y prendre avec précaution, car le crabe a des pinces. Souvent, la pêche aux crabes se termine par des cris perçants poussés par un singe furieux qui secoue frénétiquement sa patte.

En l'espace de 24 heures, les vastes bancs de boue se retrouvent exposés à l'air à deux reprises. Deux fois aussi, ils sont submergés. Rapidement et silencieusement, l'eau se rue en avant. Le fouillis de racines disparaît sous la nappe ondulante des vagues et la forêt de palétuviers change d'aspect. Pour certains habitants de la vase, vers, crustacés, mollusques, c'est le soulagement. Ils ne sont alors plus vulnérables face aux raids aériens et ne risquent plus la dessication. Mais ce n'est pas le cas de tous. Certains crabes se sont si bien adaptés à respirer dans l'atmosphère qu'ils ne sont plus capables de survivre en cas d'immersion prolongée. Chacun construit avec soin un toit de boue sur son trou, retenant une bulle d'air prisonnière. Celle-ci contient assez d'oxygène pour permettre au crabe de vivre jusqu'à ce que les eaux se retirent. Les périophtalmes se mettent à grimper le long des racines, tels les rescapés d'une inondation, probablement des jeunes qui n'ont pas encore réussi à se réserver un territoire dans la boue sous-jacente. Ils n'ont donc pas de trou où se réfugier quand de gros poissons affamés nagent vers la mangrove portés par la marée. Il est vraisemblable que certains de ces jeunes se trouvent plus en sécurité hors de l'eau que dans son sein.

Les escargots de mer qui se nourrissent d'algues grimpent le long des racines à côté des périophtalmes. S'ils restaient dans la vase, sans trouver de crevasses pour y chercher refuge, ils risqueraient eux aussi d'être attaqués par les poissons. Toutefois, ils ne sont pas capables de se mouvoir aussi rapidement que les poissons et connaissent quelques difficultés pour suivre le rythme du reflux. Ils abandonnent donc leurs lieux de subsistance dans la boue, bien avant que le flot ne les rejoigne. Ils font preuve en cela d'un sens du temps remarquablement précis. Leur horloge interne déclenche aussi chez eux des alarmes encore plus subtiles : chaque mois, la marée monte si haut que les mollusques n'auraient pas le temps de sortir de la vase pour atteindre les hauteurs de la mangrove où ils seraient à l'abri des eaux. Dans ces circonstances, ils ne se donnent même pas la peine de descendre dans la vase pour s'y nourrir entre deux marées. Ils rampent encore plus haut, sur les racines de palétuviers, pour être sûrs de se placer hors d'atteinte.

Les insectes qui trouvent leur subsistance sur les bancs émergés sont également mis en fuite par les eaux. Ils se replient en force sur les racines des palétuviers et sous les feuilles. Mais ils n'en sont pas pour autant hors de danger. Parmi les poissons maraudeurs qui pénètrent dans les mangroves au moment du flux, on trouve des ''archers'' qui croisent près de la surface. Ce sont des animaux d'assez grande taille — certains atteignent 20 centimètres de long — dotés d'énormes yeux et d'une protubérance qui remonte vers leurs bouche. Leur vue est si précise qu'ils sont capables de repérer les insectes posés au-dessus de la surface ondulante et réfractrice de l'eau. Ayant visé sa proie, le poisson presse sa langue contre le long sillon qui partage la voûte de son palais et secoue en même temps ses ouies pour faire jaillir un jet d'eau semblable à celui d'un pistolet à eau. Le poisson doit quelquefois s'y reprendre à deux ou trois fois avant de connaître la distance exacte, mais il s'obstine. Et, dans la majorité des cas, l'insecte touché finit par s'abattre dans l'eau. Il est immédiatement gobé. Les insectes qui se réfugient plus haut, sur les palétuviers, ont aussi leurs prédateurs. Les crabes grimpent le long des arbres, retournent les feuilles et cueillent d'un coup de pinces les mouches qui s'y étaient abritées.

Les réfugiés des racines sont ainsi assiégés pendant plusieurs heures. Puis les vagues se calment et pendant quelques minutes, tout plonge dans l'immobilité. La marée s'inverse. Les vagues se reforment mais se portent dans le sens opposé, s'éloignant des racines. Une fois de plus, la mangrove commence à se vider. A mesure que les eaux se retirent, elles laissent derrière elles à la fois une nouvelle ration de fragments comestibles qui serviront de pitance aux crabes et aux périophtalmes et une nouvelle couche de boue gluante qui contribuera en partie à étendre le territoire que les palétuviers vont rattraper sur la mer.

Bien que les terres gagnent du terrain sur la mer dans les estuaires, certaines zones littorales connaissent au contraire un retrait. Là où le rivage n'est pas protégé par des dépôts de sédiments, notamment aux endroits où il plonge de façon abrupte, les vagues déferlent et viennent battre les rochers. En cas de tempête, elles se ruent vers l'intérieur des terres avec une telle force qu'elles arrachent des fragments de roc et de sable et les projettent avec violence contre les falaises. Immanquablement, cette agression comparable à un bombardement finit par attaquer les points faibles des falaises, failles, couches rocheuses plus tendres que les autres. Il en résulte une érosion plus rapide et plus profonde qui donnera naissance à des crevasses et à des grottes. A mesure que la terre est entaillée, elle recule et des morceaux s'isolent pour former des cheminées et des tours. Les blocs les plus volumineux charriés par la vague attaquent le pied des falaises de façon particulièrement destructrice : ils se livrent à un véritable travail de sappe. En fin de compte, un pan entier finit par s'effondrer. Pendant un certain temps, la masse d'éboulis rocheux va protéger le pied de la falaise. Mais la mer reprend les éboulis, imprimant aux blocs un mouvement de va-et-vient, broyant les plus petits et les meulant jusqu'à ce que les morceaux deviennent de plus en plus petits. Avec le temps, ils se font si minces que les courants longeant les côtes les regroupent et les emportent. Dès lors, le pied des falaises se retrouve exposé au travail de sappe et la mer recommence à grignoter la terre.

Non seulement des animaux vivent dans cette dangereuse zone de démolition, mais en fait, ils contribuent à sa destruction. La pholade, mollusque bivalve ressemblant à une coque de forme oblongue, vit sur des roches plutôt tendres telles que les calcaires et le grès. Les deux valves de sa coquille ne sont pas reliées par une charnière cornée comme c'est le cas de la coque, mais par une solide articulation à rotule. L'animal sort un pédoncule charnu d'une extrémité de sa coquille, saisit le roc puis étire le bord denté et coupant de ses deux valves pour l'appliquer sur la surface de la roche. Ensuite, en râclant une valve après l'autre contre la pierre et en se balançant de part et d'autre de son articulation, il creuse lentement une galerie. Il parvient à forer un puits pouvant atteindre 30 centimètres de long et reste là, niché au plus profond. Deux siphons accolés relient le dos de sa coquille à l'entrée de la galerie. C'est par là qu'il aspire et refoule l'eau, à l'abri des chocs provoqués par les rochers qui roulent. Il y reste jusqu'à ce que le bloc investi soit si criblé de trous qu'il se brise. Alors, la pholade doit recommencer à creuser ailleurs, sous peine d'être broyée.

La datte de mer fore elle aussi dans le calcaire. Mais au lieu de procéder à cette opération par des moyens mécaniques, elle dissout la roche avec de l'acide. Sa coquille, comme celle de tout autre mollusque, est faite de la même substance que le calcaire : du carbonate de calcium. Elle risquerait donc aussi d'être attaquée par son propre acide si elle n'était protégée par un vernis corné de couleur brune qui lui donne l'aspect d'une datte.

Plus un organisme marin vit haut par rapport à la limite des basses eaux, plus les contraintes qu'il doit supporter sont grandes : plus il reste longtemps hors de l'eau entre deux marées, plus il risque d'être surchauffé par le soleil et importuné par le ruissellement des eaux de pluie. Ces divers risques ont délimité une série de zones bien distinctes. Chacune est dominée par le groupe d'êtres vivants qui a su le mieux faire face à un ensemble donné de difficultés. C'est ce qui explique pourquoi les littoraux rocheux se retrouvent divisés en zones très nettement différenciées.

Contrairement à la boue, la roche offre une assise solide aux plantes qui s'y installent. La plupart des rivages rocheux sont recouverts d'une végétation que l'on appelle parfois, d'une façon erronée, des goémons, mais le terme plus exact serait algues marines. A première vue, il peut sembler curieux qu'il n'y ait pas, dans la mer, de plantes aussi complexes que les plantes à fleurs de la terre ferme. Mais la majeure partie des tissus d'une plante terrestre sont destinés à lutter contre des difficultés qui n'existent pas dans la mer. Une plante terrestre doit se préoccuper activement de capter l'eau indispensable à sa vie et de la distribuer dans toutes les parties de son organisme. Il faut qu'elle dresse la tête assez haut pour ne pas rester dans l'ombre de ses rivales et être ainsi privée de la part de rayons solaires qui lui revient. Elle doit être dotée de divers mécanismes, les uns permettant aux cellules mâles et femelles de se rejoindre et les autres assurant la dispersion des cellules fécondées vers des sites nouveaux. C'est pourquoi les plantes terrestres ont dû produire des racines, des tiges et des troncs, des feuilles, des fleurs et des graines. Dans la mer, l'eau résout tous ces problèmes. Elle fournit aux algues le support et le liquide dont elles ont besoin. Elle charrie les gamètes dès que se produit leur rejet. Et elle disperse les œufs fécondés. Comme les algues ne possèdent pas de vaisseaux remplis de sève, la salinité de l'eau ne pose aucun problème du point de vue de la rétention des fluides internes. Naturellement, comme toutes les plantes à l'exception des champignons, les algues marines ont absolument besoin de lumière. Or celle-ci ne pénètre que très peu dans l'eau. C'est pourquoi la plupart des algues flottent ou si elles s'accrochent au fond, elles vivent en des lieux où la mer est peu profonde.

Juste en dessous de la ligne des basses eaux croissent les varechs et les laminaires, plantes en forme de lanières qui, en certains endroits, forment des masses très denses. Longues de plusieurs mètres, elles s'étirent vers la lumière, tout près de la surface. Les crampons en forme de griffes dont elles se servent pour s'agripper aux rochers n'ont pas de rôle d'absorption comme les racines des plantes terrestres. Ils servent simplement d'ancres d'amarrage. Ces plantes tolèrent l'exposition à l'air libre pendant un certain temps, en cas de marée exceptionnellement basse. Mais, au delà de cette limite, elles ne s'épanouissent plus beaucoup. En remontant vers le rivage, elles sont remplacées par les goémons, plantes plus petites dont les frondes présentent des vessies remplies de gaz qui leur permettent de se soulever quand la marée monte et de rester ainsi près de la surface et de la lumière. Plus haut encore, vivent d'autres sortes d'algues. A ce niveau, la profondeur de l'eau ne dépasse jamais quelques dizaines de centimètres. Ces algues ne sont pas de grande dimension et n'ont pas besoin de vessies pour se soulever. Toutes les algues intertidales présentent des surfaces rendues visqueuses par un mucus qui préserve leur humidité très longtemps et les aide à éviter la complète dessication. Les espèces qui vivent le plus près de la surface sont capables de survivre même exposées à l'air libre pendant 80 % du temps. Il existe bien d'autres espèces d'algues qui poussent sur les rivages, mais ce sont les varechs qui prédominent et qui confèrent à chaque zone son propre caractère.

Suivant le même principe, certains animaux littoraux vivent dans des zones différentes. Au niveau supérieur, hors des limites les plus avancées où croît le goémon le plus résistant à la sécheresse, au-delà même du niveau extrême des hautes eaux, là où la mer ne parvient jamais que sous forme d'embruns, vivent les minuscules glands de mer. Rivés aux rochers, gardant leurs petites valves hermétiquement closes, ils s'arrangent pour conserver à l'intérieur de leur être la faible quantité d'humidité qui leur est nécessaire. Ils font preuve en cela d'une grande efficacité. Leurs besoins en nourriture sont si réduits qu'ils parviennent à recueillir, dans les embruns, assez de particules pour se sustenter, ce qui paraît à peine croyable.

Plus bas, il arrive que des moules forment une bande opaque bleu foncé qui barre les rochers. Elles ne sont pas capables de résister aussi longtemps que les glands de mer à l'exposition à l'air libre. Et c'est cette incapacité qui détermine la frontière supérieure de leur territoire. La limite inférieure est, quant à elle, fixée par les étoiles de mer, leurs prédateurs. La technique adoptée par celles-ci pour s'alimenter est à la fois simple, lente et dévastatrice. L'étoile de mer rampe vers une moule l'enveloppe entièrement de ses tentacules dont la partie inférieure est garnie de rangées de ventouses, ses pieds tubulaires. Lentement, elle écarte les valves de la moule. Puis elle dévagine son propre estomac, en forme de sac, de sa bouche située au centre de son corps, de manière à ce que la paroi stomacale se trouve en contact avec les parties molles de la moule. Elle les dissout alors et les absorbe. Ces étoiles de mer pullulent sur les fonds marins, en-deçà des limites extrêmes des basses mers. Elles s'y nourrissent de mollusques de toutes tailles. Par conséquent, rares sont les moules qui parviennent à survivre à ce niveau.

Bien que l'étoile de mer soit capable de vivre un certain temps hors de l'eau, cela ne lui suffit pas pour se nourrir. Voilà pourquoi, à environ 30 centimètres au-dessus du niveau des marées basses, la situation tourne de nouveau légèrement en faveur des moules quelques mètres plus haut ; ces dernières reprennent possession du rivage.

Les moules se fixent sur les rochers grâce à des touffes de filaments collants. Mais leur prise n'est pas très solide. Elles ne sont donc pas capables de se maintenir aux endroits du rivage particulièrement battus par les vagues. Leur place est parfois prise par les anatifes, petits êtres de la taille d'un haricot, dont le corps est enfermé entre deux lamelles calcaires. Ils possèdent un long pédicule en tire-bouchon, de la grosseur d'un doigt, grâce auquel ils s'agrippent très solidement aux rochers.

A côté des bernacles et des moules, une multitude d'autres organismes vivent dans la zone intertidale. Toutefois, ils occupent une place moins dominante. Des glands de mer, plus gros que ceux des zones qui reçoivent les embruns, forment une croûte sur les coquilles des moules. Les limaces de mer, mollusques sans coquille, se nourrissent de bernacles. Dans les anfractuosités rocheuses où l'eau reste même à marée basse, des rangées d'anémones de mer multicolores agitent leurs tentacules. Des oursins hérissés de piquants, véritables pelotes d'épingles, se déplacent lentement sur les blocs de rochers. Ils mordent dans les algues qui s'y incrustent grâce aux dents en saillie de leur bouche ; celle-ci se situe au centre de la face inférieure de leurs corps. Ces dents fonctionnent comme les mâchoires qui enserrent les trépans de forage.

Même si les zones qui abritent chacune leur propre communauté bien spécifique d'animaux et de plantes semblent tellement différenciées, avec des frontières nettement définies, elles ne sont en aucun cas permanentes et immuables. Les organismes qui y prolifèrent sont toujours prêts à profiter de la moindre possibilité d'élargir leur territoire. Une tempête particulièrement violente peut arriver à déloger une ou deux moules. Un trou se forme dans le tapis qui reste par ailleurs uniforme. Les vagues suivantes parviennent parfois à arracher de grandes plaques de coquillages. Les minuscules larves flottantes des moules et des bernacles, toujours présentes dans l'eau, ont dès lors l'occasion de s'établir. Ainsi, les anatifes ont toutes les chances de réussir à implanter un avant-poste dans un territoire qui jusqu'alors appartenait aux moules.

Sur le littoral nord-ouest de l'Amérique, une algue a mis au point une méthode efficace pour envahir les bancs de moules. Elle possède une tige caoutchouteuse de 50 centimètres de haut, se terminant par une couronne de frondes glissantes qui se balancent au gré des vagues. Elle ressemble ainsi à un petit palmier. Cette couronne unique en son genre est l'arme qui lui permet d'attaquer les moules. Au printemps, il arrive exceptionnellement qu'une jeune plante parvienne à s'assurer une prise sur la coquille d'une moule, grâce à ses crampons. Pendant l'été, lorsque la marée basse le fait émerger, le "palmier de mer" produit des spores qui suintent de ses frondes et coulent directement sur les moules du voisinage. Elles s'installent au milieu d'elles. Quand surviennent les tempêtes automnales, une vague, qui n'aurait pas dérangé les moules outre mesure en d'autres circonstances, peut parfois se glisser sous la cime du "palmier", soulever celui-ci et l'arracher. Comme la plante a une prise plus solide sur la moule que cette dernière n'en a sur le rocher, elle entraîne la moule avec elle. A partir de ce moment, les petits "palmiers de mer" du banc de moules peuvent se propager rapidement et mettre en place la génération suivante sur les rochers récemment mis à nu.

Aucun des individus vivant sur les rivages rocheux ne peut espérer une très longue durée de vie car, au bout du compte, le déferlement incessant des vagues réduit les rochers en fragments. Les courants côtiers reprennent les éléments ainsi formés et les emportent loin de leur lieu d'origine. Ils les trient sans cesse pour constituer des bancs de granulométrie uniforme et les charrient le long du littoral. Quand le courant diminue, il les abandonne en suivant les promontoires sous le vent et les disperse dans les baies, où ils tombent au fond.

Les plages de sable font vivre moins d'animaux que toute autre partie du littoral. Ici, à chaque marée, la vague remue la couche de sable sur une profondeur de plusieurs centimètres. De ce fait, aucune algue ne peut s'y implanter. Il est donc impossible de rencontrer des populations animales se nourrissant de plantes. On n'y trouve pas non plus de cours d'eau apportant deux fois par jour des dépôts de nourriture. Même les particules comestibles amenées par le ressac ne peuvent assurer complètement la subsistance d'animaux de grande taille, car les couches de sable se comportent exactement comme les lits filtrants des stations d'épuration. La poussée exercée par l'eau oxygénée à travers le sable permet aux bactéries de proliférer jusqu'à une certaine profondeur. Elles se reproduisent rapidement et consomment la quasi totalité des matières organiques apportées par l'eau de mer. Il est donc exclu que des vers puissent y vivre en mangeant le sable, comme tant d'autres le font dans les estuaires où ils se nourrissent de boue. Les habitants des rivages sableux qui cherchent leur nourriture dans l'eau sont ainsi obligés de la disputer aux bactéries vivant dans le sable.

Un ver marin a trouvé la solution : il cimente des grains de sable et des fragments de coquilles pour construire un tube en saillie de plusieurs centimètre au-dessus de la surface du sable. Le bord supérieur est frangé d'expansions, qui prennent au piège les particules portées par l'eau. Les couteaux s'enterrent dans le sable pour des raisons de sécurité, mais différencient deux tubes dans les eaux claires sus-jacentes. C'est

◀ *Varech crampon*　　　　　　　*Escargots laboureurs mangeant une méduse, Afrique du Sud* ▶

par là qu'ils aspirent un courant pour l'amener jusqu'au filtre qui sépare leurs valves. Le crabe masqué vit plus ou moins de la même façon. A défaut du siphon dont sont pourvus les mollusques, il forme une sorte de tube d'aspiration de fortune en serrant étroitement ses deux antennes l'une contre l'autre. Diverses espèces d'oursins se sont également transformés en animaux fouisseurs. Leurs piquants sont beaucoup plus courts que ceux de leurs cousins des rivages rocheux. Ils s'en servent pour creuser des trous en pivotant sur leur articulation à rotule : c'est ce qui donne à l'oursin en train de creuser l'aspect d'une batteuse miniature. Quand il s'est enfoui dans le sable, l'animal recouvre les grains environnants de mucus, de manière à bâtir une petite chambre aux murs solides. Comme les étoiles de mer, les oursins possèdent des appendices tubulaires. Les espèces qui s'enfouissent en ont deux, très allongés, qui serpentent en remontant dans les puits creusés dans le sable. Les cils mobiles dont ils sont recouverts font venir l'eau jusqu'au fond des puits. L'oursin enfoui peut ainsi recueillir, dans l'une des branches, l'oxygène dissous et les particules alimentaires et rejeter les déchets en les repoussant dans l'autre. Comme ils vivent enterrés, on voit rarement ces oursins vivants. Mais quand ils meurent, il arrive souvent que leur beau squelette décoloré soit rejeté sur les plages par la mer. Les espèces qui creusent le plus profondément ont la forme d'un cœur. Celles qui vivent près de la surface sont rondes et plates : on leur donne souvent le nom de ''dollars des sables''.

Sur les plages, l'endroit où la nourriture est la plus abondante se situe au niveau des hautes eaux ce qui, pour la majorité des animaux marins, n'est pas très pratique. C'est en effet là où les vagues se brisent qu'elles abandonnent des grandes quantités de débris organiques : varechs et goémons arrachés aux zones plus rocailleuses de la côte, méduses échouées, poissons morts, oothèques de mollusques. Leur volume varie d'une marée et d'une saison à l'autre. Les talitres, cousins des crevettes, sont capables de tirer toute l'humidité dont ils ont besoin du sable mouillé et, pendant presque toute la journée, ils se cachent sous des tas d'algues échouées et restées humides. Quand la nuit tombe et que l'air se rafraîchit, ils sortent par milliers (on en a dénombré jusqu'à 25 000 sur un seul mètre carré) et s'attaquent aux algues et aux animaux en décomposition. Mais ce sont des exceptions. Ces récoltes abondantes sont hors de portée de la plupart des êtres marins qui peuplent les plages.

Sur le littoral méridional de l'Afrique, vit un mollusque, l'escargot laboureur, qui a mis au point le moyen le plus ingénieux d'explorer cette source de nourriture avec un minimum d'efforts et de risques. Il se tient enfoui dans le sable, tout près du niveau des basses eaux. A mesure que la marée envahit sa cachette et remonte vers le rivage, l'escargot laboureur émerge du sable et aspire l'eau par un pédoncule. Celui-ci se dilate et se transforme en une énorme excroissance en forme de soc de charrue. L'animal s'en sert non pas comme d'une charrue, mais bien plus comme d'une planche de surf. Les vagues qui s'engagent par-dessous, ''portent'' l'escargot jusqu'à la plage. Elles le déposent exactement là où elles abandonnent presque toutes leurs épaves. L'escargot est extrêmement sensible au goût de la décomposition dans l'eau. Dès qu'il le détecte, il rétracte sa planche de surf et rampe sur le sable lavé par les vagues, jusqu'à l'endroit d'où provient ce goût. Une méduse échouée peut ainsi attirer des dizaines d'escargots en l'espace de quelques minutes. Tous se mettent à manger avant que la marée n'atteigne son point le plus haut et tant que la proie surnage. S'avancer jusqu'à la limite extrême du ressac serait dangereux : en effet, pour peu que les escargots festoyent trop longtemps, ils risquent de manquer la navette du retour et de rester ainsi échoués sur la plage. A mesure que les vagues gagnent du terrain, ils interrompent leur repas et s'enfouissent dans le sable. Ce n'est que lorsque les eaux commencent à se retirer qu'ils émergent, regonflent leur planche de surf charnue et se laissent remporter vers les eaux plus profondes où ils attendront la prochaine marée, enfouis dans le sable.

Très rares sont les animaux marins qui peuvent s'aventurer au-delà du point extrême des plus hautes marées et y survivre. Pourtant, les tortues de mer y sont bien obligées et ceci s'explique par des raisons ancestrales. Elles descendent des tortues terrestres qui respirent l'air ambiant. En plusieurs millénaires, elles sont devenues d'excellentes nageuses, capables de plonger sous l'eau pendant de longs moments, sans respirer, et d'y nager à grande vitesse grâce à leurs pattes qui se sont modifiées pour devenir des palmes. Mais leurs œufs, comme ceux de tous les reptiles, ne peuvent se développer et éclore qu'à l'air libre. Pour leur croissance, les embryons ont besoin de respirer l'oxygène à l'état de gaz. A défaut, ils s'étouffent et meurent. Voilà pourquoi chaque année, après s'être accouplées en mer, les femelles adultes sont contraintes de quitter la sécurité du large pour s'aventurer sur la terre ferme.

La tortue de Ridley, l'une des plus petites tortues de mer — elle mesure environ 60 centimètres de long — vit en vastes troupes qui constituent sans aucun doute l'un des spectacles les plus étonnants offerts par le monde animal. Sur une ou deux plages reculées du Mexique et du Costa Rica, pendant quelques nuits qui se situent entre août et novembre et sans que les scientifiques ne soient encore parvenus à en prévoir la date, des centaines de milliers de tortues sortent de l'eau et s'avancent sur le plage. Elles possèdent des poumons et une carapace imperméable, héritages de leurs ancêtres terrestres, et ne risquent donc ni la suffocation ni la dessication. Mais leurs pattes palmées sont mal adaptées aux mouvements hors de l'eau. Rien ne les arrête cependant. Elles peinent pour avancer jusqu'au moment où elles atteignent enfin le haut de la plage, juste en dessous de la végétation permanente. Elles se mettent alors en devoir de creuser un trou pour y aménager leur nid. Elles sont si serrées les unes contre les autres qu'elles se piétinent tout en essayant de trouver un site adéquat. En creusant, elles impriment à leurs pattes palmées un mouvement de balayage. Elles s'aspergent mutuellement de sable et cognent leurs carapaces. Quand une tortue a enfin terminé de creuser son trou, elle y pond une centaine d'œufs, puis elle le recouvre soigneusement de sable et repart en direction de la mer. La ponte se poursuit trois ou quatre nuits de suite. Pendant cette période, il arrive que plus de 100 000 tortues de Ridley se retrouvent sur une seule plage. Les œufs mettent quarante-huit jours pour éclore, mais avant cela, une seconde armée de tortues arrive. A nouveau, la plage est couverte de reptiles en marche. Quand les nouvelles venues se mettent à creuser, nombre d'entre elles déterrent les œufs pondus par les précédentes et les détruisent par inadvertance. La plage se retrouve alors jonchée de coquilles

parcheminées et d'embryons en décomposition. Moins d'un œuf sur 500 parmi tous ceux qui ont été pondus résiste assez longtemps pour donner naissance à un jeune.

On ne comprend pas encore très bien les facteurs qui régissent cette reproduction en masse. Peut-être que toutes les tortues de Ridley échouent sur ces quelques rares plages tout simplement parce que les courants océaniques les ont entraînées passivement dans cette direction. Elles ont peut-être aussi intérêt à nicher par milliers, car si elles espaçaient leurs visites et les répartissaient de façon plus régulière, sur toute l'année, les plages attireraient d'importantes populations de prédateurs : crabes, serpents, iguanes et vautours. Dans le cas présent, on n'y trouve presque rien à manger pendant la plus grande partie de l'année. De ce fait, même ces animaux ne sont présents qu'en très petit nombre quand arrivent les tortues. Si c'est là la raison de cette coutume, elle semble être une réussite car les tortues de Ridley, tant dans le Pacifique que dans l'Atlantique, sont les tortues que l'on rencontre le plus souvent, alors que d'autres espèces voient actuellement leur nombre diminuer. Certaines sont même en voie d'extinction.

La plus grande d'entre elles est la tortue luth ou tortue cuir géante. Elle peut atteindre plus de deux mètres de long et peser 600 kg. Elle se différencie des autres tortues dans la mesure où elle ne porte pas de carapace cornée, mais un simple revêtement de peau à consistance de caoutchouc, ressemblant à du cuir. C'est un animal qui vit en solitaire, de par les océans. Il se rencontre un peu partout dans les mers tropicales et l'on en a même attrapé très bas vers le sud, en Argentine, et très haut vers le nord, en Norvège. Il y a moins d'un quart de siècle, on ne savait toujours pas où se situaient les plages où cette espèce allait pondre ses œufs. Depuis, deux sites ont été découverts : l'un sur la côte est de la Malaisie et l'autre au Surinam, en Amérique du Sud. Dans chacune de ces régions, les tortues luths vont pondre en groupes de quelques dizaines à la fois, pendant une période s'étalant sur trois mois.

Les femelles viennent généralement la nuit, quand la lune est levée, et à marée haute. Une bosse sombre apparaît parmi les brisants, miroitant sous la lune. En donnant de grands coups avec ses palmes immenses, la femelle se hisse sur le sable mouillé. Toutes les quelques minutes, elle s'arrête pour se reposer. Il lui faut parfois plus d'une demi-heure pour grimper jusqu'au niveau qu'elle veut atteindre : en effet, le nid doit se trouver hors de portée des vagues, mais là où le sable est encore suffisamment humide pour rester ferme et ne pas s'affaisser pendant que la tortue luth creuse. Il lui arrive de faire plusieurs essais avant de découvrir l'endroit qui lui convient. Alors elle se met en devoir de dégager une large fosse à l'aide de ses membres antérieurs, chassant le sable qui retombe en pluie derrière elle. Au bout de quelques minutes d'efforts, quand le trou est assez profond, elle se sert délicatement de ses larges palmes postérieures, pour excaver un puits étroit dans le fond.

Comme elle est pratiquement sourde aux bruits portés par l'air, une conversation ne risque pas de la déranger. Toutefois, si l'on brandit une torche dans sa direction alors qu'elle remonte la plage, il y a de fortes chances qu'elle fasse demi-tour et retourne à la mer, sans avoir pondu. Mais dès qu'elle commence à creuser, même un éclairage puissant ne l'empêche plus de se débarrasser de ses œufs. Elle les sème vivement, par grappes, les nageoires postérieures étreignant les deux côtés de son ovipositeur pour guider les œufs vers le bas. Pendant la ponte, elle pousse de gros soupirs et gémit. Des mucosités ruissellent de ses grands yeux brillants. En moins d'une demi-heure, elle a pondu tous ses œufs. Elle comble alors la fosse avec soin, en exerçant une pression sur le sable à l'aide de ses palmes postérieures. Il est rare qu'elle s'en retourne directement vers la mer. Il lui arrive souvent d'errer sur la plage et de se mettre à creuser à d'autres endroits, d'une manière désordonnée, comme pour brouiller les pistes. Le fait est qu'au moment où elle reprend la direction des vagues la surface de la plage est tellement bouleversée qu'il est presque impossible de deviner exactement le lieu où reposent ses œufs.

Mais les hommes qui l'ont observée n'ont pas besoin de deviner. En Malaisie et au Surinam, ils patrouillent sur les plages toutes les nuits pendant la saison et ramassent les œufs, la plupart du temps avant même que la femelle n'ait pu combler le puits. A l'heure actuelle, des institutions scientifiques achètent une partie de ces œufs pour les faire éclore dans des couveuses artificielles. Mais presque tout le reste est vendu sur les marchés locaux et mangé.

Il est possible que l'on n'ait pas encore découvert tous les lieux de reproduction des tortues luth et c'est à espérer. Peut-être que certaines d'entre elles, à force de bourlinguer de par les mers, ont trouvé des îles désertes, reculées, loin des contrées hantées par les hommes et où elles peuvent se reproduire en toute tranquillité. Elles ne sont d'ailleurs pas les seuls êtres vivants à entreprendre de tels périples. Les organismes qui peuplent les rivages n'ont pas la possibilité de s'éloigner des eaux peu profondes pendant leur vie adulte. Mais, aux époques éloignées, eux aussi ont beaucoup voyagé, flottant sous forme de graines, de larves, d'œufs ou de frai. Pour tous ces animaux, une île n'est peut-être pas simplement une autre terre d'accueil où les rivalités sont grandes, mais plutôt un sanctuaire, où ils auront la possibilité de se développer sous des formes nouvelles, celles que va modeler l'évolution.

LES MONDES ISOLÉS

Vous rêvez d'une île solitaire, à l'écart des routes de navigation et coupée du reste du monde ? La voici, c'est Aldabra. Cette petite île perdue au milieu de l'Océan Indien se situe à 400 km à l'est des côtes africaines et à la même distance au nord de Madagascar. Longue de 30 km seulement, elle ne culmine qu'à 25 mètres au-dessus du niveau de la mer. Il faut donc en être très près pour l'apercevoir. La meilleure façon de la repérer est de chercher à discerner non pas l'île elle-même, mais la pâle lumière verte que reflète sa végétation et les eaux de son lagon.

L'île d'Aldabra est un atoll corallien qui coiffe un volcan sous-marin immergé sous 4 000 mètres d'eau. Elle forme un immense lagon, délimité par un chapelet d'îlots entrecoupés d'étroits chenaux. La surface des îlots est constituée de corail que l'érosion des pluies hérisse d'arêtes vives et de failles. La roche calcaire est entrecoupée des strates de sable qui témoignent des bouleversements subis par l'île au gré des variations du niveau de la mer ou du relief sous-marin. L'émergence actuelle d'Aldabra remonte à 50 000 ans environ.

Plus les récifs de coraux se soulevaient, sortant peu à peu de l'eau, moins les vagues pouvaient les submerger en se brisant contre eux : une nouvelle île était en train de naître. A ce moment, bien sûr, aucun animal terrestre ne peuplait ces lieux à peine exondés. Mais les millénaires ont passé et animaux et plantes arrivèrent dans leur diversité, par voie aérienne ou voie maritime, de telle sorte que, maintenant, Aldabra est peuplée d'une communauté d'êtres vivants variés.

Les oiseaux de mer y arrivèrent en grand nombre, ce qui n'a rien de surprenant, car atteindre une île aussi reculée ne présentait aucune difficulté pour des voiliers aussi accomplis. De nos jours, le ciel surplombant Aldabra est sillonné de vols de fous à pieds rouges et de frégates.

Tous dépendent des mers environnantes pour leur nourriture. Les fous, parents de nos fous de Bassau, se répandent dans un rayon de plusieurs centaines de kilomètres pour pêcher. Dès qu'ils ont repéré un banc de poissons ou de céphalopodes, ils plongent à pic dans la mer pour saisir leurs proies. La frégate a adopté une technique différente. Cet immense oiseau noir de 2 mètres d'envergure, à la queue fourchue, rase la crête des vagues à grande vitesse et harponne de son long bec crochu calamars et poissons volants. Il lui arrive souvent de rôder en bandes autour de l'île pour attaquer les fous à pieds rouges qui rentrent de la pêche. Pris dans l'embuscade, ces derniers sont alors obligés de dégorger le fruit de leur pêche, que les frégates s'empressent d'attraper au vol et d'engloutir.

Les fous, comme les frégates, passent la majeure partie de leur existence en vol et ne se posent que rarement sur l'eau. C'est à Aldabra qu'ils viennent nicher de préférence, car rares sont les îles non infestées de rats, de chats ou autres prédateurs susceptibles de gober les œufs ou de dévorer les oisillons. Aldabra est donc un lieu de reproduction privilégié pour toutes les frégates de l'Océan Indien. Elles y viennent parfois de très loin, même des côtes de l'Inde distantes de plus de 3 000 km. Ces oiseaux nichent à faible hauteur, dans les mangroves qui s'étendent à l'est de l'île. Les mâles prennent place les premiers dans les branches ; ils enflent exagérément la membrane écarlate de leur gorge comme un ballon, pour inviter les femelles à venir les rejoindre et à construire le nid.

En dépit de la persécution dont ils sont l'objet de la part des frégates, les fous nichent dans leur voisinage. Comme aucun prédateur ne hante l'île, les oiseaux ne cherchent pas à camoufler leur nid, ni à le rendre inaccessible. Les mangroves ne tardent donc pas à être si densément peuplées que les nids se touchent presque.

Les palétuviers ne sont pas les seules essences végétales à pousser sur l'île. Les cocotiers aux longues palmes bordent le rivage et de petits buissons épineux s'insinuent dans les aspérités du corail. Les terres sablonneuses sont recouvertes d'un gazon ras et vert. D'où viennent toutes ces plantes ? Certaines ont dû emprunter le chemin des airs, collées au bec, aux plumes ou aux pattes des oiseaux. D'autres graines ont voyagé dans l'estomac d'un oiseau et ont été libérées avec ses excréments. Les graines plus petites ont été balayées par un ouragan, portées par les airs grâce à leurs parachutes de duvet. Les autres ont été apportées par la mer. A marée haute, la mer dépose sur le rivage mille sortes de graines, dont certaines encore viables commencent déjà à germer.

Le cocotier, espèce commune de ces régions, utilise largement le transport maritime. Il pousse naturellement sur les plages des îles tropicales, dans l'étroite bande qui sépare la ligne de marée haute de la végétation de la terre ferme. Il évite ainsi d'être gêné dans sa croissance par l'ombre des arbres de l'intérieur des terres et par les broussailles qu'il surplombera un jour. Il pousse incliné vers la plage et ses noix, dans leur chute, dévalent à portée des vagues qui les entraînent vers le large. Elles flottent, portées par l'épaisse coque de fibres grossières qui protège leur cœur charnu. Elles peuvent survivre en mer quatre mois sinon plus. Pendant cette période, elles parcourent parfois plusieurs centaines de kilomètres avant d'être rejetées sur une nouvelle plage, par exemple Aldabra encore intacte. Le cocotier a si bien réussi à se répandre à travers le monde, souvent avec l'aide de l'homme, qu'il est pour ainsi dire impossible de nos jours de déterminer avec exactitude d'où il provient réellement.

Les épaves charriées par la marée haute comprennent aussi des bois flottants, des enchevêtrements de racines et toutes sortes de déchets végétaux. Même s'il s'agit de fragments déjà morts, il n'en reste pas moins qu'ils ont pu apporter avec eux la vie, sous forme de passagers appartenant au monde animal. Il est plus que probable qu'un grand nombre d'escargots, de millepattes, d'araignées et d'autres invertébrés sont venus de la sorte. D'autres animaux bien plus gros ont probablement entrepris le même périple. Les reptiles sont des navigateurs particulièrement hardis, capables de survivre au cours de navigations aussi périlleuses. En revanche, les animaux amphibies, qui ne possèdent pas l'épiderme imperméable des reptiles, n'ont aucune chance de résister à l'immersion dans l'eau salée. C'est ainsi qu'Aldabra, à l'image de la majorité des îles de l'océan, est peuplée de nombreux lézards qui folâtrent parmi les arbres et se chauffent au soleil, mais est totalement dépourvue de grenouilles échappées des marais saumâtres.

Les animaux et les plantes parvenus sur une île évoluent au fur et à mesure des générations. Ils sont soumis au même processus que celui qui donne naissance aux nouvelles espèces parmi les populations de poissons isolées dans les lacs. Les structures génétiques connaissent une suite de modifications mineures qui interviennent lors des modalités complexes de la reproduction. Il en résulte des différences chez les jeunes. Au sein de communautés endogames aux effectifs réduits, ces mutations sont moins diluées qu'elles ne le sont parmi des populations aux effectifs plus nombreux. Elles ont, de ce fait même, davantage de chances d'être conservées chez les générations à venir. Voilà qui explique pourquoi les mutations s'effectuent particulièrement vite sur les îles, à l'instar de ce qui se passe dans les grands lacs.

Il arrive que ces mutations soient minimes en apparence, mais toutes ont certainement leur raison d'être. La plus jolie plante à fleurs d'Aldabra, une espèce du genre Lomatophyllum, arbore au milieu de sa rosace, formée de succulentes feuilles épineuses, de longues grappes de fleurs oranges différentes de celles qui poussent aux Seychelles, à quelques centaines de kilomètres de là. De même, le seul oiseau de proie résidant à Aldabra, un beau petit crécerelle présente un ventre légèrement plus teinté de rouge que celui de ses cousins malgaches. Dans son cas, la différence est suffisamment importante et constante pour faire de cet oiseau une sous-espèce distincte.

Néanmoins, certaines modifications plus marquantes sont intervenues chez les résidents de l'île. Il existe notamment un râle de petite taille qui parcourt la brousse avec une insatiable curiosité. Il suffit, pour le faire approcher, de taper un caillou sur un rocher. Ce râle d'Aldabra ressemble à son cousin africain dont il a la stature et les habitudes. Pourtant, les deux oiseaux se différencient sur un point essentiel : le râle d'Aldabra est incapable de voler. En Afrique, cette espèce compte sur son aptitude à s'envoler pour échapper aux nombreux prédateurs qui la guettent. Mais ce risque n'existe pas à Aldabra.

Être incapable de voler n'est pas forcément un handicap en soi. Au contraire, cela peut même présenter des avantages non négligeables. Voler requiert une dépense d'énergie considérable. Les muscles et les os qui permettent de battre des ailes représentent environ 20 % du poids de l'oiseau moyen. Pour entretenir ces appareils, il faut une nourriture abondante. Chaque fois qu'un oiseau prend son essor, il brûle une énorme quantité de calories. Aussi, rien d'étonnant à ce que les oiseaux ne volent que rarement, à moins d'y être poussés par une impérieuse nécessité.

Les râles d'Aldabra ne sont pas confrontés à cette situation. Eux, au contraire, courraient un réel danger s'ils pouvaient prendre leur envol car, la plupart du temps, des vents violents s'acharnent sur la petite île. Ces oiseaux risqueraient par conséquent d'être "soufflés" tellement au large que revenir à leur point de départ serait,

pour eux, bien difficile. Leurs ailes se sont donc réduites et c'est à peine s'ils arrivent à en battre car la musculature en est peu développée.

Le râle d'Aldabra n'est pas le seul membre de sa famille à avoir réagi à l'isolement de cette façon. Sur les îles de Tristan da Cunha, de l'Ascension et de Gough, ainsi que sur différentes îles du Pacifique, vivent des râles incapables de voler, ou tout juste capables de voltiger. En Nouvelle-Calédonie, un cousin des grues est devenu un oiseau marcheur. Il s'agit du kagou, oiseau arborant une aigrette resplendissante. Il se livre à une parade nuptiale spectaculaire, au cours de laquelle il déploie fièrement ses ailes devenues inutiles devant sa partenaire. Aux Galapagos, les cormorans ont subi la même évolution. Leurs ailes devenues chétives sont garnies de plumes si vestigiales que ces oiseaux sont totalement incapables de prendre un quelconque essor.

Le plus célèbre de tous les oiseaux des îles rivés au sol fut, sans aucun doute, celui qui vécut jadis sur l'île Maurice, lointaine voisine d'Aldabra, située dans l'Océan Indien. Il était apparenté aux pigeons et fouillait le sol pour trouver sa nourriture. L'adulte atteignait la taille d'une grosse dinde. Les plumes de son corps étaient devenues soyeuses et duveteuses et ses ailes étaient réduites à de simples moignons. Sa queue qui, en des temps bien lointains, lui avait servi de gouvernail aérodynamique, avait diminué au point de ne plus former qu'une touffe bouclée décorant son croupion. Les Portugais l'appelaient "dodo", c'est-à-dire nigaud, car il était si confiant qu'on pouvait facilement l'assommer et le tuer. Les marins de tous bords ont massacré les dodos par milliers pour les manger. Les porcs, amenés sur l'île, gobaient leurs œufs. Le dernier dodo fut abattu vers la fin du XVIIe siècle, soit moins de deux cents ans après qu'il eût été décrit, pour la première fois, par des voyageurs.

Deux autres pigeons terrestres vivaient sur des îles proches, l'un à la Réunion, l'autre à Rodriguez. Ils appartenaient manifestement à des espèces différentes, mais les marins d'Europe les baptisèrent tous les deux "solitaires", car ils préféraient vivre seuls dans les forêts. Ils avaient la même taille que les dodos, mais leur cou était néanmoins plus long et, en tout état de cause, la dignité de leur démarche n'avait rien de commun avec le dandinement du dodo. Tous deux furent exterminés vers la fin du XVIIIe siècle.

A côté des dodos et des solitaires de Maurice, de la Réunion et de Rodriguez, vivaient d'énormes tortues terrestres. Adultes, elles pouvaient atteindre plus d'un mètre de long et peser jusqu'à 200 kg. D'autres vivaient aux Comores et à Madagascar. Pour les marins, elles étaient encore plus précieuses que les dodos, car elles pouvaient survivre dans la cale pendant de longues semaines, sans manger, et fournir ainsi de la chair fraîche, même sous les tropiques, bien des jours après l'appareillage du navire. C'est pourquoi les tortues géantes ont connu le même sort que le dodo et le solitaire.

Vers la fin du XIXe siècle, toutes les tortues géantes de l'Océan Indien avaient été exterminées, sauf celles d'Aldabra qui durent leur survie à l'isolement de l'île. C'est ainsi qu'il y subsiste encore aujourd'hui quelque 15 000 tortues géantes. Tout comme leurs cousines disparues des autres îles, elles descendent sans doute des tortues de taille normale du continent africain. Parmi ces dernières, certaines ont peut-être fait la traversée jusqu'à Madagascar, en chevauchant des amas de débris végétaux. Il se peut également qu'après l'apparition des formes géantes elles aient gagné d'autres îles, portées tout simplement par les facultés de flottaison de leur corps. Le premier de ces périples a probablement été entrepris quand une tortue broutant au milieu des palétuviers, en bordure de mer, fut accidentellement surprise par la marée et balayée vers le large. Il est sûr, en tout cas, que l'on a trouvé des tortues géantes flottant parmi les vagues à des milliers de milles de la terre ce qui prouverait une capacité de survie assez grande. Entre Madagascar et Aldabra, circule un courant océanique. Aidée par ce courant, une tortue géante peut très bien effectuer la traversée en une dizaine de jours.

En revanche, on ne possède aucune explication valable sur les raisons du développement gigantesque des tortues, dès lors que celles-ci se retrouvent isolées sur des îles. Peut-être un animal de grande taille possédant d'importantes réserves de graisses est-il mieux armé pour survivre à des temps difficiles qu'un animal plus petit ? L'explication est sans doute encore plus simple : en l'absence de prédateurs pour les attaquer et d'autres animaux contre lesquels il leur faudrait défendre leurs sources de subsistance, les animaux à longue durée de vie tels que les tortues ont tout naturellement la possibilité de se développer davantage.

Tout en prenant du volume, les tortues des îles évoluèrent sur d'autres plans. Nombre de ces îles sont dépourvues de riches pâturages. A Aldabra, ils sont même particulièrement maigres. De ce fait les tortues ont dû diversifier leur régime alimentaire et y inclure presque tout ce qui était plus ou moins comestible. Elles sont même devenues cannibales. Quand une tortue meurt, il arrive que ses congénères, habituellement végétariennes, s'attaquent à son cadavre et mâchonnent ses entrailles en décomposition.

Toutes proportions gardées, le corps des tortues des îles s'est également modifié. Leur énorme carapace n'est plus aussi épaisse et robuste que celle de leurs cousines d'Afrique. Il en va de même pour la charpente osseuse qui soutient cette carapace. De fait, elle ne constitue plus ce refuge efficace dont disposent les tortues continentales. L'ouverture antérieure s'est élargie et le corps de l'animal dépasse davantage en saillie. La tortue est sans doute beaucoup plus libre de ses mouvements pour brouter, mais elle n'est plus en mesure de rétracter intégralement ses membres et son cou à l'intérieur de sa carapace. Si l'on devait un jour la transporter de nouveau vers l'Afrique, il est plus que probable que hyènes et chacals pourraient facilement planter leurs dents dans son cou et la tuer.

Dans des îles reculées des autres régions du monde, les tortues ont subi une évolution similaire. Il en existe d'aussi grandes aux Galapagos. Toutefois leurs plus proches parentes ne sont pas les géantes de l'Océan Indien, mais des tortues bien plus petites qui vivent, elles, en Amérique du Sud.

La tendance au gigantisme des reptiles propres aux îles ne se limite pas aux tortues. En Asie il existe un lézard qui a connu une évolution parallèle. Komodo, petite île longue de 30 kilomètres à peine, située au centre de l'archipel indonésien, est leur principal habitat. Ce lézard que l'on appelle communément "dragon de Komodo"

est en réalité un varan, très proche des goannas d'Australie et du varan aquatique répandu dans de nombreux pays tropicaux allant de l'Afrique à la Malaisie. Il peut atteindre une longueur de 3 mètres, dépassant largement tous les autres lézards. Il est en même temps beaucoup plus imposant car, si chez les autres varans la queue représente environ les deux tiers de leur longueur totale, chez le dragon de Komodo, ces proportions sont de l'ordre de la moitié seulement. Ainsi, même à mi-croissance, le dragon est nettement plus volumineux que n'importe quel autre varan de même longueur.

Le dragon de Komodo est carnivore. Jeune, quand il mesure encore moins d'un mètre, il se nourrit d'insectes et de petits lézards. Pour les attraper, il escalade les arbres. A mi-croissance, il ne chasse pratiquement plus qu'au niveau du sol où il capture rats, souris et oiseaux. Une fois adulte, il se nourrit essentiellement de porcs et de cerfs, mais aussi de chèvres importées par l'homme. Cette viande est en grande partie consommée à l'état de charogne, bien que le dragon, sache aussi se montrer chasseur fort habile. Il suit les chèvres pleines et s'empare du chevreau nouveau-né dès la mise bas. Il sait aussi s'embusquer pour capturer les animaux adultes qui peuplent les broussailles proches des pistes habituellement empruntées par les chèvres, les porcs et les cerfs. Quand l'un de ces animaux vient à passer, le dragon le saisit par une patte à l'aide de ses mâchoires et, à l'issue d'une âpre lutte, il le jette à terre. Avant que la victime ait pu récupérer, le dragon l'a déjà éventrée.

Dans l'île de Komodo, des histoires circulent prétendant que les dragons se seraient attaqués à des êtres humains. Dans le passé, quelques personnes se seraient heurtées à cet animal, qui les aurait méchamment mordues ; elles auraient succombé à leurs blessures. Il est probable que s'il arrivait à un homme de s'écrouler, frappé d'un coup de chaleur, le dragon réserverait à son corps le même traitement qu'à une carcasse animale. Mais il n'est pas plausible que les dragons considèrent les humains comme des proies. Lorsque l'on reste tapi dans la brousse pour les observer, on n'a pas le sentiment d'être l'objet de leur chasse. Le dragon surveille ses observateurs, immobile comme une statue, poussant de temps en temps comme un soupir et dardant sa langue jaune, longue et fourchue, qui lui permet de humer l'air chargé d'odeurs. Pourtant, même s'il se soulève sur ses pattes et s'avance d'un pas décidé, il se contente généralement de vous contourner pour poursuivre sa marche. C'est lorsque l'on se trouve en présence de plusieurs dragons regroupés autour d'une carcasse que la férocité et la force qui couvent en eux ont de quoi inquiéter. Un gros animal est parfaitement capable de soulever la carcasse d'une chèvre à l'aide de ses mâchoires pour traîner le corps plus loin. Si deux grands dragons sont en train de s'en repaître, ils y plantent les dents et le dépècent en secouant leur tête et leurs épaules vers l'arrière. Quand des jeunes ont l'imprudence de disputer la nourriture à leurs aînés, ils sont chassés en vitesse. Et il ne faut pas croire qu'il s'agisse de simulacres d'attaque. L'analyse des excréments a prouvé que les adultes ne se privent pas de dévorer les plus jeunes. Car le dragon est aussi cannibale.

Le régime alimentaire de ces lézards explique en partie leur taille gigantesque. Les habitats qu'ils fréquentent n'hébergent en effet aucun autre grand carnivore prédateur de cerfs et de sangliers. Il est vraisemblable que les ancêtres de ces dragons se nourrissaient de charognes, d'insectes et de petits mammifères, comme c'est encore le cas pour les autres varans plus petits, vivant ailleurs et, les dragons de Komodo encore jeunes. Mais avec le temps, certains d'entre eux sont devenus suffisamment grands et puissants pour s'attaquer à des herbivores de taille imposante. C'est ainsi qu'ils se sont mis à puiser dans une réserve de chair fraîche, riche et par ailleurs inexploitée. Cette tendance particulière s'est enfin généralisée parmi l'espèce toute entière, dont l'évolution aboutit en fait aujourd'hui au dragon de Komodo, le plus grand lézard du monde.

De nos jours, les dragons ne vivent plus seulement à Komodo. Ils se sont propagés sur les îles voisines, Pandar et Rintja, ainsi qu'à l'extrémité ouest d'une île bien plus vaste : Florès. Nageurs accomplis, on les voit souvent traverser les petits détroits pour aller chasser sur les îlots au large de Komodo. Pourtant rien ne permet d'affirmer que c'est ainsi qu'ils se sont propagés. Il se pourrait que, dans cette région volcanique, la terre ait été engloutie au cours d'une époque géologique récente et que la grande île d'où étaient originaires ces lézards se soit ensuite retrouvée divisée en la multitude d'îlots que l'on voit aujourd'hui.

Objet de légendes rapportées par les rares voyageurs qui se sont aventurés sur son île, le dragon de Komodo doit son nom populaire au romantisme qui l'entoure. Quand le monde commença à en entendre parler, au début de notre siècle, bien des histoires ont circulé. On racontait que le monstre atteignait 7 mètres de long, soit le double de sa taille réelle.

Il y a cinq cents ans, une plante venue des îles a donné naissance à des légendes encore plus extraordinaires.

A l'époque, tout comme aujourd'hui d'ailleurs, il arrivait que des noix monstrueuses, de la taille de deux énormes noix de coco accolées, soient apportées par les flots jusque sur le littoral de l'Océan Indien, généralement dans leur coque en forme de navire. Les Arabes qui les trouvaient les gardaient très précieusement, tout comme les Indiens et les populations du sud-est asiatique. Pourtant, nul ne savait de quel arbre elles étaient le fruit. Les noix elles-mêmes ne pouvaient résoudre cette énigme en germant et en poussant car toutes, sans exception, étaient mortes. La croyance la plus répandue voulait qu'elles fussent le fruit d'un arbre sous-marin. C'est pourquoi on les appelait "coco de mer".

L'imagination aidant, ces noix, avec leur raie médiane, n'étaient pas sans évoquer les hanches féminines. En tous cas, on leur attribuait un peu partout des vertus aphrodisiaques. Les boissons élaborées à partir de leur noyau dur étaient, disait-on, d'irrésistibles philtres d'amour. Même les coques étaient dotées de pouvoirs magiques. On en façonnait des coupes qui étaient réputées rendre le poison le plus redoutable totalement inefficace. C'est ainsi que la noix de "coco de mer" devint une monnaie d'échange pour payer les rançons des grands de ce monde. Dans tout l'Orient et jusque dans les cours royales européennes, on les sculptait avant de les monter sur or ou sur argent.

▲ *Tortue géante ''cannibale'', Aldabra*   *Jeunes feuilles de cocotier de mer, Praslin, Seychelles* ▶

Il fallut attendre la fin du XVIIIe siècle pour découvrir l'arbre qui produisait ces noix. Il pousse aux Seychelles, sur les îles Praslin et Curieuse. Ces arbres sont aussi étranges que leurs fruits. Dans l'île de Praslin, ils forment d'épaisses futaies. Gigantesques — certains sont multi-centenaires — ils ont des troncs droits et lisses, sans frondaison jusqu'à 30 mètres de hauteur. Leurs feuilles forment d'immenses éventails plissés, de 6 mètres d'envergure. Chaque arbre ne donne que des fleurs mâles ou femelles. Les arbres femelles sont plus hauts que les arbres mâles et leur couronne retombe, chargée de régimes de noix gigantesques qui mettent 7 ans pour parvenir à maturité. Les arbres mâles, plus petits, donnent des fleurs regroupées le long d'un épi de couleur chocolat. Sur la plupart d'entre eux vit un délicieux petit lézard, en fait un gecko, véritable joyau vert émeraude, pailleté d'écailles d'un rose délicat. Il appartient à une famille originaire de Madagascar. Mais Praslin et les autres îles des Seychelles en abritent une race particulière, dotée de couleurs qui ne se retrouvent nulle part ailleurs.

La noix de coco de mer est la plus grosse graine produite par les plantes. A la différence des noix de coco normales qui sont creuses à maturité, elle est entièrement emplie d'une chair filandreuse. Ceci la rend trop lourde pour flotter près de la surface comme une simple noix de coco. Bien entendu, les eaux salines la font mourir.

Les îles que nous avons évoquées jusqu'ici étaient relativement petites. Leurs populations ont toutes évolué dans le même sens en donnant naissance à une espèce nouvelle unique. C'est ainsi que l'on trouve une seule espèce de lézard géant à Komodo et une seule sorte de tortue géante à Aldabra. De même, il n'existait qu'un seul dodo sur l'île Maurice. Mais si l'île est assez vaste et présente des milieux différents, ou s'il s'agit d'un atoll dont chaque îlot possède un caractère particulier, un seul envahisseur est susceptible d'engendrer non pas une unique espèce nouvelle, mais des formes multiples.

L'exemple le plus célèbre de ce phénomène est donné par les oiseaux observés par Darwin aux îles Galapagos. Il y a des milliers d'années, une volée de pinsons aurait été emportée par un ouragan loin des côtes d'Amérique du Sud, vers le Pacifique. Le fait a dû se reproduire plusieurs fois et, par chance, ces oiseaux ont fini par trouver refuge sur des îles volcaniques à près de 1 000 kilomètres du continent. Ces îles étaient sans doute déjà colonisées par les plantes et les insectes, d'où abondance de nourriture pour les pinsons qui s'y fixèrent. Les îles Galapagos ne sont pas toutes semblables. Certaines sont très sèches et, en dehors des cactus, il n'y pousse presque rien. D'autres sont relativement bien pourvues en eau. On y trouve des plaines herbues et des broussailles épaisses. Il en est sans relief. D'autres sont hérissées de pics volcaniques qui culminent à 1 500 mètres. Dans les vallées détrempées par les pluies, poussent des fougères et des orchidées. Les pinsons avaient donc le choix entre des milieux très divers. Pas de pic pour extraire les larves en creusant l'écorce des arbres. Nulle fauvette pour attraper les insectes, ni pigeon pour picorer les fruits. Au fil de l'évolution, les différentes populations de pinsons perfectionnèrent et diversifièrent leurs techniques pour tirer leur nourriture d'un habitat particulier. Pour ce faire, ils ont modifié l'outil dont ils se servaient : leur bec.

De nos jours, on trouve jusqu'à dix espèces différentes de pinsons sur une seule île. Sur le plan de la taille, de la forme du corps et du plumage, ils ne présentent guère de différence. Certains se nourrissent essentiellement de bourgeons et de fruits un peu comme les bouvreuils d'Europe ; ils sont dotés d'un bec robuste et épais. D'autres picorent de petits insectes et des larves ; ils possèdent un bec fin dont ils se servent avec une extrême délicatesse et une grande précision comme d'une pince à épiler. Ceux d'une troisième espèce arborent un bec de taille moyenne, ressemblant à celui d'un moineau, et avec lequel ils picorent les graines. D'autres encore, comme s'ils étaient las d'attendre une évolution de leur anatomie, ont choisi de modifier leur comportement. Ils se sont mis à utiliser de véritables outils : ils coupent avec soin une épine de cactus et s'en servent pour extirper les larves de coléoptères dans le bois pourri, avec toute la dextérité d'un homme extrayant un bigorneau de sa coquille à l'aide d'une épingle. De nos jours, on compte au total quatorze espèces différentes de pinsons dans l'archipel des Galapagos.

Dans les îles Hawaï, le processus est encore plus avancé. Plus éloignées du continent que les Galapagos, à 3 000 kilomètres de la côte californienne, ces îles sont plus vastes et présentent des habitats plus variés. Plus anciennes, géologiquement parlant, elles ont été colonisées par les animaux qui s'y sont installés en des temps très reculés.

Le groupe d'oiseaux le plus caractéristique que l'on y rencontre est celui des sucriers. Ils se ressemblent suffisamment pour que l'on ait la quasi-certitude qu'ils sont tous issus du même groupe ancestral. Mais ils ont tellement évolué depuis lors qu'il est extrêmement difficile d'imaginer avec précision leur ancêtre commun. C'était peut-être un pinson ou encore un tangara. Ils se différencient les uns des autres non seulement par la forme de leur bec, comme les pinsons des Galapagos, mais aussi par leur plumage. Il en est d'écarlates, des verts, des jaunes et des noirs. Quant à leur bec, il peut ressembler à celui d'un perroquet (ils s'en servent pour briser les graines) ou avoir une forme longue et incurvée, ce qui permet à son propriétaire de sonder en profondeur le cœur des fleurs hawaïennes pour en boire le nectar à petites gorgées. L'une des espèces insectivores possède un bec formé de mandibules de longueurs différentes. La partie supérieure est recourbée et sert de palpeur. La partie inférieure, courte et droite comme un estoc, est utilisée pour réduire le bois à l'état de copeaux. Quand l'homme débarqua sur ces îles pour la première fois, il existait au moins vingt-deux espèces différentes de ces oiseaux. Malheureusement, près de la moitié sont aujourd'hui éteintes.

Mis à part les sucriers, on ne trouve dans l'archipel hawaïen que cinq autres familles d'oiseaux. Comparez ce chiffre avec les cinquante et quelques espèces qui vivent dans nos régions ! Ce phénomène ne s'explique pas seulement par le fait qu'Hawaï soit tellement isolée. C'est aussi que les sucriers furent les premiers oiseaux à avoir colonisé ces îles et, lorsqu'à une époque plus proche de nous d'autres colonisateurs ailés en puissance sont arrivés, il ne leur restait guère de chances pour pouvoir s'y établir. La plupart des niches écologiques étaient déjà occupées par les diverses espèces de sucriers.

Hawaï et les Galapagos sont d'origine volcanique. En surgissant des flots, ces îles offrirent des terres vierges aux premiers colonisateurs arrivés par la voie des airs et de la mer. Ce fut également le cas d'Aldabra. Mais il existe d'autres îles dont les origines sont différentes. Elles ont fait une fois partie d'un continent et se sont retrouvées isolées lorsque la mer a englouti une fraction des terres, ne laissant émerger que le sommet des montagnes transformées en îles. Dans d'autres cas, ce sont les plaques mouvantes des fonds marins qui ont arraché des parcelles de terre au continent principal. Souvent, ce type d'île a entraîné avec elle une véritable arche de Noé, peuplée de passagers involontaires. C'est ainsi que, non contentes d'être le berceau d'espèces nouvelles, elles se sont transformées en sanctuaires abritant des espèces plus anciennes.

Ce même phénomène se retrouve à l'échelle des continents. Il faut remonter quelque cent millions d'années en arrière, à l'époque où l'immense supercontinent austral commença à se fracturer et où se sont formées l'Amérique du Sud, l'Antarctique et l'Australie. En ces temps reculés, les amphibiens et les sauriens dominaient le monde. Pour leur part, les oiseaux étaient déjà bien établis. A un stade très précoce de cette débâcle, la Nouvelle-Zélande prit le large, entraînant dans sa dérive un échantillonnage de tous ces groupes d'animaux. Par la suite, les mammifères marsupiaux se répandirent dans toute l'Australie où ils modifièrent radicalement l'équilibre des populations animales locales. Ces dernières étant incapables d'atteindre la Nouvelle-Zélande, cette terre resta longtemps l'habitat des amphibiens primitifs et des sauriens.

Quand on explore avec soin les forêts fraîches et humides de ce pays, on y trouve encore trois espèces de petites grenouilles primitives. Les lézards, les scinques et les geckos y sont très communs. Il existe en outre un reptile d'un intérêt exceptionnel : le sphénodon. De l'extérieur, il a l'aspect d'un lézard plutôt trapu. Mais son véritable caractère se révèle lorsque l'on examine son squelette. Les os de son crâne montrent que cette petite créature, qui mesure à peine une trentaine de centimètres, est très proche non pas des lézards contemporains mais des dinosaures ! C'est le plus primitif des reptiles vivant actuellement. On a d'ailleurs retrouvé les os fossilisés d'un être pratiquement identique dans des roches vieilles de 200 millions d'années.

En Nouvelle-Zélande, les forêts formées d'arbres appartenant à des souches particulièrement anciennes comme les kauris, les hêtres austraux et les fougères arborescentes, abritent un autre survivant d'une époque lointaine : le kiwi. De la taille d'un poulet, cet oiseau possède des pattes robustes, qui lui servent à creuser, et un long bec qu'il utilise pour fouiller à la recherche de vers. Ses plumes sont si longues qu'elles ressemblent à des poils et ses ailes si petites que son plumage les dissimule presque intégralement. C'est le dernier survivant d'une famille entière d'oiseaux coureurs, les dinornis, ou moas, qui vécurent jadis en Nouvelle-Zélande. D'après les os que l'on a retrouvés, on sait qu'il en existait au moins une douzaine d'espèces différentes. Certains étaient de petite taille, à peine plus gros que les kiwis. Ils picoraient sur le sol des forêts. D'autres avaient des proportions considérables et les plus grands mesuraient 3,5 mètres de haut. Ce sont les plus grands oiseaux qui aient jamais existé.

Également végétariens, ils grignotaient les feuilles des arbres. Il semble qu'en l'absence de tout mammifère herbivore, ces oiseaux coureurs aient pris la place occupée, dans d'autres régions du monde, par les grands rongeurs et les ongulés.

On retrouve des grands oiseaux coureurs dans de nombreuses parties du monde : l'autruche en Afrique, l'émeu en Australie, et aussi l'arpyornis, aujourd'hui disparu, qui vivait à Madagascar. Moins grand que le plus gros des dinornis, il était par contre plus lourd. Il se peut que tous ces oiseaux aient perdu leur aptitude à voler il y a fort longtemps, avant même que le vaste supercontinent austral n'ait commencé à se fragmenter. Chacune de ces espèces était à l'époque si imposante et si puissante qu'elle était capable de se tirer d'affaire, même lorsque sont apparus les féroces mammifères prédateurs. Si tel est le cas, les antiques dinornis vivaient sans doute en compagnie des scinques et des grenouilles primitives quand la Nouvelle-Zélande s'est séparée de l'Australie. On peut encore avancer une autre hypothèse. Il est possible que les ancêtres des dinornis étaient encore capables de voler à l'époque de la dérive de la Nouvelle-Zélande et que c'est seulement par la suite qu'ils se sont retrouvés cloués au sol. L'isolement où ils vivaient leur aurait permis de prendre ces dimensions gigantesques, à l'image des dodos et des solitaires. Quoiqu'il en soit, il est certain que d'autres oiseaux ont rallié la Nouvelle-Zélande par la voie des airs. Nombreux sont ceux qui sont venus d'Australie, aidés dans leur émigration par les puissants alizés qui soufflent habituellement en direction de l'est. De nos jours encore, on voit régulièrement apparaître en Nouvelle-Zélande des avocettes, des cormorans, des canards et d'autres oiseaux migrateurs originaires d'Australie. Ceux qui s'y sont établis il y a plusieurs milliers d'années ont depuis lors connu une évolution très particulière, tout comme les oiseaux d'Aldabra, des Galapagos et d'Hawaï. Mais en Nouvelle-Zélande, ces processus se perpétuent depuis bien plus longtemps. C'est ainsi que l'on y trouve des xénicus, des perroquets et des canards nettement différents de tous leurs cousins vivant dans le reste du monde.

Il existe en Nouvelle-Zélande cinquante espèces d'oiseaux terrestres endémiques. Parmi elles, quatorze ne sont plus capables que de voleter, quand elles n'ont pas complètement perdu cette faculté. Rien de surprenant à ce que l'on compte parmi elles un râle aptère. De la taille d'une perdrix, cet oiseau parcourt les forêts à vive allure à la recherche d'insectes, d'escargots et de lézards. Un autre membre de la famille des râles, le notornis ou takahe, est une poule sultane. Non content d'avoir perdu la faculté de voler, il est devenu énorme et atteint la taille d'un dindonneau. Le kakapo ou perroquet-chouette possède un plumage vert mousse. Bien qu'il soit capable, encore que de mauvaise grâce, de battre des ailes pour s'élever quelque peu au-dessus du sol ou de planer sur les flancs d'une colline, c'est avant tout un marcheur et un grimpeur. Il parcourt de longues distances à travers la végétation des marécages, cisaillant les herbes qui entravent sa course si besoin est. Il creuse ici et là de petits amphithéâtres dans la roche ou sous un arbre. C'est l'endroit qu'il choisit, à l'époque des amours, pour se livrer au rituel nuptial et lancer son chant tonitruant.

Les animaux de Nouvelle-Zélande illustrent tous les effets de l'isolement. La plupart ont évolué en espèces uniques au monde. Nombreux sont ceux dont les ancêtres

volaient et qui sont devenus strictement terrestres, tel le kakapo. D'autres, comme les moas et les notornis, se sont transformés en géants. On déplorera, cependant, que la Nouvelle-Zélande témoigne d'une autre caractéristique propre aux animaux insulaires : leur vulnérabilité. Tous succombent facilement aux assauts des envahisseurs.

L'intrus responsable du plus grand nombre de disparitions, c'est l'homme. Jusqu'au début du dernier millénaire, la Nouvelle-Zélande était restée inconnue, inexplorée par les êtres humains. Les premières populations à l'aborder furent les Polynésiens. Ils comptaient parmi les plus grands navigateurs du monde. Bien avant que Christophe Colomb n'ait traversé l'Atlantique, les Polynésiens exploraient déjà les archipels dispersés à travers le Pacifique. Il est probable que les tout premiers colonisateurs se soient contentés d'entreprendre des voyages assez courts, quittant le continent asiatique pour passer d'un archipel à l'autre, jusqu'au cœur de l'Océan Pacifique. Ayant installé leur camp de base aux Marquises, ils entreprirent, au cours des siècles, d'immenses périples qui les conduisirent vers le nord à Hawaï, vers l'ouest à Tahiti, vers l'est sur l'île de Pâques, et, au cours du plus long de leurs voyages, à 4 000 kilomètres au sud-ouest, en Nouvelle-Zélande. Il ne s'agissait pas de périples accidentels, provoqués par une tempête soudaine qui les aurait détournés de leur cap. Tout était soigneusement planifié. Les pirogues utilisées étaient d'immenses embarcations à coque double pouvant transporter des centaines de passagers. Quand ils appareillaient en quête d'autres lieux à coloniser, ils emmenaient femmes et enfants et les cales étaient remplies de racines de plantes vivrières, d'animaux domestiques et de tous les autres biens dont une population a besoin pour fonder une nouvelle communauté.

A n'en pas douter, la Nouvelle-Zélande réservait aux Polynésiens une grande surprise. Aucune des îles qu'ils avaient occupées jusqu'alors n'abritait d'animaux de grande taille. Pour la viande, ils avaient été contraints de se rabattre sur les porcs et les poulets qu'ils avaient apportés. Mais la Nouvelle-Zélande possédait une vaste population d'oiseaux géants, les moas. Les colons polynésiens, les Maoris, se mirent en chasse avec détermination. Non seulement ils se nourrissaient de la chair de ces oiseaux, mais ils utilisaient les peaux pour se vêtir, les œufs comme récipients et les os comme pointes d'armes, outils et bijoux. Dans les tas de décombres situés à l'extérieur des anciens villages maoris, on a retrouvé des multitudes de carcasses de moas. Nul doute que cette chasse ait considérablement réduit leur population. Les Maoris entreprirent aussi de défricher les forêts qui, à une certaine époque, recouvraient la plus grande partie des îles. Le bois ayant été abattu et brûlé, les moas ne perdirent pas seulement leurs terrains de gagnage mais aussi leurs cachettes. D'autre part, les Maoris amenèrent avec eux des chiens et un rat de Polynésie appelé kiori. Ces deux mammifères ont provoqué une hécatombe parmi les oiseaux, sinon chez les adultes, du moins en s'attaquant aux oisillons et aux œufs. Quelques siècles à peine après l'arrivée des Maoris, tous les moas, à l'exception des kiwis, s'étaient éteints. Ce ne sont d'ailleurs pas les seuls oiseaux à avoir été ainsi exterminés. Sur les 300 espèces qui auraient existé dans les îles avant l'arrivée de l'homme, quarante-cinq ont disparu.

Et puis, voilà 200 ans, surgirent les Européens qui provoquèrent des ravages encore plus considérables. Ils avaient amené, à bord de leurs bateaux, une autre espèce de rat. Ils défrichèrent des zones encore plus étendues, les transformèrent en prairies et y réintroduisirent d'immenses troupeaux de moutons. Apparemment, ils ne trouvaient que peu d'attraits aux animaux endémiques et trop étranges à leurs yeux. Ils acclimatèrent donc des animaux plus familiers qu'ils aimaient depuis longtemps et qui leur rappelaient leur pays d'origine. D'Europe, ils ont importé les canards colvert, les alouettes, les merles et les corneilles, des pinsons, des chardonnerets et des sansonnets. D'Australie, des cygnes noirs, des martins-pêcheurs géants et des perroquets. Ils empoisonnèrent les cours d'eau pour pouvoir y pêcher la truite et introduisirent les cerfs dans les forêts, pour la chasse. Ils importèrent des belettes et des chats pour limiter la prolifération des rats et des souris.

Face à cette invasion massive, les animaux autochtones durent opérer une retraite. Les oiseaux terrestres ne tardèrent pas à en souffrir. Incapables d'échapper aux chats et aux belettes, leurs prédateurs, ils avaient en outre perdu l'habitude de bâtir leur nid dans les arbres où les œufs et les oisillons auraient été à l'abri des rats. Le notornis était déjà en voie d'extinction à l'arrivée des Européens. C'est à partir d'ossements en partie fossilisés qu'on l'a identifié de façon certaine pour la première fois. Au XIXe siècle, on aperçut quelques individus encore vivants mais, vers 1900, l'espèce fut officiellement déclarée éteinte. En 1948, par miracle, on en découvrit une petite colonie dans une vallée reculée de l'Ile du Sud. On croit savoir que deux cents de ces oiseaux y survivraient encore. Pourtant, en dépit de la protection très stricte dont ils font aujourd'hui l'objet, aucune assurance n'est donnée quant à la survie de l'espèce.

Les kakapos courent un danger encore plus grand. Non seulement les chats et les belettes les tuent, mais les cerfs mangent les feuilles et les baies sauvages qui constituent leur nourriture. Leur nombre est ainsi tombé bien plus bas que celui des notornis. Il existe actuellement un îlot appelé Petite Barrière qui est débarrassé des chats sauvages qui l'infestaient. Les rares kakapos qui survivaient dans l'Ile du Sud y ont été regroupés. Ce milieu sans prédateurs est devenu leur seule chance de survie.

Mais les oiseaux terrestres n'ont pas été les seuls à souffrir. Bien d'autres, encore fort capables de voler, ont vu leur population décimée. A une certaine époque, il existait trois sortes de corneilles caronculées dans les îles. Leurs traits les apparentaient aux oiseaux de paradis et aux étourneaux. Elles possédaient cependant suffisamment de caractères propres pour être regroupées dans une famille à part, strictement endémique, où chacune possédait une caroncule jaune ou bleue selon les espèces, en saillie par rapport à la commissure du bec. Chez l'une d'entre elles, le huia, le mâle et la femelle avaient un bec très différent. Le bec du mâle était court, droit et conique et servait à taillader le tronc des arbres pour rechercher des larves. Par contre, celui de la femelle était long, mince et recourbé, ce qui lui permettait d'inspecter les trous en profondeur. Quel charmant spectacle que celui d'un couple qui, souvent, semblait s'entraider pour trouver sa nourriture. Les huias se sont éteints au cours de la première décennie du siècle actuel. La milestourne caronculée, jadis fort répandue, ne survit plus que dans quelques îles au large des côtes des îles

principales. Elle est partout devenue très rare. Seule une troisième espèce, le kokajo ou corneille caronculée, survit en nombre appréciable mais seulement dans l'Ile du Nord.

Cette vulnérabilité n'est pas seulement propre aux oiseaux. Aujourd'hui, on ne voit pas de sphénodons ailleurs que sur les îles bien au large de la côte. Les wétas, ces sauterelles géantes dépourvues de la faculté de voler, dont la morsure est redoutable et le comportement agressif, se font de plus en plus rares.

Les poissons indigènes qui comptaient par le passé plus de trente espèces ont cédé la place aux truites et aux autres nouveaux venus dans les rivières et les lacs.

Un destin similaire a frappé les espèces qui florissaient sur presque toutes les îles de la planète où s'était développée une communauté endémique. Les raisons exactes de ces régressions sont multiples. On aurait pu penser a priori que de nombreuses espèces insulaires étaient si bien adaptées à leur environnement particulier et qu'elles l'avaient exploité si efficacement qu'aucun intrus ne parviendrait à les en déloger. Mais tel n'est pas le cas. Il semblerait plutôt que, protégées par leur isolement de la compétition au sein des grandes communautés, les espèces propres aux îles aient perdu toute forme de combativité et ne soient pas arrivées à se défendre contre les envahisseurs. Une fois que l'accès aux îles est franchi par de nombreux colons apportés par l'homme, le sort des espèces endémiques est très souvent joué et celles-ci disparaissent.

◀ *Kakapo, Nouvelle-Zélande*

LE GRAND LARGE

La plus grande partie de notre planète est recouverte par l'eau. Il y en a tant que si l'on nivelait toutes les montagnes du monde en noyant leur débris dans les mers et les océans, la surface de la terre ferme s'enfoncerait sous l'eau à une profondeur de plusieurs kilomètres. Les fonds océaniques présentent une topographie encore plus variée que la terre ferme. Si la plus haute montagne de notre planète, l'Everest, était emboîtée dans la partie la plus profonde de l'océan, la fosse des Mariannes, son sommet resterait néanmoins sous l'eau, à 1 km de la surface ! Les dimensions des montagnes immergées vont d'ailleurs de pair avec les profondeurs océanes. Les plus hautes sont tellement gigantesques qu'elles dépassent le niveau des eaux et forment des chaînes d'îles. Mesuré à partir de sa base au fond de l'océan, le plus haut des volcans hawaïens, le Mauna Kea, a une hauteur de plus de 10 000 mètres qui lui permet de prétendre au titre de plus haute montagne de la planète.

Les mers se sont formées lorsque, peu après sa naissance, notre planète a commencé à se refroidir. A la vapeur d'eau chaude, alors condensée à sa surface, s'est ajoutée l'eau qui, par les évents des volcans, sortait de l'intérieur de la terre. L'eau de ces jeunes mers n'était pas pure comme les eaux pluviales : elle contenait de grandes quantités de chlore, de bromure, d'iode, d'azote et des traces de nombreuses autres substances plus rares. D'autres ingrédients s'y sont ajoutés par la suite. Les roches continentales qui s'altèrent et s'érodent fabriquent notamment des sels que les intempéries dissolvent et que les rivières charrient vers les mers. C'est ainsi qu'au fil des millénaires, les mers devinrent de plus en plus salées. La vie est apparue, il y a environ 3 500 millions d'années, dans ces eaux riches en substances chimiques.

Les fossiles nous ont appris que les premiers organismes étaient des algues unicellulaires et des bactéries. Des organismes très simulaires vivent encore dans les mers, où ils constituent la base même de la vie marine : sans les algues, les mers seraient encore complètement stériles et la terre non colonisée. Le plus grand de ces organismes ne mesure guère plus d'un millimètre, le plus petit n'atteint que $1/50^e$ de cette taille. Leurs corps minuscules sont enfermés dans une sorte de gaine en carbonate de calcium ou en silice. Ils revêtent une multitude de formes très élaborées. Certains ressemblent à de petits coquillages, d'autres à des flacons, à des boîtes à pilules ou à des casques baroques. Ils ne sont pas nombreux, ils pullulent : un mètre cube d'eau de mer peut en contenir 200 000. Et parce qu'ils ne se propulsent pas eux-mêmes dans l'eau mais qu'ils flottent, on les appelle plancton végétal ou phytoplancton — mot dérivé du grec, qui signifie tout simplement ''plante mouvante''.

Ces organismes captent l'énergie du soleil pour construire, à partir des simples substances chimiques de l'eau de mer, les molécules complexes qui forment leurs tissus. Ils transforment ainsi le minéral en végétation.

De nombreux petits animaux formant le zooplancton flottent au milieu des algues. Ils sont généralement unicellulaires mais, démunis de chlorophylle, ils ne peuvent pas réaliser eux-mêmes la photosynthèse. Ils mangent donc des algues. Les eaux marines sont également peuplées de créatures de plus grande taille : vers transparents phosphorescents, petites méduses enlacées en colonies d'un seul tenant d'un mètre de longueur, vers plats ondulant au gré des flots, crabes, et une multitude de petites crevettes. Tous ces animaux sont membres permanents de la petite communauté qui se gonfle occasionnellement de visiteurs temporaires : larves de crabes, d'étoiles de mer, de vers et de mollusques. Ceux-ci n'ont encore aucune ressemblance avec leur forme adulte : il s'agit de minuscules globes transparents, couverts de bandes de cils ondoyants. Toutes ces créatures mangent avec avidité les algues flottantes ou se dévorent entre elles. Les algues et les populations d'animaux qui en vivent, généralement désignées en bloc sous le nom de plancton, constituent à leur tour l'alimentation principale d'une multitude d'autres créatures plus grandes.

En bord de mer, les mangeurs de plancton (anémones de mer, bernacles, bénitiers, etc.) se fixent sur le fond marin et attendent patiemment que marées et courants leur amènent leur nourriture. En pleine mer, là où le soleil ne peut pas pénétrer jusqu'aux grands fonds, le domaine du plancton s'étend à moindre profondeur. Les mangeurs de plancton ne peuvent donc plus rester fixés sur le fond, mais doivent nager. Il n'est pas nécessaire qu'ils nagent très vite car la vitesse représente une déperdition d'énergie. Les mangeurs de plancton se meuvent donc lentement. En revanche, le plancton dont ils se nourrissent est tellement riche en substances nutritives qu'ils atteignent parfois des tailles énormes.

La raie manta, gigantesque poisson, ne mesure pas moins de 6 mètres de large d'une nageoire à l'autre. Deux palpes, situées respectivement de chaque côté de sa tête, lui servent à la fois de nageoires et de bras pour amener l'eau chargée de plancton dans son immense bouche rectangulaire. L'eau s'écoule de sa gorge par des entailles qui, de chaque côté de la tête, sont équipées de peignes destinés à retenir le plancton. Cousin éloigné de la raie, le requin pèlerin utilise plus ou moins la même technique. Encore plus grand qu'elle, il mesure 12 mètres de long, pèse 4 tonnes, et peut traiter 1 000 tonnes d'eau par heure. Il avance tellement lentement qu'il a l'air de paresser éternellement dans l'eau ensoleillée, alors qu'il est en fait très actif et se préoccupe constamment de ramasser sa nourriture.

Le pèlerin habite les eaux les plus froides du monde. Son sosie qui vit dans des eaux plus chaudes est encore plus imposant. Il s'agit du plus grand poisson de la planète : le requin-baleine. Cette gigantesque créature peut atteindre une longueur de 18 mètres et un poids de 40 tonnes au moins ! On l'aperçoit rarement en surface, mais ceux qui ont cette chance sont toujours très impressionnés par sa taille, sa lenteur et son caractère inoffensif. Les rencontres les plus fantastiques sont sans aucun doute celles que font les plongeurs sous-marins qui, lorsque la chance leur sourit,

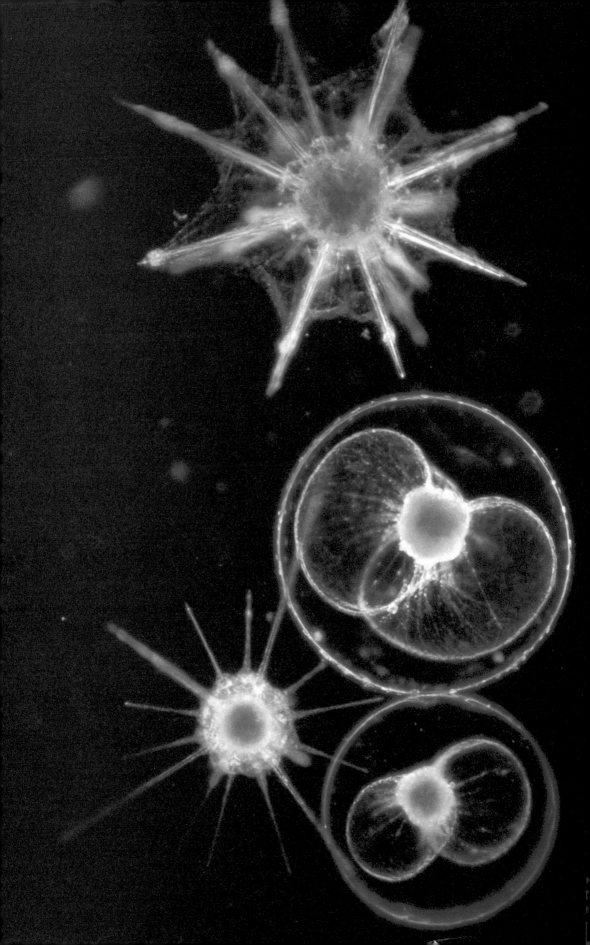

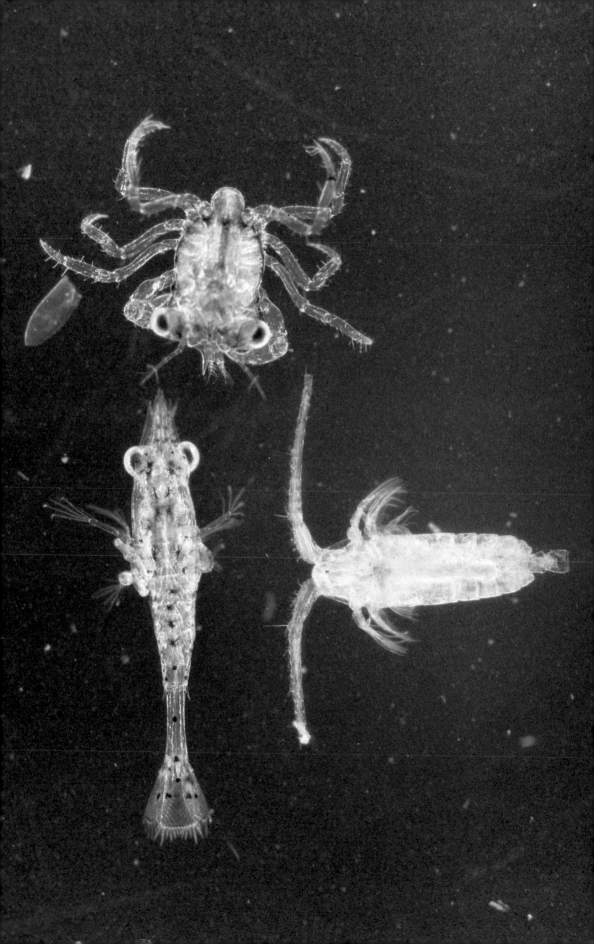

croisent parfois un ou même plusieurs requins-baleines. Ces poissons imposants voyagent en effet souvent en petits groupes. Ils ne prêtent pas attention aux humains qui nagent autour de leurs corps immenses et se joignent aux escadrons de poissons qui les escortent en permanence. Ces derniers attendent près de la bouche des géants pour ramasser les miettes qui collent à leurs petites dents, ou traînent près de leur queue pour se nourrir de leurs excréments. Lorsque les géants perdent patience, ils inclinent leur grand corps et, d'un coup de queue, descendent au fond de l'océan.

Requins-baleines, raies manta et pélerins appartiennent à une famille de poissons archaïques : les élasmobranches. Leur squelette est formé de cartilage, substance plus élastique que les os. Lorqu'ils firent leur apparition, toutes les familles d'invertébrés qui peuplent aujourd'hui les océans existaient déjà. Les premiers élasmobranches eurent donc à leur disposition un vaste choix d'aliments d'origine animale. Les membres les plus communs de la famille, les requins, sont aujourd'hui considérés comme les chasseurs marins les plus voraces et les plus sauvages.

On a malgré tout tendance à exagérer le danger qu'ils représentent pour l'homme. Il est vrai que certaines espèces attaquent l'homme, comme elles attaquent d'ailleurs n'importe quelle autre créature croisée dans l'océan. C'est notamment le cas du grand requin blanc qui mesure entre 6 et 12 mètres de longueur. La plupart des petits requins recherchent toutefois des proies moins grandes. Près des îles Maldives, les espèces qui chassent dans les récifs mesurent environ 2 mètres. Ces requins sont tellement habitués aux plongeurs humains que ceux-ci peuvent sans danger s'asseoir carrément au fond de l'eau, à environ 15 mètres de profondeur, pour les observer de près. Quand ils surgissent, ce n'est pas de la peur qu'ils provoquent, mais de l'étonnement et de l'admiration face à la beauté exceptionnelle de leur forme. Chaque contour de leur corps, chaque courbe de leurs nageoires semblent hydrodynamiquement parfaits. Rien ne heurte la douceur de leurs mouvements dans l'eau.

La paire de nageoires que ces requins ont à l'arrière de la tête est fixe, ce qui ne leur permet ni de pivoter, ni de freiner. Et, parce qu'ils sont plus lourds que l'eau, ils sont (heureusement peut-être) incapables de se balancer devant un plongeur pour l'attaquer. Leur seule alternative est de donner immédiatement un coup de dent ou simplement de plonger latéralement. Les hommes, qui ont en outre plus ou moins la même taille qu'eux, sont nettement plus grands que leurs proies habituelles ; aussi les requins des Maldives préfèrent-ils s'éloigner à la nage, après avoir, eux aussi, satisfait leur curiosité.

Le groupe archaïque des élasmobranches a donné naissance à d'autres poissons plus évolués, au squelette constitué non plus de cartilages mais d'os. Ces poissons développèrent en plus une vessie natatoire emplie d'air qui leur permit de nager à n'importe quelle profondeur, ainsi que des nageoires avant et arrière pivotantes qui leur donnèrent une plus grande facilité de manœuvre dans l'eau.

Certains descendants de ces premiers poissons à squelette osseux devinrent également des mangeurs de plancton, mais ils se mirent à en exploiter les richesses d'une toute autre manière, à savoir en formant des bancs immenses se mouvant et se nourrissant comme une seule entité. C'est leur façon à eux de dépasser la taille du monstrueux requin-baleine : les bancs qu'ils forment s'étendent parfois sur plusieurs kilomètres. Tous les "participants" sont si étroitement serrés que le centre du banc déchire la surface des eaux comme un vaste monticule frétillant. Les anchois, qui ont adopté cette tactique, se nourrissent surtout de plancton végétal. Les harengs ne se contentent pas uniquement d'algues, ils consomment aussi le plancton animal. D'autres poissons à squelette osseux sont, comme les requins, devenus chasseurs. Le groupe compte aujourd'hui quelque 20 000 espèces qui exploitent systématiquement toutes les ressources alimentaires contenues dans les océans.

La suprématie des poissons dans les mers fut cependant mise au défi. A l'époque où les poissons osseux et cartilagineux étaient déjà bien différenciés, plusieurs animaux à sang froid, devenus quadrupèdes, avaient colonisé la terre. Certains d'entre eux commencèrent, très curieusement, à retourner vers la mer. C'était il y a environ 200 millions d'années. Les reptiles furent les premiers à effectuer ce retour à l'élément liquide sous la forme des premières tortues de mer. Par la suite, plusieurs espèces d'oiseaux cessèrent de voler pour s'installer sur l'eau. Les manchots que l'on appelle souvent, et à tort, "pingouins" sont aujourd'hui aussi rapides et agiles dans l'eau que beaucoup de poissons ; cette qualité leur est d'ailleurs indispensable, puisque c'est de poissons qu'ils se nourrissent.

Les mammifères apparurent sur terre il y a environ 150 millions d'années. Leur sang était chaud et ils étaient couverts de poils. Certains d'entre eux furent également attirés par la richesse de la mer au point d'y fixer leur résidence. Les premiers furent les ancêtres des baleines, il y a 50 millions d'années. Deux groupes de baleines très différents ont survécu. Les premières sont dotées de dents : ce sont les cachalots, les dauphins et les bélugas ; les secondes sont pourvues de fanons qui pendent de leur mâchoire supérieure ; elles font concurrence aux requins pèlerins et se nourrissent comme eux de plancton animal.

Plusieurs millions d'années plus tard, un autre groupe de mammifères, vraisemblablement apparentés aux ours et aux loutres, commença à envahir la mer. Il donna naissance aux phoques, aux lions marins et aux morses que nous connaissons aujourd'hui. Ces créatures ne sont pas adaptées à la vie marine aussi complètement que les baleines. Elles ont conservé leurs pattes postérieures que les baleines, elles, ont perdues ; leurs crânes sont encore semblables à ceux des carnassiers terrestres et elles n'ont pas encore acquis la faculté de s'accoupler ou de donner naissance sous l'eau. Il leur faut donc revenir sur terre chaque année pour procréer.

Cette procession de retour des mammifères vers l'eau ne semble pas terminée actuellement. L'ours blanc de l'Arctique passe la plus grande partie de son temps à chasser les phoques dans l'eau, sur des fleuves de glace ou carrément dans la mer. Il est encore visiblement un animal terrestre qui ressemble beaucoup, sauf par sa couleur, à son proche parent le grizzli. Il a cependant déjà développé la capacité d'ouvrir les yeux et de fermer ses naseaux sous l'eau où il peut rester pendant deux minutes. Peut-être est-il l'objet d'une évolution qui, si elle n'est pas interrompue, conduira ses descendants à vivre complètement dans la mer, dans quelques millions d'années.

Anémones de mer ◀   *Requin baleine* ▲

C'est ainsi que, au cours des 600 millions d'années qui se sont écoulées entre la première apparition de créatures multicellulaires et notre époque actuelle, la mer a acquis de vastes populations d'animaux d'une incroyable diversité. Les groupes les plus importants du règne animal y ont aujourd'hui leurs représentants et même les plus terrestres des créatures, les insectes, ont un cousin qui vit dans les vagues. La grande majorité des mollusques, des crustacés et des vers vivent encore dans l'eau et nombre de grands groupes, étoiles de mer, oursins, méduses et coraux, calmars, poulpes et poissons, sont incapables de survivre hors de l'eau. Lieu de naissance et pépinière de la vie, l'océan en demeure la principale résidence.

Comme la terre, la mer présente une multitude d'environnements différents, tous peuplés de leurs communautés respectives et spécifiques d'animaux et de plantes. Des comparaisons étonnamment étroites peuvent d'ailleurs être tirées entre ces deux univers.

La forêt tropicale, endroit où la vie terrestre prolifère avec la plus grande diversité et densité, trouve son équivalent marin dans le récif corallien. La ressemblance saute aux yeux au premier coup d'œil. Avec leurs troncs et leurs branches qui se dressent vers la lumière ou essaient de capter le soleil en formant des plateaux horizontaux, les bocages de coraux ressemblent curieusement à des plantes. Et cette ressemblance est souvent plus proche qu'on ne l'imagine généralement.

Les polypes qui construisent les récifs coralliens sont, bien entendu, des animaux. Ils ressemblent aux petites anémones de mer, mais leurs corps contiennent un grand nombre de petits granulés brun-jaunâtres qui, eux, sont des plantes et plus précisément de petites algues, proches parentes de celles qui essaiment dans le plancton. Les algues qui se développent dans le corps du polype servent leur hôte en absorbant ses déchets : elles transforment ses phosphates et ses nitrates en protéines et, avec l'aide essentielle du soleil, utilisent l'acide carbonique pour produire des hydrates de carbone. Au cours de ce processus, elles dégagent l'oxygène dont le polype a justement besoin pour respirer. L'arrangement convient donc parfaitement aux deux organismes. Outre les algues qui se développent dans les polypes, beaucoup d'autres vivent indépendamment sur les parties mortes de la colonie de corail. Les trois quarts du tissu vivant d'un morceau de corail sont en fait constitués de végétaux.

Le calcaire que les coraux et les algues libres tirent assidûment de l'eau de mer est la substance la plus importante du récif. Les polypes en sécrètent en permanence. Dès qu'ils ont construit leur petite chambre protectrice, ils développent des filaments sur lesquels pousse un autre polype. Celui-ci commence sa construction sur son géniteur qui finit par mourir enterré. Le récif se compose donc d'une fine pellicule vivante, au-dessus d'une multitude de chambres calcaires vides. Toutes ces petites propriétés abandonnées continuent néanmoins à servir la colonie en supportant sa base. En ce sens, on peut les comparer au bois inerte dans le tronc d'un arbre. D'autre part, les algues du corail étant dépendantes du soleil, le corail ne peut pas pousser à une profondeur de plus de 150 mètres ce qui, comme par hasard, est la profondeur de la jungle entre la voûte et le sol.

Une grande diversité de créatures se nourrit ou s'installe dans les cavités pierreuses et dans les branches du récif. Parmi les poissons, les perroquets de mer ont les dents antérieures extrêmement tranchantes pour découper des morceaux de corail, et des dents rondes à l'arrière, pour le pulvériser et en extraire les polypes. D'autres poissons pillent le corail d'une façon plus délicate. Le baliste, poisson vert vif parsemé de taches oranges, applique sa bouche à l'entrée de la chambre d'un polype et en extrait l'occupant en suçant. L'étoile de mer sécrète un suc digestif qu'elle injecte dans les petits compartiments avant d'en extraire les polypes.

D'autres animaux utilisent le récif pour s'y cacher ou y construire leur habitat. Les bernacles et les clams percent des trous dans le calcaire où ils s'abritent pour filtrer le plancton. Lis de mer, ophiures, annélides, polychètes et mollusques sans coquille s'agitent continuellement parmi le dédale des branches de corail. Tapies dans les petites cavernes, les murènes guettent le passage d'une proie, sur laquelle elles bondissent, tels des diables sortant de leur boîte, pour l'attaquer par surprise. Comme des nuées d'oiseaux, des bancs de petits poissons bleus se balancent au-dessus des branches de corail, recueillant, dans les tourbillons d'eau, des particules de nourriture organique ; ils plongent, en un clin d'œil, dans la sécurité des fonds pierreux, lorsqu'un danger les menace. Autour, dans, et entre les récifs de corail cohabite une faune animée : gorgones, anémones de mer, éponges, holoturies et ascidies, serrés comme les plantes qui poussent sur les branches des arbres de la jungle.

Nous avons vu précédemment que la diversité des organismes peuplant la forêt tropicale est due, en partie, a un environnement optimal (atmosphère chaude et humide, plus soleil à profusion) et, en partie, à une stabilité de très longue durée qui a permis à l'évolution de différencier des espèces adaptées aux situations les plus étonnantes. La superbe abondance de la vie qui grouille dans les récifs de corail est la conséquence de facteurs identiques. Les vagues qui s'écrasent régulièrement sur le récif saturent l'eau d'oxygène et le soleil tropical fournit, à longueur d'année, une lumière abondante. Le récif constitue d'ailleurs un environnement encore plus vieux que la forêt tropicale. De nombreux fossiles prouvent que des récifs abritant des espèces animales très proches de celle qu'on y trouve aujourd'hui existaient déjà il y a quelque 200 millions d'années. Des récifs semblables n'ont jamais cessé d'exister depuis lors dans une partie ou une autre des mers tropicales, fournissant à une foule d'animaux un environnement idéal pour s'installer et se nourrir. Actuellement par exemple, la grande barrière de corail située près de l'Australie abrite plus de 3 000 espèces différentes d'animaux, la plupart en très grand nombre.

Cette foule compacte a ses propres problèmes. Chaque trou, niche, ou recoin susceptible d'offrir un abri est violemment disputé. Il y a des crevettes qui se logent en excavant péniblement un trou dans le sable, entre les têtes de corail ; malheureusement pour elles, certaines espèces de blennies les en délogent aussitôt pour s'y réfugier elles-mêmes. Les coquilles de mollusques vides sont occupées à l'intérieur, par des bernards l'hermite et, à l'extérieur, par des éponges. Celles-ci se nourrissent des miettes de repas du crabe, à qui elles rendent la politesse en enveloppant si bien son refuge qu'il en devient invisible aux yeux des pillards. Long et mince comme

antérieure de son corps dans l'eau qu'elle filtre pour s'alimenter de ses substances nutritives. Une autre créature étrange s'isole dans un tuyau de sable qu'elle s'est construit elle-même. Elle fait partie de la famille des anémones de mer qui semblent, à première vue, être les seules habitantes des parties désertes des fonds marins. Il s'agit là d'une illusion, car un grand nombre d'animaux vivent dans le sable même, à faible profondeur. Les grains qui les recouvrent leur servent de camouflage. C'est le cas des poissons plats, carrelets, soles, raies et flétans et, à plus grande profondeur, d'une foule de petits invertébrés, mollusques, vers et oursins.

Il existe toutefois des régions océanes qui n'ont pas leur équivalent sur la terre ferme. Sous les ''pâturages'' de plancton et au-delà des ''déserts'' de sable, s'étendent les profondeurs noires. Très récemment encore, notre connaissance des animaux qui y vivent était exclusivement basée sur les corps mutilés fortuitement rapportés par les dragages sous-marins. Nous disposons aujourd'hui d'un matériel permettant de descendre plusieurs kilomètres sous la surface de la mer et les faisceaux des projecteurs ont éclairé un monde plus éloigné de nous que n'importe quelle autre partie de planète.

Au fur et à mesure que l'on descend, l'eau devient de plus en plus froide. La température tombe assez rapidement à 0° C. Au-delà de 600 mètres, la lumière du soleil a totalement disparu, absorbée par les eaux. Tous les 10 mètres, la pression augmente d'une atmosphère, ce qui signifie que, à 3 000 mètres, elle atteint environ 300 fois la pression atmosphérique qui règne en surface. Quant à la nourriture, elle est peu abondante. Les corps morts qui tombent vers le fond descendent très lentement et il peut se passer une semaine avant que le cadavre d'une petite crevette ne se retrouve à une profondeur de 3 000 mètres. Il sera d'ailleurs généralement dévoré avant d'atteindre une telle profondeur, ou sera tellement pourri qu'aucun intestin animal ne pourrait le digérer. Sa seule utilité sera donc de fertiliser le plancton. Et pourtant, notre exploration limitée de ce monde inconnu a déjà révélé qu'il est peuplé de plus de 2 000 espèces de poissons et d'un nombre aussi élevé d'invertébrés.

La majorité d'entre eux fournissent leur propre lumière. Les batteries qu'ils utilisent sont constituées généralement de colonies de bactéries que leur composition chimique rend rutilantes. Les poissons abritent ces bactéries dans des poches spéciales situées sur les côtés de leur tête, de leurs flancs, ou à l'extrémité d'un fin rayon. Or, les bactéries brillent en permanence, et ceci risque de nuire à leurs propriétaires qui, dans certaines circonstances, ont intérêt à être invisibles. En cas de nécessité, ils occultent tout simplement leur éclat en dressant devant elles un écran de tissus opaques ou en restreignant l'afflux de sang qui les alimente.

A moyenne et à grande profondeur, le nombre de poissons lumineux est si élevé que ce phénomène ne peut pas être l'effet du hasard. Il nous reste toutefois beaucoup à apprendre sur ce chapitre. Certains petits poissons flamboyants abritent leurs bactéries dans une petite chambre située juste sous leurs yeux. Ils nagent en bancs, allumant et éteignant leurs feux grâce à une membrane qu'ils relèvent ou abaissent. On présume que ces signaux lumineux permettent au banc de rester uni et aux mâles de repérer les femelles. A l'approche d'un prédateur, le banc se met en état d'alerte :

tous les poissons éteignent leurs feux et s'éparpillent. Une fois le danger écarté, ils recommencent leurs signaux et se regroupent un peu plus loin.

Beaucoup de poissons portent leurs sources de lumière sur la partie inférieure de leur corps. Cela fait supposer que les organismes auxquels elles s'adressent nagent en dessous d'eux ou, paradoxalement, qu'il s'agit d'une tactique de camouflage. Dans les profondeurs océanes, la faible lumière filtrée par la masse des eaux permet aux poissons de ne se distinguer que comme des silhouettes vues à contre-jour. Un éclairage de la partie inférieure du corps peut donc parfaitement avoir pour effet de rendre le poisson invisible.

Ces phénomènes paraissent invraisemblables et nous sommes loin de les avoir tous compris. Toutefois, même si la fonction exacte des signaux lumineux nous échappe partiellement, il est hors de question de penser qu'il s'agit d'une attraction gratuite.

A moyenne profondeur, certaines baudroies attirent leurs proies à l'aide de leur longue épine dorsale qui, spécialement modifiée pour cet usage, se balance devant leur gueule. Cette épine dorsale se termine par une fine membrane que les lophies agitent et font tressauter exactement comme l'hameçon d'une canne à pêche. A grande profondeur, c'est un bulbe de lumière dû à des bactéries qui constitue l'hameçon. Il semble exercer un attrait irrésistible sur les petits poissons qui viennent nager de plus en plus près, jusqu'à ce que la baudroie les happe dans sa gueule.

La nécessité d'attirer les proies et d'autant plus grande que, même si un très grand nombre d'espèces différentes se côtoyent au fond des océans, leur densité spécifique est en réalité des plus faibles.

Les rencontres étant rares, il est indispensable de profiter pleinement de chacune d'elles. Ceci peut expliquer pourquoi tant de poissons de grande profondeur sont dotés d'un ventre susceptible de se dilater d'étonnante manière et de leur permettre d'avaler des proies d'une taille nettement supérieure à la leur.

Les étranges relations sexuelles des baudroies qui vivent dans les abysses ont peut-être également leur origine dans la rareté des rencontres. Lorsqu'ils sont jeunes, les mâles sont relativement semblables aux femelles, mise à part leur plus petite taille. Lorsqu'un mâle adulte a la chance de rencontrer une femelle, il se fixe aussitôt à son orifice génital. Il commence ensuite à dégénérer progressivement : son cœur dépérit et son système sanguin s'unit à celui de la femelle. Le mâle se trouve peu à peu réduit à l'état de sac producteur de sperme. Mais il continuera à féconder les œufs de la femelle pour le reste de sa vie. Il aura profité au maximum de la seule et unique rencontre sexuelle de son existence.

Les endroits les plus profonds de l'océan étant situés plus bas que les courants, l'eau y est froide et noire, mais aussi extraordinairement calme. La morphologie des poissons s'en ressent : peu de muscles leur sont nécessaires puisqu'ils ne doivent lutter contre aucun courant. D'où leur apparente fragilité. La plupart d'entre eux sont transparents et semblent surgir de l'imagination débridée d'un souffleur de verre vénitien.

Les sédiments dérivés des terres n'atteignent quasiment jamais le fond du centre des fosses océaniques. Les seules particules minérales qui y échouent sont les grains

de poussière volcanique qui tombent de l'atmosphère. La pression est si forte que les os et les coquilles calcaires se désintègrent. Les débris de plancton végétal formé de silice sont plus résistants. Il en est curieusement de même des os des baleines, des becs des calmars et des dents de requins. La pression aidant, l'eau condense certains minéraux dissous et, aux endroits les plus profonds, le fond de l'océan est tapissé de nodules de manganèse, de fer et de nickel, certains de la taille d'un raisin, d'autres aussi gros qu'un boulet de canon. Ici encore, la vie est présente. Elle se trahit par des traînées qu'impriment, dans la maigre vase, les vers qui se frayent laborieusement un chemin dans les sédiments pour en extraire les dernières particules comestibles.

Mais la plus grande partie de cette vase n'est pas consommable, pas même celle qui provient des cadavres ou des excréments des animaux qui vivent à moindre profondeur. Elle s'est décomposée en ses constituants chimiques, phosphates et nitrates notamment, que seules les bactéries et les plantes peuvent recomposer en matières organiques. Aucune algue ne peut évidemment vivre dans ces profondeurs sans lumière. La vase fertilisante reste donc hors de portée du phytoplancton, jusqu'à ce que des tempêtes brassent les eaux. Parfois un courant balaye le fond de l'océan et remet les éléments minéraux en circulation.

Un courant de ce type prend naissance dans la mer des Caraïbes qui, dans son bassin relativement peu profond, est chauffée à longueur d'année par le soleil. Renforcées par les vents qui soufflent sans relâche, les forces produites par la rotation de la terre poussent les eaux des Caraïbes vers le nord et l'est, entre Cuba et la péninsule de Yucatan, jusqu'au golfe du Mexique. Les eaux poursuivent leur course, se répandent comme un grand fleuve chaud sur 80 kilomètres de largeur et 500 mètres de profondeur. Elles entraînent une précieuse charge de plancton tropical vers les eaux froides de l'ouest de l'Atlantique jusqu'à l'est des côtes de l'Amérique. C'est le Gulf Stream. Après un parcours de 5 000 kilomètres, il rencontre de plein fouet un autre grand fleuve qui traverse l'océan de l'Arctique vers le sud : le courant du Labrador.

L'air chaud et l'air froid qui passent au-dessus des deux courants se mélangent et produisent un brouillard qui persiste tout au long de l'année. Mais en profondeur, les eaux sont bouillonnantes.

A ce point de rencontre précis s'élève, des profondeurs de l'Atlantique, un vaste plateau sous-marin de 300 kilomètres de largeur et 500 kilomètres de long. Il est si proche de la surface que toutes les eaux qui le recouvrent arrivent à capter les rayons du soleil. C'est un domaine de prédilection pour le phytoplancton qui n'y épuise jamais ses réserves nutritives comme c'est périodiquement le cas dans les autres lieux. Les courants qui longent les bords du plateau collectent la vase fertilisante des grandes profondeurs. Le plancton prolifère en conséquence et son incomparable richesse attire des bancs de poissons innombrables en ce lieu privilégié : la grande banquise de Terre-Neuve.

Les capelins se nourrissent directement de phytoplancton. Parents éloignés des sardines, ces petits poissons pullulent le long des plages de Terre-Neuve, au point que les masses noires formées par leurs bancs obscurcissent les eaux. Les grandes marées

◀ *Baudroie avec deux mâles fixés sur son corps*

du printemps propulsent les capelins sur les plages. Chaque vague en apporte des milliers. Ce n'est pas un hasard : pressées par le temps, les femelles se hâtent de creuser un petit trou où elles pondent leurs œufs. Les mâles qui les escortent y déposent leur sperme, et la vague suivante les ramène à l'eau. Peu d'entre eux arrivent cependant à regagner l'océan. La plupart meurent après avoir frayé, et leurs cadavres figés à tout jamais s'amoncellent sur les plages.

Les bancs de capelins attirent de nombreux autres animaux. Les morues s'en régalent et les oiseaux de mer s'abattent sur eux sans pitié, tandis que mouettes et pingouins pataugent joyeusement au milieu de ce festin providentiel. Même les baleines à bosse sont de la partie. Elles en gobent des dizaines de milliers en une seule bouchée.

L'homme ne pouvait pas rater cette aubaine. Avec le développement de la pêche industrielle, le grand banc a été pillé un peu plus chaque année. Les pêcheurs ont mis au point de nouveaux systèmes de détection des bancs de poissons, à l'aide de radars et de sonars ultra-soniques. Ils ont perfectionné leurs filets et leurs techniques pour ramener des prises de plus en plus importantes. Mais le grand banc lui-même n'est pas inépuisable. Des usines ultramodernes de traitement du poisson ont été construites sur la côte, il y a quelques années à peine, dans l'utopique espoir que les pêches miraculeuses seraient éternelles. Aujourd'hui, ces usines sont vides et délabrées. Le poisson fait défaut. L'avidité de l'homme a mis en péril les richesses de l'une des parties les plus productives de la planète.

LES NOUVEAUX MONDES

Les êtres vivants ont une capacité d'adaptation extraordinaire. Loin d'être fixes et immuables, les espèces évoluent à une vitesse comparable à celle de la plupart des changements climatiques et géologiques. Au fur et à mesure que les chouettes progressèrent vers le nord, leur plumage devint de plus en plus épais et de plus en plus blanc pour qu'elles aient chaud et passent inaperçues sur la neige blanche de la toundra. Les loups qui s'enfoncèrent dans le désert perdirent leur pelage épais pour mieux supporter la chaleur. Les antilopes abandonnèrent les forêts pour aller brouter dans la savane et leurs pattes s'allongèrent pour leur permettre d'échapper rapidement aux nouveaux dangers qui les menaçaient.

Au cours des quelques millénaires qui suivirent son apparition sur terre, l'homme fit preuve de la même faculté d'adaptation. Au voisinage du Pôle Nord, les esquimaux sont petits et trapus, car cette morphologie est la mieux adaptée à la conservation de la chaleur corporelle. En revanche les indiens de la forêt amazonienne ont les membres longs et sont imberbes pour ne pas retenir la chaleur. Les peuples qui vivent sous un soleil si chaud qu'ils risquent des brûlures de la peau ont une pigmentation sombre qui les protège. Dans les régions plus fraîches et plus nuageuses, où le soleil est faible, rare et à peine suffisant pour favoriser la production de vitamines dans l'organisme, les hommes ont une peau très pâle à faible pigmentation.

Enfin, il y a quelque 12 000 ans, l'homme commença à faire preuve d'un nouveau talent. Confronté à un environnement hostile, au lieu d'attendre plusieurs générations que son anatomie change, il transforma son environnement. Il modifia d'abord la terre qu'il habitait, puis les animaux et les plantes dont il dépendait.

Les premiers à agir de la sorte vivaient au Moyen-Orient. A cette époque, ils étaient encore nomades, chassant les animaux sauvages mais se nourrissant aussi de racines, de feuilles, de fruits et de graines. Les chasseurs disputaient leurs proies aux meutes de loups qui les suivaient très probablement et se nourrissaient des abats délaissés, tout comme les vautours d'Afrique qui se partagent les restes d'un animal dès que les lions ont fini leur repas et vivent ainsi en une sorte d'association avec les lions. Parfois les choses se passaient peut-être différemment. Les loups abattaient une proie et les chasseurs en prélevaient une partie.

Les deux espèces partageaient non seulement le même territoire et les mêmes proies, mais aussi la même organisation sociale. Elles chassaient en groupe et étaient organisées en une hiérarchie complexe au sein de laquelle l'autorité était établie par des comportements de domination ou de soumission. Elles finissent par s'associer.

Il n'est pas difficile d'imaginer comment cela s'est produit. Tous les hommes qui vivent en groupe aiment avoir des animaux domestiques ; on peut donc raisonnablement penser que certains de ces premiers chasseurs ont amené de jeunes loups dans leurs campements et les ont élevés avec leurs propres enfants. Les mères ont peut-être été jusqu'à partager leur lait entre leurs enfants et des louveteaux orphelins, un peu comme certaines tribus nourrissent les porcelets au biberon de nos jours. Les jeunes loups élevés avec les hommes finirent sans doute par accepter la domination de l'un d'eux. Adultes, ils continuèrent d'obéir au maître qu'ils accompagnèrent à la chasse ; ils exécutaient ses ordres et étaient récompensés d'un morceau de gibier.

Parmi les animaux que poursuivaient l'homme et son chien, il y avait le mouton sauvage. Le mouflon, que l'on trouve encore dans certaines régions sauvages de l'Europe, ressemble probablement beaucoup au mouton sauvage de cette lointaine époque. Il est petit et a de longues pattes. Le bélier et la brebis ont tous deux d'épaisses cornes recourbées. En hiver, leur toison s'épaissit considérablement, avant de la perdre en été. Il y a 8 000 ans environ, l'homme a noué des liens privilégiés avec cet animal inquiet et timoré. Cela n'a pas dû se passer comme avec le loup, mais plutôt comme cela se passe actuellement entre l'homme et le renne qui vit sur la toundra de l'Europe septentrionale.

Les rennes sont des animaux nomades. En hiver, leurs pâturages sont si maigres qu'ils sont obligés de changer constamment de site pour trouver de nouvelles pousses de genévrier nain et de mousse. Ils sont suivis par les Lapons, peuple nomade qui a probablement vu le jour en Europe centrale avant d'émigrer vers l'Arctique il y a un millier d'années ou plus. Ils dépendent totalement du renne qui leur fournit tout ce dont ils ont besoin pour vivre : viande et lait pour se nourrir, fourrures épaisses pour se vêtir, peaux pour construire des abris, tendons pour coudre, cuir brut pour fabriquer des cordages, bois et os pour confectionner des outils. Il n'est cependant pas tout à fait exact de parler de chasseurs dans le cas des Lapons car, de nos jours, le renne n'est plus vraiment sauvage. Bien que les Lapons ne puissent pas maîtriser les déplacements des animaux, chaque famille s'attache néanmoins à un troupeau et le considère comme sien. Les jeunes qui naissent au printemps leur appartiennent. Mais cela n'est pas aussi facile qu'il paraît. Les jeunes mâles ont tendance à vouloir échapper à la domination de leurs aînés et quittent le troupeau pour aller fonder leur propre groupe, ce qui se traduit par une perte pour leurs propriétaires. Par contre, s'ils sont castrés, ils ne s'opposent plus aux mâles dominants et restent avec le troupeau. C'est pourquoi, chaque année, les Lapons rassemblent leurs bêtes, les marquent et castrent les mâles. Bien entendu, il faut conserver quelques mâles intacts qui engendreront les générations futures et il semble logique de choisir pour cela les animaux les plus dociles, ceux qui sont susceptibles de demeurer au sein du troupeau, même pendant la période des amours. Et cela a duré depuis des siècles. Ainsi, sans en avoir vraiment eu l'intention, les Lapons pratiquent un élevage sélectif. A l'heure actuelle, leurs rennes sont des plus dociles. Ils restent ensemble toute l'année, en troupeaux qui font chacun plus d'un millier de têtes, contrairement à leurs homologues sauvages d'Amérique du Nord, les caribous.

D'une manière tout aussi involontaire, les hommes ont sans nul doute créé leurs troupeaux de moutons et de chèvres domestiques qui, pendant environ quelque mille ans, furent les seuls animaux dont ils se nourrirent. Puis ils réussirent à domestiquer les bovins, une entreprise bien plus difficile et plus dangereuse aussi. Il y a 8 000 ans, le bœuf sauvage qui errait en Europe et au Moyen-Orient était un animal énorme : l'aurochs. Les derniers survivants de l'espèce se sont éteints dans les forêts de Pologne, il y a quelque trois cents ans, mais on connaît leur taille grâce aux ossements qui ont été retrouvés et leur aspect inquiétant grâce aux peintures éloquentes qui recouvrent les parois de quelques grottes en France et en Espagne, celles que l'on doit aux peintres de la préhistoire.

Les aurochs mesuraient près de deux mètres de haut au garrot. Les mâles étaient noirs avec une ligne blanche sur le dos, suivant de près leur épine dorsale. Les femelles et les jeunes, un peu plus petits, étaient brun roussâtre. C'étaient sans doute des animaux dignes d'inspirer l'effroi, mais les hommes et leurs chiens leur ont donné la chasse, si l'on en croit les restes que l'on a retrouvés dans les grottes. Les hommes ne chassaient pas seulement l'aurochs, ils lui rendaient probablement aussi un culte, l'adoraient. Sur le site de Catal Huyuk, en Turquie, aménagé il y a 8 000 ans, on a découvert une salle dans laquelle des cornes d'aurochs se trouvent alignées sur un banc d'argile. Apparemment, cela ne pouvait être qu'un lieu saint.

Les taureaux sauvages furent vénérés pendant longtemps et ils le sont encore aujourd'hui dans la religion la plus vieille du monde, l'hindouisme. Le dieu romain Mithra leur était associé et son culte exigeait le sacrifice de beaucoup d'entre eux. La mise à mort quasiment rituelle des taureaux dans l'arène, comme elle est encore pratiquée en Espagne, a peut-être les mêmes origines. Au cours des siècles, l'homme a fini par soumettre à sa loi ces animaux sacrés et à les élever de façon sélective pour créer des races de bovins domestiques. Il n'est pas étonnant que le premier de ses objectifs ait été de réduire leur taille ; en effet, des animaux aussi grands que l'aurochs sauvage devaient être d'une conduite difficile.

Il reste quelques survivants de ces races très anciennement domestiquées. En Angleterre, un troupeau fut parqué en enclos au XIIIᵉ siècle à Chillingham dans les monts Cheviot et l'on peut admirer ses descendants aujourd'hui encore, toujours au même endroit. Ce sont de petits animaux, comparés aux aurochs, mais les mâles sont extrêmement agressifs. Si l'homme les approche, ils forment un cercle, les cornes pointées vers l'extérieur, prêts à charger l'attaquant d'où qu'il vienne. C'est le taureau le plus fort qui dirige le troupeau. Il s'accouple avec chaque femelle et combat tous les jeunes mâles qui le défient jusqu'à ce qu'il en sorte un jour vaincu, généralement au bout de deux ou trois ans, et abandonne sa place. Actuellement, personne ne les force à quoi que ce soit et on dit que si un veau vient à être touché par l'homme, le troupeau le tue.

Contrairement aux aurochs, ces animaux dits de races Chilligham sont d'un blanc très pur. Cette évolution est peut-être significative, bon nombre d'animaux domestiques étant blancs ou pie. Les moutons et les chèvres, ainsi que les apports ultérieurs à la société comme les chevaux et les porcs et, dans le Nouveau Monde, les lamas et les cobayes, portent tous des traces de cette couleur voyante. Lorsque, à cause d'un accident génétique, des individus de cette teinte naissent dans un groupe d'animaux sauvages, ils souffrent d'un handicap majeur, car ils sont vite repérés par les prédateurs. Cependant, cela ne se produit pas quand ils sont sous la protection de l'homme et ce caractère génétique s'étend et se transmet progressivement. Il est également possible que les bergers aient préféré cette couleur voyante parce qu'elle leur permettait de mieux repérer leurs bêtes qui passaient dans les bois. Ils auraient donc sélectionné leurs animaux en fonction de leur teinte.

Tout en apprivoisant et en faisant évoluer les animaux, l'homme agissait de même avec les plantes. On ramassait déjà depuis longtemps les graines pour les manger et les Boschimans du Kalahari, ainsi que les aborigènes d'Australie, le font encore. Il est plus facile de cueillir les graines sur les tiges que de les ramasser par terre. Les femmes, qui tout comme aujourd'hui dans la plupart des sociétés végétariennes étaient probablement responsables de la cueillette, ont sans doute préféré les tiges hautes. Lorsque les tribus abandonnèrent la vie nomade pour se sédentariser, les hommes ont dû semer les graines de plantes ayant cette caractéristique. Et, malgré son ignorance des principes agricoles, l'homme créa peu à peu de nouvelles races de graminées plus faciles à récolter. Il commença à défricher la terre qui entourait ses campements, abattant les arbres et déracinant les buissons pour faire place à ses cultures. Il était devenu fermier.

Les nouvelles variétés de ces animaux et de ces plantes se répandirent à travers toutes les tribus du Moyen-Orient et d'Europe. L'homme changea en même temps sont environnement en se débarrassant notamment des animaux qui ne lui convenaient pas ou qu'il considérait comme dangereux. Il extermina entre autres les loups et les ours. Il laissa disparaître presque accidentellement les castors, les rennes, les élans, en les chassant sans discernement et en détruisant leur milieu naturel. En même temps, il introduisit des animaux amenés d'ailleurs. Au XIIe siècle, il apporta le lapin, originaire des pays de l'ouest du bassin méditerranéen et très apprécié pour sa chair et sa fourrure. En l'espace de deux siècles, celui-ci devint le plus répandu de tous les quadrupèdes de taille moyenne d'Europe. Vers la même époque, on vit apparaître des faisans venus du Caucase. D'autres espèces de faisans furent ultérieurement importées, notamment le faisan à collier originaire de Chine. Désormais, ils sont bien implantés et vivent librement dans la campagne européenne. Au cours des siècles, de plus en plus d'animaux furent introduits en Europe et l'on a bien souvent oublié l'origine lointaine de bon nombre d'entre eux.

L'homme ne s'arrêta pas pour autant de façonner ces créatures domestiquées. Il produisit des moutons à la toison plus épaisse, qui se conservait toute l'année au lieu de tomber par plaques, de façon à ce que les bergers puissent choisir le moment qui leur convenait le mieux pour la tonte. Il éleva des vaches qui perdirent presque toute leur agressivité, donnèrent des quantités inaccoutumées de lait et développèrent des muscles inutiles à certains endroits de leur corps pour le plus grand plaisir des cuisiniers de l'époque ! Les chiens furent modifiés de diverses manières. On dressa les dogues à garder l'entrée des maisons et à arrêter les voleurs ; les épagneuls à

flairer les oiseaux tombés sous les coups des chasseurs et à les ramener ; les terriers, courts sur pattes et querelleurs, à entrer dans les gîtes des renards pour les combattre ; les teckels bassets à chasser les blaireaux ; les bouledogues aux mâchoires puissantes et aux canines extrêmement développées à maîtriser les taureaux enragés ; et, étonnamment vite, on éleva de petits chiens au poil doux et aux grands yeux naïfs qui ressemblaient à des chiots toute leur vie et dont la principale occupation est de se faire caresser sur les genoux de leur maîtresse. Bien que toutes ces races aient eu le même ancêtre, le loup, certaines finirent par former des espèces nouvelles, les plus extrêmes étant parfaitement incapables de se croiser entre elles à cause de leur taille.

L'homme agit de même avec les plantes. De nos jours, les jardins potagers contiennent des légumes du monde entier. Les pommes de terre ont d'abord été cultivées par les Incas ; les haricots, le maïs et les tomates, par les Aztèques. La rhubarbe nous vient de Chine, les carottes d'Afghanistan, les choux-fleurs du Moyen-Orient et les épinards de Perse. Au cours des cinq cents dernières années, tous ces légumes ont été cultivés de façon à ce que la partie comestible soit de plus en plus importante, parfois au point que la plante d'origine est devenue méconnaissable.

L'homme a également créé un environnement totalement nouveau : la ville. La première vit le jour au Moyen-Orient, il y a 10 000 ans. Il semble qu'elle ait été une conséquence directe des premières domestications des plantes et des animaux qui ont libéré l'homme de la nécessité de se déplacer constamment pour chercher sa nourriture. Ces colonies de plusieurs milliers d'habitants étaient construites en briques de boue, séchées au soleil. Les premières villes n'avaient rien d'inhumain. Les plantes poussaient aisément dans les fentes des murs, les recoins poussiéreux dans lesquels les araignées pouvaient tisser leur toile en toute tranquillité étaient nombreux et les souris des champs élisaient domicile sur les tas d'immondices. Mais, au fur et à mesure du progrès, l'homme construisit ses maisons en matériaux plus solides, comme la pierre et la brique, il pava ses rues et la ville devint de plus en plus inhospitalière pour les animaux sauvages. Aujourd'hui, l'homme fait preuve de tant d'ingéniosité dans ses constructions et d'invention dans la fabrication des matériaux qu'il n'y a pas grand'chose qu'il ne puisse réaliser pour sa ville. Il est presque impossible d'imaginer des bâtiments plus étrangers à la nature que les grands immeubles modernes dont la hauteur défie le ciel. Sur leur gigantesque squelette d'acier viennent se poser des façades vertigineuses de vitres retenues par des feuilles de bronze, d'aluminium noirci ou d'acier inoxydable. Chaque matin, des milliers de personnes viennent y passer leur journée, loin du soleil et de l'air pur, dans un univers aseptisé, artificiellement humidifié et tempéré pour leur plus grand confort par des appareils de climatisation commandés par ordinateur. Sur des kilomètres à la ronde, la terre a été ensevelie sous l'asphalte et le béton, l'air étouffé par les gaz d'échappement et le souffle d'un million de climatiseurs. On pourrait croire que seuls les hommes peuvent vivre dans des villes comme celles-là. Pourtant, des plantes et des animaux ont réagi face à ce nouvel environnement, comme ils réagissent aux changements depuis des siècles. Ils ont non seulement découvert comment s'adapter à ces nouvelles conditions, mais aussi, dans certains cas, ils ont fini par les préférer à d'autres.

◀ *Pâturages à moutons*

L'aridité austère du béton correspond, en fait, à un milieu tout à fait naturel : les champs de cendre et de lave des volcans. Les plantes qui se sont adaptées à l'un sont parfois capables de coloniser l'autre. Au XVIIIᵉ siècle, un botaniste britannique ramassa sur les pentes de l'Etna, en Sicile, une sorte de longue marguerite à fleurs jaunes et la rapporta dans son pays pour la planter dans le jardin de son université. Elle proliféra tant qu'à la fin du siècle elle avait envahi les murs de brique des facultés. Pendant plusieurs dizaines d'années, elle n'alla pas plus loin mais, vers le milieu du XIXᵉ siècle, commença la construction du chemin de fer et les locomotives qui filaient le long des talus les arrosèrent de scories et de cendre, ce qui plut à notre fleur qui s'empressa d'étendre son territoire. Connue aujourd'hui sous le nom de séneçon jacobée, on la trouve sur tous les chantiers en construction.

Sur les pentes des volcans d'Amérique du Nord, notamment le Mont St-Helen, on trouve une plante dont l'histoire ressemble fort à celle de ce séneçon. Elle se répandit principalement pendant la seconde guerre mondiale, dans les ruines des quartiers bombardés et on lui donna le nom d'épilobe à épi.

Les animaux ont, eux aussi, su s'adapter aux constructions humaines. Grâce à certains architectes, les parois verticales des immeubles présentent beaucoup de points communs avec les falaises naturelles. Les oiseaux habitués à ces dernières n'ont guère de difficultés à installer leurs nids sur les premières. Le plus courant et le plus typique des oiseaux des villes, le pigeon domestique, est un descendant du pigeon biset qui nichait sur les falaises côtières. Il fut domestiqué il y a 5 000 ans pour sa chair et l'homme lui fabriqua des colombiers. Beaucoup de ces pigeons sont revenus vivre à l'état sauvage en ville et ont donné naissance à la race qui emplit désormais le ciel de toutes nos cités. Certains pigeons sont très proches de leur ancêtre sauvage : un plumage bleu gris, une queue blanche et quelques plumes d'un vert violacé brillant sur le haut de la tête et du cou. La seule différence est que la bande de peau nue qui se trouve à la base du bec est légèrement plus proéminente. D'autres portent les caractéristiques accentuées par des siècles de sélection humaine : ils sont blancs, noirs, pie ou bruns. Ils bâtissent leurs nids dans les niches néo-gothiques et les monuments historiques, tout comme ils le feraient dans les failles et les saillies d'une falaise. A l'automne, les étourneaux se rassemblent eux aussi dans les villes par dizaines de milliers, pour se réchauffer au contact des bâtiments qui, par temps froid, présentent souvent une différence de plusieurs degrés avec la campagne environnante. Les faucons crécerelles vivent sur les flèches et les pignons, du haut desquels ils surveillent leurs proies, comme le font leurs cousins depuis leurs promontoires dans les montagnes. De nombreuses maisons possèdent un grenier sombre et accueillant dans lequel on peut entrer grâce à une tuile ou à une brique disjointe. Pour les chauves-souris, ce sont des endroits qui valent bien les grottes. En Amérique du Nord, les martinets qui nichaient dans le creux des arbres se sont aperçus qu'il y avait plus de conduits d'aération ou de cheminées que d'arbres creux. De nos jours, ils restent pratiquement toujours dans les villes. Dans les régions tropicales, les murs en béton et les vitres constituent un domaine idéal pour les lézards dont la capacité d'adhésion est telle qu'ils sont à l'aise sur les troncs et les feuilles les plus lisses. Rares sont les

maisons du sud-est asiatique qui n'ont pas leurs geckos, chasseurs vigilants des insectes attirés par la lumière.

Certains de ces "immigrés ruraux" ont trouvé auprès de l'homme leur nourriture préférée. Les larves de mite s'engraissent parmi les piles de lainages. Les charançons dévastent les réserves de grain qu'ils parviennent à envahir, se reproduisant sans répit jusqu'à ce que tout soit absorbé ou contaminé. Les termites et les larves de coléoptères grignotent le bois des charpentes et des meubles. Certains termites se sont même mis à aimer le plastique : ils étendent leurs dégâts aux câbles électriques, provoquant des pannes. C'est un peu difficile à comprendre dans la mesure où le plastique n'a aucune valeur nutritive. Comme les humains qui mâchent de la gomme, ils sont peut-être suffisamment comblés par la mastication elle-même.

La plupart des animaux des villes ont cependant été attirés par les ressources immenses que constituent les immondices. Les miettes du croissant du matin, les restes d'un sandwich, les poubelles d'appartement et les dépotoirs, voilà le plancton urbain, le pâturage de la cité. C'est le premier maillon d'une chaîne alimentaire qui fait vivre tous les animaux, les uns se nourrissant des autres. Les plus grands consommateurs de ces déchets sont les rongeurs.

La souris domestique n'est pas de la même espèce que le mulot ou rat des champs qui ne s'aventure presque jamais en ville. On ne sait pas très bien d'où elle vient, mais on pense qu'elle vivait peut-être à l'état sauvage dans les régions désertiques du Moyen-Orient ou dans les steppes d'Asie centrale. Elle s'installa avec l'homme quand il commença à construire des villes et ne le quitta plus. Toutes les souris n'appartiennent peut-être pas à la même espèce. Elles forment des communautés isolées dans les villes, séparées des autres par la campagne. Comme sur une île ou dans un lac, l'évolution est extrêmement rapide dans ces îlots urbains et elle donne lieu à de minuscules différences anatomiques et, quelquefois, à de véritables phénomènes d'adaptation. Chaque ville du sud de l'Amérique possède sa propre race et celle qui a élu domicile dans les chambres froides est désormais pourvue d'une épaisse fourrure qui la protège du froid polaire qui y règne.

Le rat noir, lui aussi, rejoignit l'homme très tôt. Originaire de l'Asie du sud-est où il vivait dans les arbres, il ne perdit jamais ses facultés de grimpeur ; il se trouve donc parfaitement à son aise sur les navires, notamment sur les voiliers, où il trottine le long des mâts et des cordages. Sa passion pour les bâteaux fut à l'origine de son expansion dans le monde. Au XIIe siècle, les rats noirs étaient fort abondants dans les villes d'Europe. C'est vers le milieu du XVIe siècle qu'ils embarquèrent avec les émigrants vers l'Amérique du Sud.

Le rat brun ou surmulot arriva un peu plus tard. Il venait également d'Asie et était plutôt un fouisseur qu'un grimpeur. Il l'est resté et c'est ainsi que, lorsque des rats noirs et des rats bruns envahissent le même bâtiment, les noirs s'installent dans les étages supérieurs et courent le long des tuyaux et des poutres, tandis que les bruns occupent les caves et les égouts, rongent les parquets et les lambris. Le rat brun a une alimentation plus variée. Il apprécie les végétaux dont se nourrissent les rats noirs mais il aime aussi la viande. De nos jours, il a quasiment supplanté le rat noir qui

◀ *Séneçon jacobée*

s'est réfugié dans les ports, où il est rejoint par de nouveaux arrivants que les bateaux amènent d'outre-mer.

Bien que les tentatives des rats, des pigeons, des termites et des lézards aient été couronnées de succès, le nombre des animaux qui ont résolu le problème du milieu urbain est peu élevé par rapport à celui des espèces qui vivent en milieu naturel. Néanmoins, les réserves de nourriture qu'offrent les villes étant immenses et inépuisables, les espèces qui y vivent se multiplient de façon prodigieuse. Voilà pourquoi les villes sont souvent le théâtre de pullulations. A l'abri des variations saisonnières, les rats se reproduisent toute l'année, donnant naissance à des portées qui comptent jusqu'à douze petits, et ce toutes les huit semaines environ. Quant aux pigeons, bien qu'ils vivent à l'extérieur, ils arrivent à pondre des œufs plusieurs fois dans l'année et vont jusqu'à couver tous les mois, en hiver comme en été.

La prolifération ininterrompue de toutes ces créatures ne va pas sans poser de nombreux problèmes dans les villes. Les souris et les rats ne se contentent pas de piller les réserves de nourriture, ils en souillent en fait davantage qu'ils n'en absorbent. Quant aux fientes des pigeons, elles attaquent la pierre comme un acide et défigurent les monuments. Ce ne sont encore là que problèmes mineurs, car le principal danger réside dans l'absence de prédateurs naturels. Les rats et les pigeons malades ou invalides, qui ne sont plus tués ou dévorés selon la loi de la nature, propagent leurs infections comme de véritables fléaux.

Les rats transportent des puces qui s'attaquent notamment aux humains. Au XIVe siècle, ce sont elles qui leur ont transmis la peste qui décima, à l'époque, un quart de la population européenne. Il y a moins d'un siècle, une maladie du même type fit onze millions de victimes en Inde. S'ils n'entraînent pas d'épidémies aussi horrifiantes, les pigeons sont également porteurs de microbes. Certains souffrent de tuberculose, de maladies paratyphoïdes ou de la variole du pigeon, laquelle se caractérise par une éruption de pustules qui paralysent les pattes.

Les chiens abandonnés qui vagabondent dans les rues sont parfois porteurs d'une maladie redoutable : la rage. Le citadin n'a donc pas le choix, il doit maîtriser la population animale de ses villes.

L'élimination des mites et des vrillettes ne rencontre guère d'objections, même dans les milieux les plus farouchement écologistes. Rares sont également les défenseurs des rats et des souris qui envahissent nos maisons et volent nos provisions. Mais nombreux sont ceux qui s'offusquent et trouvent à redire lorsqu'on attrape les pigeons au filet pour les abattre. Or, ces oiseaux peuvent s'avérer aussi dangereux que les rats et causer autant de dégâts. Malgré tout, la majorité des citadins admet qu'il est indispensable de maintenir un certain équilibre dans la population animale de nos villes et se rend compte qu'une sélection est parfois nécessaire.

La gestion d'une ville comporte heureusement aussi le développement de la vie. Pour agrémenter notre environnement artificiel, on sauvegarde des parcs, on place des nichoirs pour les oiseaux, on plante des fleurs pour les papillons et on protège la faune qui n'est pas nuisible. Les autorités locales ont enfin compris qu'elles étaient responsables de la faune et de la flore de leur pays.

Pigeons de nos cités, Eglise St-Laurent, Paris ▶

L'homme a également le devoir de se soucier de l'aménagement des campagnes. Pendant des siècles, chacun décidait de son côté ce qui devait être éliminé, personne ne consultait personne, et l'on ne cherchait pas à imaginer les conséquences à long terme des décisions prises. On commence, aujourd'hui seulement, à se pencher sur les possibilités d'une véritable politique de l'environnement, en tenant compte des connaissances des biologistes sur la dynamique de la vie animale et de leurs relations, et en respectant les intérêts de tous ceux qui sont concernés.

Mais, pour être efficaces, ces décisions doivent tenir compte de la situation internationale. Si un pays décide d'exterminer une espèce, un autre état ne pourra plus la protéger de façon utile. Même si les riverains se donnent du mal pour empêcher la pollution de leurs eaux, les lacs ne pourront pas rester poissonneux tant que les usines d'autres pays déverseront leurs déchets dans les fleuves qui les alimentent ou tant que les fumées continueront de contaminer l'atmosphère à un point tel que des nuages de pluies acides crèveront, parfois à des kilomètres de l'endroit de leur formation.

Hélas, même lorsque l'on est conscient de ce type de problème et des dangers en résultant, on continue à croire que la nature, loin des villes et de la pollution, aura toujours le dessus. Il a pourtant été maintes fois prouvé que ce n'était pas le cas.

Au large des côtes du Pérou, autour de deux archipels, les Chinchas et les Sangallans, se trouvent les eaux les plus productives au monde. Un courant marin ramène les éléments nutritifs des fonds jusqu'à la surface, un peu comme cela se produit sur les côtes de Terre-Neuve. Le plancton prolifère et nourrit des bancs de poissons : les anchois, véritable pierre angulaire de ce système complexe. Ceux-ci sont à leur tour mangés par des poissons plus gros, les thons et les loups de mer, ou par les oiseaux qui nichent sur les falaises des îles proches. Les sternes, mouettes, pélicans et fous variés y foisonnent. Il y a une cinquantaine d'années, le cormoran de Bougainville était l'oiseau le plus répandu de la planète. Cinq millions et demi d'individus de cette espèce vivaient là. Contrairement aux pélicans et aux fous variés, le cormoran de Bougainville ne parcourt pas de longues distances et ne plonge pas dans les profondeurs pour sa nourriture. Il vit aux dépens des bancs d'anchois qui nagent près des côtes à la surface de l'eau. Cet oiseau a joué un rôle économique étonnant.

La digestion du cormoran de Bougainville est assez étrange et paraît peu efficace, car l'oiseau n'absorbe qu'une proportion infime des éléments nutritifs que lui fournit l'anchois, en rejetant le reste. Ces déchets vont en très grande partie à la mer où ils fertilisent l'eau et contribuent ainsi au développement du plancton. Un cinquième environ s'en va recouvrir les rochers des îles. Or, il pleut rarement dans cette région du Pérou, ce qui fait que les déchets s'accumulent en formant des dépôts qui peuvent atteindre 50 mètres d'épaisseur. A l'époque pré-colombienne, les Indiens établis sur le continent connaissaient déjà les propriétés fertilisantes de ce dépôt et l'utilisaient pour enrichir les cultures. Il fallut attendre le XIXe siècle pour que d'autres fassent la même constatation. Le guano, comme on l'appela alors, s'avéra trente fois plus riche en azote que l'engrais habituellement utilisé en agriculture. Il contenait également d'autres éléments importants et fut bientôt exporté dans le monde entier.

◀ *Cormorans de Bougainville, Pérou*

Des pays lointains fondèrent même leurs industries agricoles sur cette découverte. Son prix augmenta démesurément. La vente de guano contribua alors pour plus de la moitié au revenu national du Pérou. Des flottes entières de bateaux de pêche opérant autour des îles moissonnèrent aussi en même temps les fonds marins et les dépouillèrent des bancs de thons et de loups de mer. On pouvait difficilement trouver une richesse naturelle plus productive que celle-là.

Il y a une trentaine d'années, on se mit à fabriquer et à commercialiser des engrais chimiques. Loin d'être d'aussi bonne qualité que le guano, leur prix défiait toute concurrence. Celui du guano commença de ce fait même à baisser. Les habitants des régions côtières réalisèrent alors qu'il leur serait plus profitable de se tourner vers l'exploitation des anchois. L'homme ne pouvait pas les consommer, mais les transforma pour l'alimentation des poulets, du bétail et autres animaux domestiques. La collecte des anchois au filet se révéla d'une facilité déconcertante et n'était en rien réglementée. En une seule année, on en sortit 14 millions de tonnes, ce qui fait qu'au bout de peu d'années les bancs se trouvèrent décimés. Ceci provoqua la famine chez les cormorans et, le long des côtes péruviennes, des millions d'oiseaux moururent. Quant aux survivants, ils étaient si peu nombreux qu'ils ne fournirent plus assez de guano pour que la récolte en soit rentable. Du coup, le marché s'effondra. Actuellement, les cormorans ne sont pas assez pour contribuer à fertiliser la mer en alimentant le plancton de leurs déjections. Ainsi, même si la pêche à l'anchois et au thon a désormais cessé, le renouvellement des animaux qui constituent la faune marine n'est en aucun cas assuré. En n'assumant pas ses responsabilités face à la gestion de la nature, l'homme a non seulement réussi à détruire les anchovetas, le cormoran de Bougainville et les thons, mais l'ensemble des ressources dont il tire sa subsistance.

Après les océans, la seconde grande source de richesses naturelles au monde est la forêt tropicale humide. Elle aussi a été pillée sans souci du lendemain. Elle joue pourtant un rôle essentiel dans l'équilibre biologique de la terre, en absorbant les pluies équatoriales pour les redistribuer en un flux régulier vers le reste du monde. Est-il en outre nécessaire de mentionner les innombrables richesses dont elle nous comble ? Environ 40 % des produits pharmaceutiques que nous utilisons contiennent des ingrédients naturels et des essences qui nous viennent de cette forêt. Ses arbres fournissent des bois précieux. Pendant des siècles, les bûcherons qui les recherchaient l'ont exploitée avec sagesse, en sélectionnant les troncs à abattre, sans abîmer ceux dont ils n'avaient aucun besoin. Ils effectuaient leur travail avec soin, laissant à la forêt le temps de repousser, avant de retourner au même endroit.

Aujourd'hui la forêt équatoriale tout entière est menacée. Les populations humaines des régions équatoriales ont fortement augmenté, provoquant par voie de conséquence un défrichage de plus en plus intensif de la forêt voisine. Or, nous savons maintenant que la fertilité de cette forêt dépend davantage de ses plantes que de la qualité du sol. La terre des zones défrichées s'épuise rapidement et perd toute sa fertilité en quelques années. Les tribus indigènes doivent donc défricher sans cesse d'autres zones, abattre d'autres arbres. La menace ne serait pas irrémédiable si elle s'arrêtait là. C'est compter sans les machines, sans l'industrie, et sans l'appât du gain. Quoi

de plus tentant aujourd'hui que de transformer les arbres en billets de banque ? Quoi de plus facile aussi !

En une heure, on abat un arbre bi-centenaire. Un puissant tracteur le traîne à travers la forêt, écrasant tout sur son passage et détruisant d'une manière irrémédiable les jeunes pousses qui ne sont pas encore exploitables. Grignotée par les tribus indigènes, la forêt tropicale est piétinée par nos machines. Chaque année, c'est un territoire aussi vaste que la Suisse qui est défriché. Privé des racines qui le maintiennent en place, le sol est entraîné par les pluies dévastatrices. Les cours d'eau se transforment en torrents bourbeux et la terre semble abandonnée par la nature. Une des flores et une des faunes les plus riches du monde cessent peu à peu de vivre... étouffées, saccagées et pillées par l'homme.

La liste des désastres écologiques que nous provoquons pourrait s'allonger indéfiniment. Il n'est que trop facile de souligner les dommages que nous avons infligés au monde sauvage. Mais n'est-il pas plus important de réfléchir à ce que l'on peut faire pour rattraper nos erreurs passées ?

La première démarche est de prendre conscience que le temps où l'homme ne jouait qu'un rôle infime dans l'évolution de la nature est bel et bien révolu. Nous devons nous débarrasser de cette notion de nature bienfaisante échappant à l'influence néfaste de l'homme et pourvoyant à tous ses besoins, quelle que soit la façon dont il la traite ou la maltraite. Nous ne pouvons plus nous reposer sur une quelconque providence à laquelle laisser le soin de maintenir l'équilibre naturel de la faune et de la flore de nos terres. Ce qui a commencé il y a 10 000 ans au Moyen-Orient a désormais atteint son point culminant et, que nous le voulions ou non, nous avons acquis une influence déterminante sur chaque parcelle de notre globe.

Certes la nature n'a jamais été un monde statique : l'emprise des glaces a augmenté ou diminué selon les régions, les forêts se sont transformées en prairies, les savanes en déserts, et les estuaires en marécages. Bien que, du point de vue géologique, ces changements aient été relativement rapides, les animaux et les plantes ont toujours eu le temps de réagir et de s'adapter pour survivre sur la quasi totalité du globe.

Mais les changements que l'homme impose aujourd'hui sont si rapides et si profonds que les organismes qui peuplent la planète ont rarement le temps de s'y conformer. Nous sommes devenus si habiles avec nos machines et si inventifs avec nos produits chimiques que nous pouvons changer la face, en l'espace de quelques mois, d'une forêt entière ou de l'ensemble d'un réseau de cours d'eau.

Si nous voulons gérer le monde de façon efficace et intelligente, il est primordial de commencer par définir clairement nos objectifs. Trois organisations internationales œuvrent déjà en ce sens : l'Union internationale pour la Conservation de la Nature et de ses ressources, le Programme des Nations Unies pour l'environnement et le World Wildlife Fund.

Ces trois organisations ont énoncé trois principes fondamentaux qui devraient guider nos démarches.

Tout d'abord, il est impératif d'éviter l'exploitation intensive des réserves naturelles et de leur laisser la possibilité de se renouveler pour qu'elles ne disparaissent pas complètement. Cela semble si évident... Pourtant, au Pérou, on a pêché les anchois jusqu'à épuisement et, en Europe, on a chassé le hareng de ses lieux de reproduction. On chasse encore actuellement les baleines qui risquent de se trouver purement et simplement exterminées.

Deuxièmement, nous n'avons le droit ni de modifier carrément la face de la terre, ni de perturber les facteurs indispensables à la survie de la vie en elle-même : l'oxygène de l'atmosphère et la fertilité des océans. Ce phénomène risque pourtant de se produire si nous continuons à détruire les forêts et à polluer les océans, en les utilisant comme de vastes poubelles où nous nous débarrassons de nos déchets toxiques et des poisons issus de nos activités.

Troisièmement enfin, nous devons agir de notre mieux pour conserver la diversité des animaux et des plantes de notre planète. Pas seulement parce que nous dépendons d'eux pour notre alimentation, ni parce que nous ignorons encore leur valeur dans l'avenir, mais essentiellement parce que nous n'avons moralement pas le droit d'exterminer les créatures avec lesquelles nous partageons la terre !

Dans l'immensité vide de l'univers, notre planète est, à notre connaissance, le seul endroit où la vie existe. Nous sommes seuls dans un espace infini. La continuité de l'existence de la vie et de son évolution est désormais entre nos mains.

Crédit photographique

Recherche iconographique : Jennifer Fry

1re de couverture : Jacana

INDEX

TABLE DES MATIÈRES

GROENLAND

Islande

CERCLE POLAIRE ARCTIQUE

ALASKA

CANADA

Mont St-Helen

Terre Neuve

Montagnes Rocheuses

Hudson

U.S.A.

Désert Mohave

Açores

Désert du Sonora

Mississippi

TROPIQUE DU CANCER

ATLANTIQUE

Mexique

Golfe du Mexique

To

Hawaï

Cuba

Antilles

Mopti

OCÉAN

Mer des Caraïbes

Isthme de Panama

Orénoque

150°   ÉQUATEUR   120°   90°   60°   30°

Iles Galapagos

Amazone

Ascension

PACIFIQUE

PÉROU

BRÉSIL

Tahiti

Andes

chutes Iguaçu

Rio de la Plata

TROPIQUE DU CAPRICORNE

Desert Atacama

OCÉAN

Ile de Pâques

Trista

ARGENTINE

Go

ATLANTIQUE

Patagonie

Iles Sandwich

Iles Géorgie du Sud

CERCLE POLAIRE ANTARCTIQUE

| chaînes de montagnes | glace | forêts du nord | forê |
| volcans | toundra | forêts tempérées | trop hum |

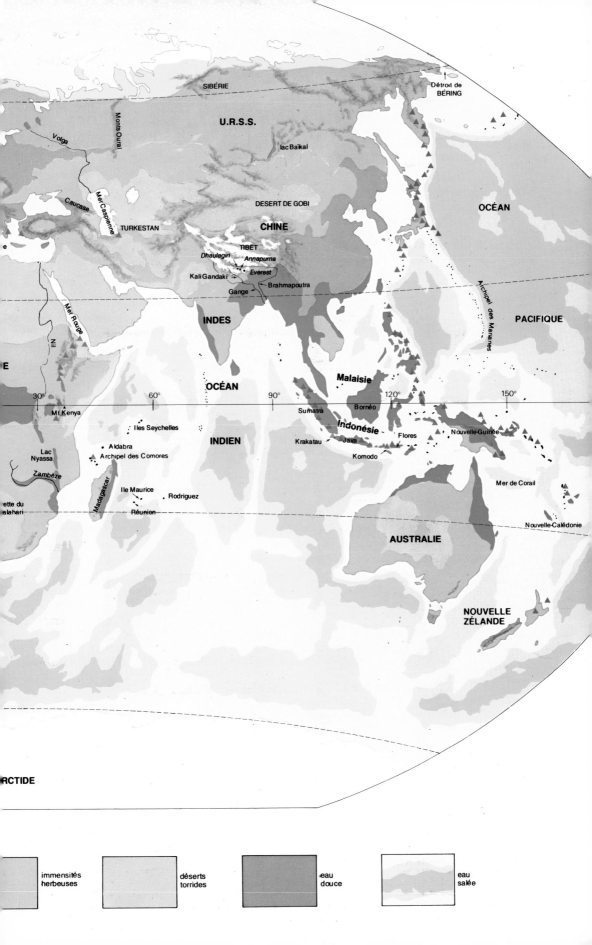

SIBÉRIE

U.R.S.S.

Volga

Monts Oural

lac Baïkal

Détroit de
BÉRING

OCÉAN

Caucase

Mer Caspienne

TURKESTAN

DESERT DE GOBI

CHINE

TIBET

Dhaulagiri   *Annapurna*

Kali Gandaki   *Everest*

Gange   Brahmapoutre

Mer Rouge

Nil

INDES

Archipel des Mariannes

PACIFIQUE

OCÉAN

90°

Malaisie

120°

150°

30°

60°

Sumatra

Bornéo

Mt Kenya

Iles Seychelles

INDIEN

Krakatau   Java

Indonésie

Flores

Nouvelle-Guinée

Aldabra

Archipel des Comores

Komodo

Lac
Nyassa

Zambèze

Madagascar

Ile Maurice   Rodriguez

Réunion

Mer de Corail

ette du
alahari

Nouvelle-Calédonie

AUSTRALIE

NOUVELLE
ZÉLANDE

RCTIDE

immensités herbeuses	déserts torrides	eau douce	eau salée

Rédactrice en chef : Yvette Perret
Responsable de production : Jean-Marc Chardon
Maquette de couverture et photocomposition : C.B. - Carpentier & Bachelet, Paris
Impression et brochage : New Interlitho, Milan
Imprimé en Italie

Achevé d'imprimer pour le compte des
Editions Delachaux & Niestlé S.A.
Neuchâtel (Suisse) - Paris
1er trimestre 1985

4e page de couverture : *La vie à la limite du possible, Ténériffe*